N 5 ◆ MARS ◆ 91

SOCIETES CONTEMPORAINES

PUBLIÉ
AVEC LE CONCOURS
DE L'INSTITUT DE RECHERCHE
SUR LES SOCIETES CONTEMPORAINES
IRESCO - CNRS

◆

L' HARMATTAN
16 RUE DES ECOLES
75005 PARIS

RÉSEAUX SOCIAUX

◆ ◆ ◆ ◆ ◆

◆ ◆

DIRECTION

ALAIN DEGENNE
EDMOND PRETECEILLE

◆

COMITE DE REDACTION

MICHEL ADAM
PIERRE BOUVIER
JACQUES CHEVALIER
ALAIN DEGENNE
JEAN-MARIE DUPREZ
MICHELE FERRAND
FRANCOIS GRESLE
EDMOND PRETECEILLE
CATHERINE RHEIN
CAROLINE ROY
LUCIE TANGUY
JEAN-PAUL TERRENOIRE

◆

SECRETARIAT DE LA REVUE ET FABRICATION

MAURICETTE SEYSSET
CNRS · IRESCO · 59/61 RUE POUCHET · 75849 PARIS CEDEX 17

◆

ABONNEMENTS ET VENTE

LES ABONNEMENTS SONT ANNUELS ET
PARTENT DU PREMIER NUMERO DE L'ANNEE EN COURS.
TARIFS 1991 POUR 4 NUMEROS :
FRANCE 280 F
ETRANGER 320 F

LES DEMANDES D'ABONNEMENT SONT A ADRESSER A :
L'HARMATTAN
16 RUE DES ECOLES · 75005 PARIS

VENTE AU NUMERO (80 F) A LA LIBRAIRIE L'HARMATTAN
ET DANS LES LIBRAIRIES SPECIALISEES

© 1990 L'HARMATTAN
ISBN : 2-7384-1004-9
ISSN : 1150-1944

PRÉSENTATION DU DOSSIER

Un auteur auquel il sera largement fait référence dans les articles qui suivent, Mark S. Granovetter, présenté comme l'un de ceux qui a le plus fortement contribué au développement de l'analyse des réseaux sociaux, s'est élevé récemment contre ce qu'il appelle "l'analyse des réseaux comme mythe d'une méthode particulière dans les sciences sociales". "Les fondateurs de la sociologie (Durkheim, Weber et Simmel) nous ont précisément appris", dit-il, "que l'on ne pouvait pas comprendre les faits sociaux comme de simples agrégations des mobiles et des caractéristiques individuelles tels que la psychologie les a construits. Le génie de Durkheim dans son étude classique du suicide est d'avoir montré que le plus individuel des actes doit être expliqué par le fait que les individus sont ou non insérés dans des réseaux sociaux ; et dans la Division du travail social, Durkheim soutient que les sociétés modernes caractérisées par un haut degré de division du travail ne peuvent se maintenir que par les réseaux complexes exprimant les complémentarités qui résultent de cette division".

Ainsi réintroduite dans la plus directe des filiations fondatrices, l'analyse des réseaux sociaux gagne en légitimité ce qu'elle perd en spécificité apparente de ses principes. Innovation méthodologique mais retour aux sources proprement sociologiques de l'explication, elle apparaît comme une réaction à un individualisme exagérément simplificateur. C'est pourtant dans les approches inspirées de l'individualisme méthodologique que la classe Neil J. Smelser dans l'article qu'il lui consacre dans son Manuel de sociologie [1]. Mais il la distingue des autres approches structurales en ces termes : "La différence fondamentale entre la structure sociale au sens des théoriciens des réseaux et les autres acceptions de cette expression est que les analystes de réseaux conçoivent la structure sociale comme un ensemble de régularités dans l'interaction - régularités de divers types, découvertes empiriquement et non considérées comme enracinées dans une théorie plus générale de l'individu et de la société - et régularités qui constituent une variable indépendante pour expliquer le comportement et les croyances individuelles aussi bien que des processus plus généraux".

---

1. Neil J. Smelser, Network analysis : structure within structure. In Smelser, N.J. (ed). *Handbook of sociology*. Newbury Park, California, Sage, 1988, p. 119-120.

La conception structuraliste de la sociologie, que défendent des auteurs comme Burt ou Wellman et Berkowitz [2], en la fondant principalement sur l'analyse des réseaux sociaux, a-t-elle vocation à produire une théorie générale de la société ? Nous ne trancherons pas ici ce débat. Il ne se pose pas en France dans les mêmes termes qu'aux Etats-Unis. Les chercheurs qui se réclament de l'analyse de réseaux sociaux restent relativement peu nombreux, mais ils partagent cette conviction qu'il y a un intérêt à étudier l'acteur social en considérant que sa rationalité est le produit des relations qu'il a avec les autres. L'acteur est donc décrit avant tout par l'ensemble de ses relations.

Nous nous limiterons à une approche modeste du domaine de l'analyse des réseaux sociaux, s'appuyant sur un ensemble de savoirs et d'outils utiles à la description de certains phénomènes. Ceci étant posé, le domaine est foisonnant et va de la sociographie des relations ou des sytèmes de relations étudiés pour eux-mêmes, à des recherches très élaborées d'un point de vue formel comme tout ce qui tourne autour des notions de statut ou d'équivalence de position et de leur opérationalisation.

Ce dossier est une tentative pour rassembler dans une même publication des recherches en cours en France et il reflète bien cette diversité. Le vocabulaire utilisé est parfois technique et n'est sans doute pas toujours connu. C'est pourquoi nous avons pensé qu'il était utile de proposer en complément un glossaire qui donne au lecteur quelques repères. On le trouve en fin de dossier [3].

A. D.

2. Ronald S. Burt. *Toward a structural theory of action : Network models of social structure, perception and action.* New York, Academic Press, 1982, 381 p. Barry Wellman et Samuel D. Berkowitz. Studying social structures. In Wellman B. and Berkowitz, S.D. (eds). *Social structures : a network approach.* Cambridge, Cambridge University Press,1988.
3. Nous remercions Pierre-Olivier Flavigny et Marie-Odile Lebeaux pour l'aide qu'ils ont apportée à la préparation de ce numéro.

LA CONFIDENCE : DES RELATIONS AU RÉSEAU

RÉSUMÉ : *Avec qui peut-on parler de questions relatives à notre vie affective et sexuelle ? Quels types de relations interpersonnelles sont capables d'entendre de telles confidences ? Quel genre de réseau forment-elles pour chaque individu ? Après avoir suggéré que la confidence peut reposer sur un ordre relationnel particulier, les résultats d'une pré-enquête méthodologique permettent d'en tracer les contours.*

1. UN ENJEU : INFLÉCHIR LES CONDUITES SEXUELLES

La sexualité est l'objet d'un intérêt renouvelé au moment où les Pouvoirs Publics tentent de limiter la diffusion du SIDA. Or, dans ce domaine, aucune coercition ne peut - d'une façon générale - être exercée : les comportements "à risque" sont précisément ceux qui appartiennent à la zone non réglementée (avant ou en dehors de l'ordre conjugal) des échanges sexuels, seulement délimitée par les interdits liés à la protection de la personne humaine, des mineurs, de la pudeur, etc. Par choix éthiques et politiques, il a été décidé de laisser intact cet espace fondamental de la liberté individuelle. D'autre part, cet univers sexuel n'est pas "sauvage", il comporte des règles - de séduction ou d'appariement par exemple ; mais (sauf certains "milieux" homosexuels ou une part de la prostitution) il ne comporte ni "organisation" ni "structure collective" capables d'introduire une auto-régulation socialisée des pratiques sexuelles.

L'absence d'emprise collective spécifique à la vie sexuelle oblige à penser en termes individualistes d'acteurs autonomes dont seuls les orientations et les choix peuvent se modifier. Dans cet esprit, deux idées inspirent **les actions de prévention :**
- celle d'un "acteur rationnel" poursuivant son intérêt : connaissant les risques que certaines pratiques font courir à sa santé et à sa vie, l'individu changera de comportement. Donc il faut informer le plus largement possible.
- celle des "résistances au changement" : il faut apprendre à l'individu que ce n'est ni ridicule, ni désagréable, ni offensant pour son partenaire d'utiliser un préservatif. Il faut changer "l'image" du produit et de son usage.

Pour notre part, en réponse à un appel d'offres de l'Agence Nationale de Recherche sur le Sida (Avril 1989), nous avons suggéré que les individus ne font pas seulement ce qu'ils jugent rationnel, mais aussi ce qu'ils pensent "bien", simplement parce que c'est approuvé ; et qu'ils attachent une importance particulière à **l'approbation de leur environnement relationnel** proche.

Classiquement la sociologie parle de "normes" utilisées par les acteurs pour orienter leur propre conduite et pour émettre des jugements sur les comportements d'autrui. Mais il existe différentes conceptions pour expliquer comment les acteurs finissent par se référer à telles normes plutôt qu'à telles autres. Les inculcations de la primo-socialisation ne peuvent rendre compte de la totalité du "bagage normatif" des acteurs, parce que le champ social est diversifié, conflictuel, changeant et nombre de normes sont sujettes à des redéfinitions dans le jeu des interactions sociales.

D'autre part certaines normes ont une fonction impérative de guidage des conduites individuelles, d'autres ont une fonction expressive de cohésion collective : il peut exister un consensus égal pour valoriser positivement une conduite et pour supporter qu'elle ne soit pas mise en pratique. Dès lors un acteur peut s'attendre à voir sa conduite jugée par son entourage davantage en fonction **des comportements effectifs** qui y ont cours que des normes explicites : il sait qu'il ne risque qu'une faible (ou très hypocrite) désapprobation de la part de quelqu'un qui manifeste le même comportement effectif que le sien (fût-il éloigné des principes !) ; de plus, un comportement effectif apparaît comme "viable", réalisable, crédible, tandis que certaines normes paraissent idéalistes et loin de nos existences contingentes.

2. LA CONFIDENCE COMME FAIT SOCIAL

Ainsi, nous avons supposé que l'individu est influencé par la façon dont il perçoit les comportements sexuels de personnes qu'il connaît. Nous avons centré l'analyse sur **les confidents sur la vie affective et sexuelle.** Deux hypothèses nous permettaient de penser que ce type de relation est pertinent pour notre propos : a) le confident serait quelqu'un de particulier dans le réseau de sociabilité de l'individu qui en attendrait une reconnaissance spécifique ; b) le confident serait connu de manière suffisamment précise pour que l'individu ait une idée sur son comportement sexuel. Ces hypothèses résultent d'une **définition de la confidence** qui doit être explicitée parce qu'elle fonde la validité du choix méthodologique.

"Se confier à quelqu'un", "faire des confidences" sont des expressions banales qui décrivent un type de situation bien connu de chacun. Au-delà de la variété des expériences humaines singulières, quelques caráctères généraux de ces échanges interpersonnels seront retenus ici.

- La confidence suppose le langage ; parfois par lettre, aujourd'hui plus souvent par téléphone ou face à face, quelque chose est exprimé au moyen du langage.
- La confidence porte sur des contenus spécifiques : les dimensions privées, personnelles, cachées au plus grand nombre, de la vie de l'individu. Dans la terminologie Goffmanienne, c'est une interaction qui a trait aux "coulisses".
- Elle suppose que le secret ne sera pas galvaudé, soit que les partenaires se fassent confiance, soit qu'ils n'aient pas de connaissance commune.
- La confidence est faite volontairement ; elle suppose le droit et la capacité de choisir à qui elle est faite.
- La confidence peut être réciproque ou univoque.

- Les fonctions de la confidence sont nombreuses : le simple plaisir de parler en "tombant le masque" ; l'échange d'informations, de conseils, de compassions ; mais c'est aussi une manière de sceller une relation, d'obliger le partenaire.

Ces caractéristiques descriptives impliquent à la fois des contenus (de quoi parle-ton ?) et des formes (au sein de quel type de relation ?). C'est l'articulation entre des contenus et des formes qui est intéressante. La régulation de la sexualité est une dimension essentielle de l'ordre institutionnel d'une société ; la régulation des **paroles** sur la sexualité en est un aspect fondamental, car on sait le rôle central du langage dans l'institution des interdits comme dans l'expression symbolique des désirs : dès lors, **dans quels ordres de relations ces paroles sont elles socialement possibles ?**

La tradition fonctionnaliste veut que des appareils institutionnels, au moyen d'apprentissages, d'intériorisation de modèles, de contrôle social, garantissent l'accomplissement des rôles dans le respect des règles. Ce modèle n'est évidemment valide que pour les domaines et les moments d'une dynamique sociale où les appareils "fonctionnent" effectivement (on peut faire confiance à tous les médecins inscrits à l'Ordre). En dehors de ces conditions, la **confiance** (Eisenstadt, 1984) traduit l'existence d'une régulation des interactions dont les fondements sont plus particularistes et interpersonnels (on peut faire confiance à ce rebouteux parce qu'il a été recommandé par un ami).

Dans notre société, nombre d'institutions ont un mot à dire sur la sexualité (le Droit, les Eglises, la Médecine, mais aussi l'Art et la Littérature, les médias, des groupements revendicatifs...). Par contre, il est moins évident de savoir lesquelles sont capables et reconnues dignes **d'entendre** une parole singulière sur la vie affective et sexuelle d'un individu particulier. S'il existe des rôles institués pour écouter cette parole (psychologues, conseil conjugal, "conseillers" du courrier du coeur des revues, confesseurs...), ils sont loin de répondre à toutes les demandes qui tracent des chemins propres dans l'univers plus fluide des relations interpersonnelles.

Dans ces confidences, des paroles sont échangées sous le sceau - implicite ou explicite - d'une parole donnée, d'un engagement réciproque qui entérine la particularité d'une relation interpersonnelle fondée sur la confiance. La confiance qui permet que la confidence joue en dehors des rôles formels n'est ni idiosyncrasique ni réductible à des particularités interindividuelles ; elle répond à certaines logiques sociales (nulle part explicites et partout efficaces) qui constituent une des dimensions de l'ordre sexuel dans notre société : cette interaction, dans un mouvement unique, reproduit ou déplace les frontières entre le domaine public, "facial" (ce qui peut être connu de tous), et le domaine privé ou réservé de la vie ; et elle qualifie ainsi des auditoires, des sphères relationnelles qui sont légitimes pour ces domaines (qui peut entendre quoi). Ainsi l'objectif d'une enquête est de décrire comment ces confidences pourront être prises en charge par certaines relations et proscrites par d'autres, et d'ébaucher ainsi une géographie relationnelle du "droit de parole" sur la vie affective et sexuelle.

3. COMMENT OBSERVER LES RELATIONS DE CONFIDENCE ?

Comme dans toutes les recherches sur les relations personnelles, il faut trouver le moyen de faire **sélectionner** par l'enquêté un sous-ensemble de relations pertinentes : c'est le rôle des questions qu'on appelle des "générateurs de noms", parce qu'ils consistent à obtenir de l'enquêté une liste de personnes repérées par leurs initiales.

Les questions utilisées dans les enquêtes sur les réseaux personnels font référence soit à un comportement effectif (Pourriez-vous indiquer les personnes que vous avez invitées chez vous au cours des trois derniers mois ?), soit à une évaluation des possibles (...personnes qui vous aideraient en cas de coups durs) ou à une appréhension plus subjective et globale (...personnes que vous considérez comme des amis proches). Ces "générateurs" posent des problèmes méthodologiques un peu particuliers :
- le "travail" de sélection exigé du répondant est beaucoup plus complexe que la réponse à tout autre type de question d'attitude ou de comportement ;
- le mauvais fonctionnement d'un générateur a des effets redoutables puisqu'il commande toutes les données ultérieures sur la taille du réseau et la nature des relations ;
- on ne peut comparer des résultats d'enquête que si les générateurs utilisés sont analogues : les réseaux examinés sont par excellence spécifiques à la procédure de sélection.

Le choix méthodologique que nous avons effectué s'est appuyé sur l'expérience d'un sondage réalisé en 1985 par le National Opinion Research Center de Chicago (Burt, 1984 ; 1985). Pour préparer cette enquête, R. Burt avait réuni les avis d'un grand nombre de spécialistes des "réseaux personnels" pour savoir quels types de relations privilégier. Il fallait n'examiner que peu de liens (problèmes de coûts) et utiliser les résultats pour situer différents travaux disponibles : les orientations de ces derniers ont fait pencher la balance vers des relations "proches" et "fortes", reconnues comme susceptibles d'apporter le plus de support relationnel aux individus et de les influencer le plus directement. Les enquêtés étaient invités à lister **les personnes avec lesquelles ils parlent de problèmes importants pour eux**. La réussite de cette procédure nous enseignait que, du moins aux Etats-Unis, il est possible dans un sondage à grande échelle de faire lister des relations de discussion sur des problèmes personnels (Ferrand, 1989).

Pouvait-on demander de faire sélectionner les personnes avec lesquelles on discute plus spécifiquement de la vie affective et sexuelle? C'était un des enjeux du test méthodologique. A tort ou à raison, "les Français" sont crédités d'une certaine faconde sur le sujet, particulièrement pour évoquer les situations scabreuses. L'existence d'une parole sociale qui entretient un répertoire d'anecdotes et de "contes" ne fait pas de doute. Mais, sans méconnaître que, du récit au ragot (sans doute sur la base d'une trame narrative assez standardisée), quelque chose est dit là qui concerne la sexualité du sujet, nous voulions sélectionner des relations qui engagent plus spécifiquement les deux interlocuteurs dans un "aveu", réciproque ou non, de ce qui compte dans **leur propre vie affective et sexuelle**.

En orientant l'enquête sur les **confidents**, nous voulions ne faire citer **que** des personnes qui sont, d'une manière ou d'une autre, significatives pour l'individu, même si nous savions également ne pas les avoir toutes. D'autre part nous pouvions supposer qu'à travers les discussions elles-mêmes, et plus largement dans le commerce de la sociabilité, l'enquêté est à même de se former une idée des comportements sexuels de ses confidents.

Quatre générateurs de noms successifs ont été employés. Nous demandions d'abord aux enquêtés de citer "les personnes avec lesquelles ils parlent du plaisir d'être aimé ou de conquêtes amoureuses". Devançant un peu le retour à la mode dans les médias du thème de l'amour, nous avons préféré ce terme à celui de "sexualité" ou de vie sexuelle qui "passent" assurément mieux sur la rive gauche de la Seine, mais pas forcément en bordure la Nivelle. La félicité en amour n'étant pas forcément discutée avec les mêmes interlocuteurs que les déconvenues, une seconde question demandait de lister "les personnes avec lesquelles on parle de difficultés de couple ou de peines de coeur". Au-delà de ces dimensions plutôt relationnelles, nous voulions être sûrs que seraient cités les confidents avec lesquels sont échangés des propos où les dimensions plus physiologiques sont abordées ; ainsi un troisième générateur demandait "les personnes avec lesquelles on parle de contraception", et un quatrième, "les personnes avec lesquelles on parle de problèmes ou de maladies sexuelles et de leur traitement". Ces deux générateurs spécifient des champs de discussion capables d'englober une éventuelle parole sur le SIDA et les moyens de s'en protéger.

Le questionnaire offrait 15 lignes (+ 9 sur une autre feuille) pour lister des initiales : il en a été utilisé de 0 à 11 avec une moyenne de trois. C'est un premier résultat : il est possible de "cibler" des générateurs sur des enjeux à la fois assez personnels et portant sur des questions ou des domaines d'échange précis. Evidemment les individus ne limitent sans doute pas à ces domaines leurs échanges avec les personnes citées, mais on sait qu'au moins ces discussions existent. Si la liste établie comportait plus de cinq initiales, l'enquêté était invité à sélectionner les cinq confidents "dont les avis ont le plus d'importance" pour lui. Ensuite une série de questions permettait de faire décrire chacun des confidents : qui est-il, comment le connaît-on, comment perçoit-on certains aspects de son comportement sexuel. Ainsi, 609 relations ont été documentées, citées par 191 individus.

ENQUETE : "RELATIONS SEXUELLES ET RELATIONS DE CONFIDENCE"

Pré-enquête méthodologique réalisée au sein du Laboratoire d'Analyse Secondaire et de Méthodes Appliquées à la Sociologie (LASMAS) par Alexis Ferrand et Lise Mounier, financée par l'Agence Nationale de Recherche sur le Sida (ANRS), dans le cadre de la préparation de l'enquête nationale : "Analyse des Comportements Sexuels en France ACSF" (pilotée par l'INSERM - U292 - N. Bajos, A. Spira).

La passation des questionnaires, confiée à l'Institut de Sondage Lavialle, a été réalisée en Novembre 1990. Les 200 interviews étaient demandés moitié dans la région parisienne, moitié dans des villes de province et des bourgs ruraux. Une sur-représentation massive (50 %) des moins de 24 ans était demandée comme un moyen (simple !) d'accroître la probabilité d'interroger des multipartenaires sexuels (selon la définition la plus courante : individus ayant eu plus d'un partenaire au cours des douze derniers mois).

Les **"générateurs de noms"** qui faisaient suite à des questions évoquant les différents cercles de sociabilité sont présentés dans le texte.

Pour **chaque confident cité** le questionnaire demandait :
- Attributs du confident : sexe, âge, PCS, s'il a la même religion que l'enquêté.
- Attributs de la relation : durée, ancienneté de la dernière rencontre, et contextes libellés ainsi : a) voisin, b) collègue de travail, c) participe aux activités de la même association que vous, d) est votre conjoint, concubin, partenaire sexuel stable, e) est un membre de votre famille ou de celle de votre conjoint, f) est quelqu'un qui vient chez vous ou chez qui vous allez pour manger ensemble, boire un verre, g) est quelqu'un qui vient chez vous ou chez qui vous allez pour donner des coups de main (bricolage, cuisine, garde d'enfants), h) est quelqu'un avec qui vous échangez des conseils pour des démarches administratives, trouver un logement, un emploi, i) sort avec vous en ville, faire des courses, au restaurant, au cinéma, en discothèque, j) est quelqu'un que vous rencontrez ou avez rencontré dans des lieux de vacances ou de week-end.

Comportements sexuels attribués au confident : nombre de partenaires sexuels qu'aurait eu le confident au cours des 12 derniers mois ; changements de son comportement sexuel depuis l'apparition du SIDA ; éventualité de pratiques homosexuelles ; éventualité d'infection connue par le virus du SIDA (VIH).

Les résultats détaillés de cette enquête ont été publiés (Ferrand, Mounier, 1990).

4. DEUX NIVEAUX D'ANALYSE

Ces observations peuvent être analysées à deux niveaux différents : a) celui des relations avec leurs caractéristiques sociales ; b) celui des réseaux formés par la série des relations de chaque individu. Et ces niveaux peuvent enfin être mis en rapport l'un avec l'autre. Ceci conduit à travailler sur deux échantillons différents : soit sur les relations de tous les individus fusionnées dans un échantillon ("en base relation"), soit sur les réseaux des individus dont les caractéristiques sont identifiées en analysant, individu par individu, la série des relations qu'il a citées ("en base réseau"). Chacune de ces bases statistiques de travail ne produit pas des éclairages différents sur une réalité unique ; chacune représente un niveau spécifique de réalité des processus relationnels. A titre d'illustration de cette question complexe à l'interface des hypothèses et des méthodes on peut distinguer trois "modèles" :

- un modèle **interpersonnel**. Une relation résulte essentiellement des tractations entre des **acteurs** particuliers : ce sont les attributs individuels de l'enquêté relativement à ceux du confident qui seraient décisifs (en base relations, l'analyse confronte statistiquement sur toutes les relations mélangées les caractéristiques de l'individu et de la personne citée).

- un modèle **relationnel**. Chaque forme de relation répond à des **modèles sociaux** ou des logiques particulières (en base relation, sur toutes les relations mélangées on examine les correspondances entre certaines caractéristiques des relations : dans quels contextes on se rencontre, à quelle fréquence, depuis combien de temps, etc.).

- un modèle **"réseau"**. Une relation n'est pas un objet autonome, mais un élément partiel et dépendant d'un système, le réseau de l'individu ; ses caractéristiques ne prennent sens que relativement aux autres relations de cet individu (en base réseau, le nombre, la diversité, l'interconnexion, etc., des relations sont examinés comme caractéristiques structurales d'un **système relationnel**).

Ainsi, les **mêmes données** peuvent être traitées non seulement pour évaluer des hypothèses alternatives sur le même objet (ce qui est courant), mais aussi pour explorer des objets différents qui n'appartiennent pas au même niveau de réalité (ce qui est plus rare, sachant que le passage d'un niveau à l'autre ne résulte pas seulement d'une agrégation statistique d'observations élémentaires, mais aussi de la prise en compte des interrelations empiriques entre ces observations). Ainsi des résultats vont être successivement présentés à chacun de ces niveaux d'interprétation, relations et réseaux, pour indiquer quelques aspects d'une logique sociale de la confidence.

4. 1. LES RELATIONS

Nous insisterons sur le deuxième modèle évoqué ci-dessus : les échanges interpersonnels sont considérés comme inscrits dans des **"contextes"** qui imposent de façon plus ou moins stricte des façons normales et attendues de se conduire. En demandant aux enquêtés de dire s'ils connaissent un confident en qualité de voisin, de collègue, de parent, etc. on précise dans quelle sphère ou cadre social une relation existe aujourd'hui. On peut ainsi observer quels sont les contextes relationnels qui autorisent le plus grand nombre de relations de confidences. Mais une relation peut être commune à plusieurs contextes : on dira qu'elle est plus ou moins **polyvalente** (multiplex). La polyvalence, qui indique qu'une même relation est à la fois de voisinage et de travail, de parenté et de loisirs, etc., traduit à l'échelon du système relationnel des individus une caractéristique structurelle (le recouvrement ou la séparation des contextes de socialisation, caractéristique de types contrastés d'organisation sociale : communauté unifiée / métropole segmentée) et/ou une stratégie relationnelle tirant profit d'opportunités offertes par l'articulation des contextes de socialisation.

Nous avons, notamment pour assurer la comparabilité avec d'autres enquêtes, utilisé une liste de contextes déjà employée par d'autres auteurs. Par contre nous n'avons pas fait figurer le contexte "ami" dont on sait qu'il ne qualifie pas un type relationnel homogène. A la place nous avons proposé différents contenus d'interactions sociales décrits explicitement pour suggérer des réponses plus discriminantes. Dans une unique question multi-réponses, dix items proposaient ainsi à la fois des contextes et des contenus pour décrire les types de liens interpersonnels (voir l'encadré de présentation de l'enquête).

Trois relations sur quatre n'ont été décrites qu'avec un item (2/4 avec un contexte ; 1/4 avec un contenu). En première lecture, c'est une image très tranchée, "unidimensionnelle", très spécialisée de ces relations qui apparaîtrait. Plus précisément, les relations qui comportent au moins un contexte (62 %), n'en ont jamais deux simultanément (1 %) : les relations définies par des contextes appartiendraient donc à des sphères de sociabilité qui ne se superposent pas du tout (polyvalence contextuelle nulle). Ceci peut traduire une certaine organisation générale de la sociabilité à l'intérieur de laquelle se déploient les relations de confidences. Mais il est aussi possible que ce soit une particularité des relations sélectionnées pour la confidence à l'intérieur d'une sociabilité générale où les recouvrements seraient plus fréquents : **l'absence de chevauchement limite les possibilités de circulation non contrôlée entre des tiers des confidences faites à l'un et pas à l'autre.**

Les contenus sont moins exclusifs : 47 % des relations comportent au moins un contenu et 18 % en comportent deux ou plus : les combinaisons de contenus sont un peu moins rares, mais c'est tout de même quatre relations sur cinq qui sembleraient n'autoriser qu'un type d'interaction avec le partenaire.

La faible proportion des relations décrites par plusieurs réponses, et l'étroitesse de l'échantillon (609 relations citées) invitaient à ne pas conserver une classification trop

TABLEAU 1 : NOMBRE ET PROPORTION DES RELATIONS DÉCRITES PAR TYPES.

	N	%
"Ascendants" : membre de la famille ou de celle du conjoint (plus âgé d'au moins 18 ans)	53	9
"Famille" : membre de la famille ou de celle du conjoint (de la même "génération")	116	19
"Conjoint", concubin, partenaire sexuel stable	96	16
"Collègue" de travail	78	13
"Voisin"	27	4
"Sociable" : personne invitée à la maison ou avec qui on sort en ville ou fréquentée pendant les vacances	163	27
"Conseil": personne avec laquelle des services et des conseils pratiques sont échangés	56	9
Non qualifiées	20	3
Total	609	100

fine. Les multi-réponses ont été recodées selon une règle de prééminence inspirée de Fischer (1982) donnant la priorité aux définitions par les contextes (si la relation est décrite par un contexte et un contenu, le contexte est retenu) et hiérarchisant ces derniers (s'il y a deux contextes : conjoint l'emporte sur famille, sur collègue, sur voisin. "Ascendants" regroupe des confidents cités comme "famille" et ayant au moins 18 ans de plus que l'individu) ; les relations ne comportant que des contenus ont été regroupées dans deux types ("Sociable" : voir encadré, items c, f, i, j ; et "Conseil", items g, h). Les relations se distribuent entre ces types comme indiqué dans le tableau 1.

La parenté au sens large (famille, ascendants, conjoints) est un système relationnel qui capitalise 44 % de toutes les relations de confidence sur la vie affective et sexuelle. Fondée sur l'institutionnalisation de la sexualité, la parenté qui légitime certains rapports et en interdit d'autres, semble plus autoriser que prohiber une parole. Celle-ci vient s'inscrire dans des flux d'échanges portant sur bien d'autres domaines dont les enquêtes sur la sociabilité attestent clairement l'existence.

A l'opposé, les relations que les enquêtés n'ont pas identifiées par des contextes socialement reconnus et institutionnalisés, mais seulement par la nature des échanges qu'elles occasionnent représentent 36 % de toutes les relations. Ce sous-ensemble regroupe largement ce qui aurait été désigné comme "amis et copains" si la catégorie avait existé.

Si nous supposons que c'est le caractère électif et interindividuel de la relation qui importe ici (le choix réciproque des partenaires, fondateur de la confiance et du plaisir de la parole qui autorisent la confidence), alors il serait possible de dire que cet univers est homologue à la vie sexuelle (reconnaissance et choix réciproque des partenaires). Il apparaîtrait que la sexualité se parle beaucoup plus facilement dans les univers relationnels qui l'impliquent déjà par leur contenu (parenté) ou par leur forme (électivité interindividuelle hors cadres sociaux). La faible part des relations de travail ou de voisinage, dont les logiques fondatrices n'ont rien à voir avec la sexualité, pourrait plaider dans le même sens.

Enfin on remarquera que les relations de discussion sur la vie affective et sexuelle sont rarement citées comme comportant des échanges de conseils pour des démarches pratiques (trouver un emploi, un job, contacter une administration) ou des échanges de services. Une certaine **spécialisation** des sphères relationnelles, constatée dans d'autres enquêtes, serait ainsi confirmée.

En postulant que les "générateurs de noms" fonctionnent bien, nous venons de voir s'esquisser ici quelques aspects de l'ordre relationnel de la confidence. Mais ce postulat est-il tenable? Les relations sont-elles bien des relations de confidence sur la vie affective et sexuelle, ou bien simplement des relations proches ? Les questions qui demandent de décrire certains aspects du comportement sexuel des confidents nous permettent d'avancer un certain nombre d'arguments.

Tout d'abord il faut noter que ces indiscrétions "au second degré", si elles ont surpris les enquêtés, n'ont pas entraîné de résistances dirimantes : le taux de non réponse est "normal". Il existerait ainsi une recevabilité paradoxale de cette forme d'investigation, puisqu'elle implique de dire à un tiers (enquêteur) non un secret personnel, mais une indiscrétion sur autrui (même anonymement désigné par des initiales), rompant ainsi le pacte de la confidence. D'autre part le faible taux de non réponse indique aussi que les enquêtés ont quelque chose à dire, quelle que soit la qualité de leur source d'information : certaines dimensions du comportement peuvent avoir été discutées, d'autres non discutées mais visibles du fait des formes de fréquentation entre l'individu et la personne ; d'autres ne seront parfois ni discutées ni visibles, et seulement induites ou supposées.

D'autre part, lorsqu'il s'agit du nombre de partenaires sexuels que sont supposés avoir les confidents, les enquêtés fournissent des réponses dont l'agrégation produit une image absolument identique à celle des comportements qu'ils déclarent pour eux-mêmes (23 % et 23 % de multipartenaires). Réalisme donc. Ce constat ouvre sur deux interprétations : l'une (qui guidait cette enquête) suppose que ce sont des "représentations" qui sont recueillies ; une autre supposera qu'on peut ainsi obtenir sur les tiers certaines informations réalistes et fiables. Faute d'interroger (par une procédure "boule de neige") les confidents cités, on ne peut trancher entre ces deux interprétations. Mais finalement, dans l'ordre de la confidence, n'est-il pas analogue de savoir parce que l'autre a dit quelque chose, et de se croire autorisé à savoir même en l'absence d'information certaine? La capacité de la relation à transgresser les frontières de l'intime ou du privé est en effet attestée dans les deux cas.

4. 2. LES RÉSEAUX PERSONNELS

Les analyses menées jusqu'ici "en base relation" examinaient la nature du lien interpersonnel pouvant supporter la confidence : chaque lien fut traité comme une réalité indépendante. Mais ces relations sont citées par des individus particuliers, elles constituent de petits réseaux, propres aux différents enquêtés ; c'est un autre niveau de réalité et de traitement des données où peuvent être mises en évidence des formes différentes de sociabilité des individus.

La **taille** du réseau, le nombre de personnes citées avec lesquelles il est possible d'avoir le type d'échange examiné est un indicateur de base qui prend, selon les recherches, des significations variées. Pour notre propos, ceux qui n'ont **aucun** confident sont dans une situation "d'aphasie" sur la vie affective et sexuelle. On repère ainsi des situations individuelles et/ou des stades de l'existence qui sont interdits de parole, où les confidences sont proscrites. Si on admet - comme postulat "importé" au niveau sociologique- qu'il existerait une liaison entre la capacité de verbaliser des questions existentielles et la capacité de gérer de façon dynamique des tensions psycho-affectives, alors l'absence de confidents implique sans doute une certaine rigidification des conduites. Ceux qui n'en ont qu'un sont dans une situation de débat intimiste "en miroir".

TABLEAU 2 : DISTRIBUTION DES RÉSEAUX EN FONCTION DE LA TAILLE, SELON LE SEXE ET L'ÂGE DES ENQUÊTÉS.

	Taille du réseau			Tous	
	0 ou 1	2 ou 3	4 ou 5	N	% Col.
Homme	20	39	41	98	49
Femme	13	51	36	101	51
18-24	10	43	47	89	45
25-34	15	52	33	60	30
35-49	30	42	28	50	25
	17	45	38	199	100

On constate une différence selon les sexes ; les hommes auraient tendance à être plus nombreux à n'avoir aucun ou seulement un confident. Ceci est conforme à d'autres résultats portant sur des relations moins spécialisées. Vraisemblablement ce "silence" n'est pas spécifique au domaine relationnel examiné, il est la trace d'un isolement plus général et polymorphe. De même, les proportions d'isolés selon les catégories socio-professionnelles reproduisent les grandes lignes de ce qu'on sait sur la sociabilité différentielle des couches sociales.

Par contre, le triplement de la proportion d'isolés entre 18 et 50 ans doit manifester à la fois la tendance connue d'un rétrécissement de la sociabilité avec l'avance en âge et un effet spécifique de perte d'acuité des confidences par routinisation de la vie sexuelle. Si des résultats ayant une assise statistique large confirmaient ces tendances, il serait possible de repérer, en fonction des calendriers de rupture d'unions, des situations particulièrement problématiques où des individus, après une séparation, effectuent un retour sur le "marché sexuel" qui n'est pas accompagné d'un retour sur le "marché de la confidence" : conjoncture de décrochement entre pratique et parole.

Outre la taille, les réseaux se différencient également par leur **composition** : ils peuvent comporter différents types de relations, et dans des proportions variables. Nous examinerons ici des indicateurs de structure qui traduisent des stratégies relationnelles combinant extension et composition du réseau (quelle proportion du réseau est représentée par un type de relations ? Par exemple, une relation de "Parenté" représente 50 % d'un réseau de 2 ; mais 25 % d'un réseau de 4, etc.).

Nous supposions que ces stratégies de la confidence pivotent à partir de l'existence de la personne la plus proche et la plus concernée : le conjoint, concubin, ou partenaire sexuel stable (existant dans 80 % des cas). Effectivement, dans 60 % des cas où il existe, il est inclus dans le réseau de confidence. Ce qui veut dire aussi que quatre personnes sur dix ne parlent pas à leur partenaire principal de questions personnelles affectives et sexuelles. C'est une **proportion importante**, compte tenu de la diversité des générateurs de noms employés. Une relation un peu durable avec un partenaire sexuel n'en fait pas forcément un interlocuteur. Que le passage à l'acte puisse supplanter ou suspendre la confidence dans une telle proportion de cas, suggère fortement qu'**une partie de l'orientation et de l'évaluation socialisée des pratiques sexuelles se joue en dehors du couple des partenaires**. L'impossibilité d'une parole dans le couple renforce *a contrario* l'importance prise par la confidence hors couple.

TABLEAU 3 : PROPORTION DES RELATIONS DE DIFFÉRENTS TYPES, SELON QUE L'ENQUÊTÉ A UN CONJOINT OU NON.

| | Enquêté avec conjoint | | Enquêté sans conjoint | |
	H	F	H	F
Type relation	(a)	(a)	(a)	(a)
Parenté	36	36	34	33
Autres (b)	28	32	34	38
Sociable	36	32	32	30
Taille moyenne (c)	2,8	2,7	3,0	3,3
Polyvalence (d)	1,7	1,9	1,7	1,8
Nombre de cas	62	75	23	16

Note : Les conjoint cités comme confidents ne sont pas comptés ici dans la composition du réseau.
a : % colonnes : proportion des relations de chaque type.
b : Voisin, Conseil, Collègue
c : nombre de confidents non conjoint.
d : nombre de types différents de relations (Cf Tableau 1)

L'existence d'un conjoint, qu'il soit ou non confident, modifie-t-elle la composition du réseau? On examinera ici la composition des réseaux de confidence (en excluant les confidents conjoints) en fonction de l'existence ou non d'un conjoint ou partenaire sexuel stable (après avoir éliminé les réseaux vides N = 8 ; ceux ne comportant que le conjoint N = 13 et 2 non réponses). Cette exclusion du conjoint-confident conduit mécaniquement à diminuer la taille moyenne des réseaux susceptibles d'en comporter un (2,7 contre 3,0) ; par contre elle ne réduit pas (au contraire, polyvalence :1,8 contre 1,7) le nombre de types relationnels différents utilisés pour composer le réseau : **avoir un conjoint n'a pas d'effet global sur la variété du réseau de confidence.**

L'image d'ensemble est claire : le réseau de confidence hors conjoint comporte en moyenne un membre de la parenté, un compagnon de loisirs et une autre personne au statut variable.

L'existence d'un conjoint accroît la chance d'inclure dans son réseau de confidence un membre de l'une ou l'autre parentèle, de façon sensiblement égale pour les hommes et les femmes. Ceci peut se comprendre soit en termes "d'offre relationnelle" par accroissement et diversification du nombre d'apparentés potentiellement confidents, soit en termes d'orientation familialiste de ceux qui ont choisi d'avoir un partenaire sexuel stabilisé (quel qu'en soit le statut "matrimonial"). Mais le fait majeur est **que cet effet est faible : avoir une vie sexuelle plus versatile ne coupe pas les liens avec la parenté,** qui a souvent cessé d'être le bastion normatif et pratique de la fidélité amoureuse et/ou conjugale.

Il n'était pas déraisonnable d'imaginer que les individus qui avaient davantage stabilisé leurs relations sexuelles manifestent par là une orientation générale de leur sociabilité ; et on pouvait s'attendre à ce qu'ils utilisent aussi pour la confidence des relations prises dans des contextes assez clairement institutionnalisés comme le travail ou le voisinage ou ayant aussi une dimension utilitaire et sérieuse (conseil). Il n'en est rien : avoir un partenaire sexuel stable diminue la chance de choisir pour confident ce type de relation (30 % contre 36 %), et accroît à l'inverse la chance d'inclure dans son réseau des compagnons de loisirs et de sortie (34 % contre 31 %) : des relations essentiellement constituées par des convenances interpersonnelles révocables. Cet effet semblerait plus prononcé pour les hommes (36 % contre 32 %) que pour les femmes (32 % contre 30 %).

Globalement, lorsqu'on retire les conjoints confidents, il apparaît ainsi que les hommes ou les femmes, les "rangés" ou les "volages" ne font pas circuler les confidences dans des réseaux totalement différents : la parenté constitue pour tous un des volets du triptyque. Les inflexions qui existent par ailleurs sont intéressantes : ceux qui ont davantage "institutionnalisé" leur vie sexuelle ont des confidences plus radicalement "interpersonnelles" et électives ; ceux dont les relations sexuelles sont moins régulées et stabilisées ont des confidences plus appuyées sur les cadres sociaux (travail et voisinage). **A croire qu'en matière de vie affective et sexuelle, entre le geste et la parole, il existerait une sorte de jeu à somme constante, tel que l'individu trouve dans l'un ou l'autre un minimum de support apporté par un encadrement social des relations.**

Les enquêtés étaient invités à indiquer quels confidents se connaissent entre eux. En divisant le nombre de liens ainsi indiqués par le nombre de liens possibles, N(N-1)/2, on dispose d'une mesure de la **densité du réseau** formé par les relations entre confidents exclusivement (ceux avec l'individu, par définition existants, sont exclus de la mesure retenue ici).

Parmi les 166 individus qui ont un réseau comportant au moins deux confidents, dans 13 % des cas tous les liens possibles existent effectivement (densité = 100 %). **Dans 55 % des cas aucun des liens possibles n'existe : les réseaux de confidence sont majoritairement totalement segmentés.**

TABLEAU 4 : DENSITÉ DU RÉSEAU

Taille du réseau	Interconnaissance des confidents			Tous	
	Nulle	Partielle	Totale	% Ligne	N
2	69	0	31	100	42
3 ou 4	51	38	11	100	80
5	48	52	0	100	44
Tous %	55	32	13	100	166

La densité du réseau est largement indépendante de l'âge ou du sexe des enquêtés. Par contre le nombre de confidents et la densité sont fortement liés. Ainsi une caractéristique formelle importante du réseau, la densité, ne répondrait pas à des variations propres aux individus enquêtés, mais à d'autres caractéristiques formelles des réseaux, ici la taille. Cette socio-logique des réseaux doit être comprise à deux niveaux. D'une part celui des **contraintes structurelles** : les possibles et la variété des combinaisons dépendent directement de la taille des réseaux (par exemple des réseaux de deux confidents ne peuvent avoir une densité intermédiaire). D'autre part celui de **régularités particulières** à l'intérieur des possibles définis par les contraintes structurelles (par exemple l'inexistence de grands réseaux où tout le monde se connaîtrait).

De même on retrouve ici dans la structure des réseaux une particularité repérée au niveau des relations : leur faible polyvalence. Sachant que les réseaux sont composés en général d'un parent, d'un compagnon de loisir et d'un "autre", et sachant qu'un compagnon de loisirs n'est quasiment jamais aussi un parent, un collègue, etc, il y avait peu de chance pour que les réseaux soient composés de personnes se connaissant entre elles : chaque confident appartient à un, et un seul, contexte de sociabilité, incapable par là de rencontrer un autre confident du même individu.

Qu'il y ait ou non une intention explicite des acteurs, des réseaux cloisonnés autorisent une diversité des jeux relationnels, des "figures" présentées et des confidences faites. A l'inverse, lorsque tous les liens sont saturés, la redondance informative et normative a des chances d'être forte et le "contrôle de cohérence" sur les confidences de l'individu plus serré. Ainsi il est permis, et utile à titre d'hypothèse, de penser qu'**il existe moins un réseau de confidence qu'un réseau des confidences** : la pluralité des interlocuteurs sans contacts entre eux donne droit à la diversité des expressions de soi. D'autre part on peut se demander si la certitude qu'un secret, une confidence, ne sera pas transmis à un tiers indésirable, résulte de la confiance, d'une qualité du lien entre l'individu et un confident, ou bien de la certitude que des confidents ne se parleront pas entre eux car ils s'ignorent du fait du cloisonnement, qui est une propriété globale du réseau et non de liens particuliers (on voit ainsi comment les deux niveaux d'explication peuvent entrer en concurrence).

Les relations interpersonnelles, examinées jusqu'ici, ne sont pas les seules dans notre société à pouvoir entendre les choses du coeur et du sexe. Certaines **professions** peuvent aussi entendre des paroles "secrètes", qu'elles soient officiellement patentées pour cela (médecins, psychologues, prêtres.) ou qu'elles exercent cette fonction de manière officieuse (cartomanciennes, etc.) ou latérale (coiffeurs..). Comment les individus choisissent-ils leurs interlocuteurs entre des **relations professionnalisées et des relations fondées sur la confiance interpersonnelle ?** Pour explorer cette alternative nous avions demandé aux enquêtés de dire avec quels professionnels (au sein d'une liste très ouverte) ils avaient l'occasion de discuter de questions personnelles, soit plutôt relationnelles ("de peines de coeur, de difficultés de couple, d'inquiétude, de solitude"), soit plutôt physiologiques ("de problèmes ou de maladies d'ordre sexuel ou de contraception").

Au total, les enquêtés sont beaucoup plus nombreux à parler à des professionnels des questions physiologiques que relationnelles. Dans l'ordre de la sexualité, **on parle à des professionnels davantage des corps que des coeurs.** Ceci ne tient pas seulement au domaine de compétence officielle des médecins : on s'adresse à des interlocuteurs professionnels non médecins également plus souvent pour parler de questions physiologiques (23 %) que relationnelles et affectives (14 %, dont 3 % à un psychologue).

TABLEAU 5 : SELON LES DOMAINES CONCERNÉS, PROPORTION DES ENQUÊTÉS PARLANT
À DES PROFESSIONNELS MÉDECINS ET AUTRES.

Domaine	Médecins	Autres
Physiologique	66	23
Relationnel	11	14

Note : % par case, sur 199 enquêtés.

Ces écarts massifs reflètent une évidence : il est vrai et il semble tout à fait "naturel" que l'on consulte beaucoup plus souvent pour des raisons physiologiques. Mais on est en droit de se demander si la sexualité ne pose pas **en réalité** plus de problèmes de dysfonctions relationnelles que strictement physiologiques, et d'interpréter alors ces résultats comme une indication de la recevabilité sociale des problèmes autant que de leur existence. La sexualité ne serait **dicible dans l'ordre d'une relation professionnelle que sous l'espèce du corps et de ses maux.**

Des confidences interpersonnelles permettent-elles d'avoir moins recours à ces échanges professionnalisés? Ces deux formes de relations sont-elles en quelque façon **substituables**? Compte tenu de l'emprise médicale que nous venons de discuter, si des tendances existent, elles sont sans doute mieux repérables dans l'appel à d'autres types d'interlocuteurs professionnels. Aussi examine-t-on si les individus qui ont peu de confidents ont plus tendance à faire appel à des interlocuteurs professionnels non médecins.

Globalement, moins les individus ont de confidents interpersonnels, moins ils ont tendance à faire appel à un interlocuteur professionnel. Ces résultats montrent en tout cas qu'**il n'existe pas de processus de compensation entre discussions professionnalisées et confidences interpersonnelles.** Bien au contraire ce sont deux types d'échanges qui semblent marcher au même pas, ou se renforcer mutuellement. De manière plus fine on retrouve également la différence entre les domaines : quelque soit le nombre de confidents personnels, on a toujours plus tendance dans le domaine physiologique que dans le domaine relationnel à avoir un interlocuteur professionnel (non médecin).

TABLEAU 6 : PROPORTION D'INDIVIDUS PARLANT AVEC AU MOINS UN INTERLOCUTEUR PROFESSIONNEL NON MÉDECIN, PAR DOMAINE, SELON LE NOMBRE DE CONFIDENTS INTERPERSONNELS.

Nombre de confidents interpersonnels	Au moins un intelocuteur professionnel dans le	
	domaine relationnel	domaine physiologique
0 confident	0	13
1 ou 2	5	18
3 et +	19	27
Tous %	14	23
Tous (199)	27	46

Note : % par case.

L'existence de confidence sur la vie affective et sexuelle permet aux enquêtés de sélectionner dans l'ensemble de leur réseau de zéro à onze relations répondant à ce critère de tri. Les "générateurs de noms" fonctionnent, mais que produisent-ils? Ils invitent à citer de façon privilégiée deux types de relations qui impliquent la sexualité comme contenu (parenté) et comme forme (interindividualité élective : relations de loisirs). Et les individus sélectionnent des partenaires de discussion dont ils connaissent les comportements sexuels. La forte proportion de réseaux totalement cloisonnés, la rareté des relations polyvalentes, constituent des conditions structurelles qui empêchent les propos tenus à un confident de circuler vers un autre confident, et permettent éventuellement à l'individu de se présenter sous des jours différents. Enfin on parle beaucoup plus facilement de questions physiologiques que relationnelle à des confidents professionnels qui ne peuvent, en tout état de cause, compenser un manque de relations interpersonnelles.

Ces quelques caractéristiques des relations et des réseaux qu'elles forment permettent de repérer les linéaments d'un ordre social de la confidence : la parole sur la vie affective et sexuelle, centrale dans la régulation sociale de la sexualité, est elle-même inscrite dans une logique relationnelle particulière. L'hypothèse de la spécificité des relations de confidence, fondement du type d'influence qu'elles pourraient exercer, trouve dans ces résultats un début de validation.

ALEXIS FERRAND
LASMAS, IRESCO, CNRS
59 rue Pouchet - 75849 PARIS CEDEX 17

RÉFÉRENCES BIBLIOGRAPHIQUE

BURT, R. Networks items and the General Social Survey. *Social Network*, 1984, n° 6, p. 293-339.

BURT, R. General Social Survey items *Connections*, 1985 n° 8, p. 119-123.

EISENSTADT, S.N. *Patrons, Clients and Friends. Interpersonal relations and the status of trust in society.* Cambridge, Cambridge University Press, 1984

FERRAND, A. Réseaux de confidents, réseaux sexuels - perspectives d'analyses ouvertes par le General Social Survey du NORC. Paris, LASMAS, Août 1989, Travaux et Documents n° 2. 38 p. et IV bibliogr.

FERRAND, A. et MOUNIER, L. Relations sexuelles et relations de confidence - Analyse de réseaux. Paris, LASMAS, 1990, Rapport de recherche pour l'ANRS, 113 p.

FISCHER, C.S. *To dwell among friends. Personal networks in town and city.* Chicago, The University of Chicago Press, 1982.

L'AMITIÉ, LES AMIS, LEUR HISTOIRE.
REPRÉSENTATIONS ET RÉCITS

RÉSUMÉ : *La prise en considération de la dimension subjective des relations interpersonnelles, de la façon dont les acteurs les perçoivent et les décrivent, doit s'inscrire dans la démarche de compréhension de ces relations mise en oeuvre par les sciences sociales et les études de réseaux en particulier. L'analyse d'une série d'entretiens nous permet de distinguer trois niveaux de discours sur l'amitié : le niveau d'une définition générale ; le niveau des représentations de relations réelles ; le niveau du récit de l'élection, au moment de la fondation de la relation. On compare, pour différentes catégories sociales, l'agencement de ces niveaux. On peut constater que les situations dramatiques, exceptionnelles, à l'écart des cadres sociaux ordinaires, président souvent à la fondation des relations d'amitié.*

L'étude de l'amitié comme objet sociologique apparaît comme une tâche à la fois aisée et complexe.

Elle est facilitée par la séparation qui de fait isole l'amitié des autres relations dans les représentations des acteurs, et qui permet de la traiter dans une relative autonomie. En effet, il est surprenant de constater à quel point les évocations de l'amitié sont radicalement distinguées de celles des autres relations. La définition de l'amitié, ses limites, et les personnes avec qui l'individu se déclare ami, semblent être clairement identifiées et stabilisées, alors que pour les autres relations les désignations (copain, connaissance, camarade...) sont beaucoup plus floues et mouvantes, y compris dans le discours d'une même personne. S'il existe un continuum dans l'intensité des relations interindividuelles, l'amitié n'en est pas un pôle, elle se distingue plutôt de l'ensemble des autres relations.

L'étude de l'amitié est en revanche compliquée par son apparent statut d'évidence, voire son caractère perçu comme "naturel", tant par la plupart des sociologues, qui la considèrent souvent comme une catégorie "allant de soi", que par les acteurs sociaux eux-mêmes. Pour ces derniers, la question "pourquoi est-on amis ?" est surprenante. L'amitié (comme l'amour) est en effet généralement perçue comme inexprimable, relevant de l'irréductible individualité ; "par ce que c'estoit luy ; par ce que c'estoit moy", disait Montaigne, parlant aussi de "je ne sçay quelle force inexplicable et fatale, médiatrice de cette union". Pour M. Aymard, l'archétype de l'amitié de Montaigne est voisin de l'amour [1]. Quoi qu'il en soit, pour être "authentique", l'amitié est perçue comme devant être dégagée des contraintes sociales.

Or, l'amitié est aussi sociale. Pour G. Simmel (1908, trad. 1950), la relation interindividuelle est la forme fondamentale de l'interaction sociale, elle-même au coeur de la définition de la société. L'amitié est reconnue socialement, autorisée, normée. On montre qu'elle est soumise à des "règles de convenance" [2], à des déterminants sociaux (Fischer, 1982 ; Verbrugge, 1977 ; Schutte, Light, 1978 ; Huckfeldt, 1983...). Elle répond aussi à des classements sociaux préférentiels (cf. la notion d'homophilie [3]). Bien que dans nos sociétés elle ne soit pas institutionnalisée, ritualisée, elle n'en est pas moins une institution (Allan, 1979 ; Hays 1988), en ce qu'elle est socialement, culturellement objectivée. L'amitié ne concerne pas exclusivement les deux amis, leur relation est reconnue par l'ensemble de la société (Mc Call, 1988) [4]. Même si, dans la tension qu'elle manifeste entre individu et société, elle se montre plutôt comme "l'inverse de l'ordre" (Ferrand, 1990), elle s'accommode de cet ordre [5]. S'insérant dans les interstices de l'ordre établi qui cependant la reconnaît, lui autorise cette place, elle contribue à le stabiliser, à le perpétuer en occupant justement cet espace de marge (donc de danger social potentiel) entre individualité et société. C'est la thèse que proposent Eisenstadt et Roniger (1984), en mettant en avant son rôle de régulation sociale.

Dans cet article, nous voudrions d'abord situer la manière dont diverses sciences sociales ont abordé la question de l'amitié et l'ont constituée ou non en tant qu'objet d'étude spécifique. Nous porterons ensuite notre attention sur l'étude, à partir d'enquêtes empiriques, d'une dimension précise (et partielle) de cet objet : les représentations sociales de l'amitié.

1. LE REGARD DES SCIENCES SOCIALES SUR L'AMITIÉ

Si l'attention portée à la sociabilité comme forme constitutive de la vie sociale a été initiée par les travaux de G. Simmel (1917, trad. 1981), il est beaucoup plus difficile

---

1. "Mais si l'amitié est ainsi proposée comme référence ultime dans le champ d'une affectivité qui s'identifie avec l'exercice de notre "liberté volontaire", c'est qu'elle parle d'elle-même le langage de l'amour. Elle naît d'un coup de foudre, à la première rencontre, "entre deux hommes faits", refusant de "se régler au patron des amitiés molles et régulières, auxquelles il faut tant de précautions de longue et préalable conversation". M. Aymard, 1986, p. 463.

2. C'est la traduction que propose A. Ferrand (1985) pour les "rules of relevancy" définies par G. Allan (1979).

3. Lazarsfeld et Merton (1954) la définissent ainsi : "a tendency for friendships to form between those who are alike in some designated respect" (p. 23), [une tendance pour les relations d'amitié à se former entre ceux qui, d'un certain point de vue, se ressemblent (La traduction des notes en anglais est effectuée par l'auteur)]. Cette notion est calquée sur celle d'homogamie.

4. "When persons say they are friends, usually they can point to cultural images, rules of conduct, and customary modes of behavior to confirm their claims. This is likely to be most apparent when one or both parties find their relationship questioned by outsiders. At these times there will be an appeal to standards, rules, or "facts" by which persons can validate whether or not they are, indeed, "friends". (Suttles, 1970, p. 98), [Lorsque des personnes se disent amies, elles peuvent généralement indiquer des images culturelles, des règles de conduite, et des modes usuels de comportement pour confirmer leur déclaration. Cela apparaît de façon plus évidente lorsque l'un des partenaires, ou les deux, sont interrogés sur leur relation par des tiers. A ce moment, il s'effectue alors un appel à des normes, des règles ou des "faits", par lesquels les personnes peuvent valider le fait qu'elles soient ou non, vraiment, "amies"].

5. "C'est un modèle de l'accommodement oppositionnel qui pourrait être développé : l'amitié est a-fonctionnelle du point de vue de l'ordre social établi, elle ne joue aucun "rôle", ne sert à rien. Cependant elle est, elle existe et dure - affirmation désabusée et limitée qu'un autre ordre relationnel est possible." (Ferrand, 1990).

de situer l'émergence de l'amitié comme objet de recherche particulier. Divers champs disciplinaires l'ont traitée au sein de leurs études sur la sociabilité, mais sans la distinguer véritablement. On peut même dire que le plus grand flou règne généralement. Les Anglo-saxons utilisent le terme "friendship" pour désigner des relations de nature très diverse (et en général non précisée), qui n'excluent pas, contrairement au terme français, les rapports avec des parents. Si des précisions telles que "close friends" et "non-kin" permettent de se rapprocher du domaine de définition du mot français, peu d'auteurs finalement ont cherché à préciser le sens et la spécificité de l'amitié. Différents types de travaux, issus de lignées théoriques et méthodologiques diverses, ont contribué, chacun de leur côté, à lui donner un éclairage spécifique.

C'est à partir de l'étude des relations de parenté, et toujours en lien étroit avec elles, que *les anthropologues* ont exploré les relations d'amitié. Ils ont rarement traité ces dernières de manière autonome. Il est vrai que sur leurs terrains traditionnels, l'amitié est parfois institutionnalisée, ritualisée comme les rapports de parenté (Pitt-Rivers, 1963, 1968 ; Eisenstadt, 1956). Il est de fait intéressant, pour la compréhension d'un concept, de le confronter aux catégories qui lui sont adjacentes. On note d'ailleurs que dans nos sociétés occidentales, l'ami et le frère sont souvent mis en rapport, dans le sens commun. Dans la ligne de la tradition en anthropologie de la parenté, l'amitié a souvent été étudiée plus dans ses règles que dans ses manifestations et leurs variations. C'est le cas en particulier des études qui dressent de vastes tableaux comparatifs entre des sociétés très éloignées (Cohen, 1961).

Les anthropologues ont aussi fortement mis l'accent sur l'influence du contexte dans lequel s'établissent les relations. Les travaux de l'école de Chicago ont marqué un tournant décisif en ce domaine (Park, Burgess, 1925 ; Wirth, 1938 ; Hugues, 1958... voir aussi Hannerz, 1983 ; Grafmeyer, Joseph, 1979 ; Sennett, 1980 a, b ; Becker, 1985). Les quartiers des grandes villes, les banlieues, ont été l'objet d'investigations mettant en lumière les interactions entre milieu local, relations interpersonnelles et socialisation (Young, Willmott, 1983 ; Firth, Hubert, Forge, 1969 ; Bell 1968 ; Adams, 1968).

Certains auteurs ont établi un lien direct avec les études de réseaux, en s'attachant à montrer les interactions entre le réseau individuel et la relation de couple (Bott, 1957 ; Babchuk, 1965 ; Babchuk, Bates, 1963).

Proche de l'interactionnisme symbolique, Paine (1969, 1970) s'est attaché à explorer l'amitié telle que la définissent les acteurs eux-mêmes, les valeurs qu'ils y investissent, et les liens avec les institutions sociales.

La psychologie sociale a apporté une contribution très importante à la définition idiosyncratique de l'amitié. Elle étudie et met en rapport diverses dimensions de la relation amicale, en s'attachant à explorer les interactions entre individu et société. L'influence des milieux, des "climats sociaux locaux" (Lazarsfeld, Merton, 1954), de la "vicinité" (Maisonneuve, 1966), ainsi que d'autres variables plus individuelles (principalement l'âge, le sexe, plus rarement le "niveau social" ou la profession), sont étudiées en tant que déterminants de la construction des affinités. La notion d'homophilie est centrale en ce qu'elle tend à rendre compte des critères sociaux de "sélection" des amis. La psychologie sociale étudie aussi le rapport aux normes, aux règles sociales de la relation d'amitié (Argyle, 1986 ; Suttles, 1970), aux valeurs aussi (Davis, Todd, 1982). Elle mesure les variations du lien amical au cours du cycle de vie (Dickens, Perlman, 1981), son rôle dans la socialisation et le développement de la personnalité (Duck, 1988 ; Derlega, Winstead, 1986 ; Furnham, 1989). Considérant l'amitié comme un processus relationnel, elle explore la diversité des liens (Hays,

1988), leurs différentes phases et transformations, leurs modalités d'évolution (Perlman, Duck, 1987 ; Duck, Gilmour, 1981 ; Duck, 1982). Les perceptions de la relation par les acteurs sont aussi parfois étudiées (Serafica, 1983), ainsi que les interactions cognitives entre les partenaires (Maisonneuve, 1966). Les travaux sur les "effets" individuels des relations d'amitié, ou de la solitude, rejoignent les études de réseaux qui sont aujourd'hui de plus en plus nombreuses à étudier les conséquences de la structuration des réseaux individuels sur le bien-être, l'insertion sociale et les maladies mentales.

Certains *travaux historiques* apportent également leur pierre à l'édifice (Agulhon, 1977 ; Ariès, Duby, 1987), en particulier ceux qui nous donnent un aperçu de l'histoire des idées sur l'amitié (Aymard, 1986 ; Silver, 1989), notamment à travers la littérature et les grands textes fondateurs grecs et judéo-chrétiens (Fraisse, 1974 ; Easterling, 1989 ; Clark, 1989).

En *sociologie*, rares sont les auteurs qui, comme G. Allan (1979), prennent l'amitié pour objet central[6]. Elle est généralement plutôt traitée comme une forme de sociabilité, non particularisée, non spécifiée par rapport à cette dernière. L'attention sociologique s'est surtout portée sur les différences entre classes populaires et classes moyennes. Il s'agit dans la plupart des cas de tester la pertinence de diverses variables sur les relations interpersonnelles. Certains travaux mettent également en lumière la prégnance des "milieux sociaux" (Fischer, 1982), parfois dans une problématique qui tente de réconcilier la monographie avec le comparatisme (Paradeise, 1980 ; Bidart, 1988a). Ils cherchent en particulier à comparer les degrés et les formes de leur impact sur les relations interpersonnelles, selon que ces milieux sont plus ou moins "institutionnalisés" : les conditions d'émergence et de fonctionnement des liens interpersonnels ne sont pas les mêmes dans une entreprise où les rapports sont *a priori* formalisés, hiérarchisés, où l'interaction est instituée par la nécessité de réaliser une tâche en commun, et dans un quartier où l'évitement est possible, et où "rien n'est joué *a priori*" dans les rapports sociaux. (Bidart, 1988, p. 638).

D'autres travaux s'attachent à évaluer la nature et l'importance de facteurs comme l'homophilie (Verbrugge, 1977 ; Coenen-Huther, 1989), ou la durée des relations (Ferrand, 1988, 1989). S.N. Eisenstadt et L. Roniger (1984), en comparant l'amitié avec d'autres formes de liens, s'interrogent sur le rôle social de l'amitié ; ils la considèrent comme une "institution sociale non institutionnalisée".

Les grandes *enquêtes quantitatives* qui ont été récemment menées, et qui témoignent d'ailleurs d'un intérêt grandissant pour les relations interpersonnelles[7], fournissent un matériau considérable, centré surtout sur la description du réseau personnel et la recherche des variables qui le déterminent (Héran, 1987, 1988, 1989, 1990). Mais on note qu'elles tiennent peu compte des interrogations et des avancées des études plus qualitatives qui, parfois en-dehors du champ sociologique, essaient de préciser le contenu des relations, leurs rapports avec les pratiques d'échanges, la façon dont elles sont définies par les acteurs. En effet, dans ces enquêtes, la qualité des relations, leur signification pour l'individu, les degrés et les formes d'implication qu'elles mettent en oeuvre, ont été majoritairement soit ignorés, soit déduits de critères

---

6. On trouve quelques ouvrages qui l'abordent de front, mais qui relèvent plus de l'essai sociologique, philosophique ou journalistique (Alberoni, 1984, Telfer, 1970, Pogrebin, 1987) que de recherches basées sur des enquêtes.

7. On peut citer, pour les Etats-Unis, le "General Social Survey" de 1985, et pour la France, l'enquête "Contacts entre les personnes" menée par l'INSEE en 1982-83.

dont la pertinence n'est pas démontrée : on range dans la case "amis" des personnes qui se confient entre elles, qui échangent des services ou qui partent en vacances ensemble, ou alors on compte les personnes désignées comme amis par les individus interrogés, sans chercher à approfondir ce que recouvre cette désignation. Les processus d'apposition du label "ami", mis en oeuvre par les individus en interaction, sont soit ignorés, soit "naturalisés" [8].

C'est le cas en particulier pour les *études de réseaux*, qui ont marqué, par une approche originale, essentiellement orientée sur la méthodologie, la recherche sur la sociabilité. La question de la qualité des relations, de leur intensité, est au coeur de nombre d'études de réseaux, qui pourtant ne la traitent pas véritablement. M. Granovetter, qui a montré les différences d'efficacité entre liens forts et liens faibles dans la recherche d'un travail (1973, 1982), n'a pas vraiment élucidé cette distinction, et la plupart des auteurs laissent encore fonctionner comme un impensé la qualification des relations par le sociologue ou par les acteurs. Ces qualifications, ces appositions de "label" sont pourtant à la base de la constitution de leur corpus de données. Afin de reconstituer le réseau d'un individu, il s'agit en effet de lui faire générer des listes de noms à partir de questions précises. Ces questions sont généralement centrées soit sur les échanges entre les partenaires ("avec qui partagez-vous telle activité ?"), soit sur la qualification de la relation en termes affectifs ("de qui vous sentez-vous particulièrement proche ?"), soit sur la catégorisation des partenaires en termes de rôles ("nommez des collègues, des voisins, des parents... des amis") [9]. Si certaines enquêtes ont montré les écarts qui peuvent exister entre réseaux affectifs et réseaux instrumentaux [10], il reste à établir ce rapport entre ces différentes dimensions des relations. Il doit être posé comme une question, et empiriquement testé.

Il est parfois artificiel de séparer ainsi les disciplines. Par exemple, l'école de Chicago a eu une influence qui dépasse bien largement le cercle de l'anthropologie.

Il reste que si des liens existent entre ces disciplines, ils sont encore trop peu développés. La construction des objets dans les sciences sociales, la délimitation de leurs champs n'ont de fait pas attribué à l'amitié une place assignée dans une discipline spécifique. Et c'est peut-être une bonne chose, la pluralité des points de vue ne pouvant qu'en enrichir la compréhension, à condition d'établir et de multiplier les échanges entre disciplines. S'ils veulent néanmoins construire et autonomiser cet objet, les sociologues devront d'autant plus travailler avec leurs "voisins" anthropologues, psycho-sociologues, historiens, dans une interdisciplinarité qui est par ailleurs tout à fait de mise aujourd'hui. L'étude de l'amitié devra être, à mon sens, considérée comme un sous-ensemble des études sur la sociabilité, un sous-ensemble à la fois distinct et complémentaire de ces dernières.

---

8. "Most empirical studies of friendship tend to ignore the determinants of this labelling process. They treat friendship uncritically as though it were "natural" and not a social construction involving specifiable principles of organisation." (Allan, G. 1979, p. 7), [La plupart des études empiriques tendent à ignorer les déterminants de ce processus de désignation. Elles traitent l'amitié de façon non critique, comme si elle était "naturelle", et non pas comme une construction sociale mettant en jeu des principes d'organisation que l'on peut spécifier].

9. J. Ormel, T. van Tilburg et F. van Sonderen (1989) proposent une étude comparative de la "productivité" relative de ces trois méthodes, ainsi que d'une combinaison entre deux d'entre elles.

10. Cf. Bernard, Shelley, Killworth, 1987 ; l'European conference on social network analysis, qui s'est tenue à Groningen (Pays-Bas) en Juin 1989, en a aussi largement rendu compte.

Au carrefour entre les disciplines, entre perspectives et points de vue, on peut plaider pour une problématique qui intègre une pluralité de dimensions, afin de reconstruire l'objet "amitié" dans ses manifestations sociales.

Il s'agit de prendre en compte les milieux concrets (l'entreprise, le quartier, le club de football...) dans lesquels prennent naissance et se jouent les relations, et de définir les caractéristiques contextuelles qui sont pertinentes pour les liens interpersonnels. On cherchera aussi à qualifier ces relations, à en construire une typologie sur la base de critères qui, empiriquement, se sont avérés distinctifs [11]. On pourra reconstituer le réseau individuel comme un système complexe de relations et, par la comparaison, rechercher les variables qui en déterminent la structuration. Les processus interactifs, les "histoires des relations", leurs étapes, les seuils importants, leurs évolutions seront aussi étudiés. Enfin, il faudra prendre en considération les représentations sociales de l'amitié, les façons dont les acteurs perçoivent, classent et mettent en oeuvre leurs relations.

C'est sans doute un programme ambitieux. Nous nous contentons ici d'en explorer une dimension particulière, peu prise en compte par les sociologues, celle des représentations sociales.

S. Moscovici (1976, 1ère éd. 1961) a entrepris de préciser et de formaliser cette notion. Les anthropologues en sont depuis longtemps familiers, l'étude des systèmes de pensée et de classement "indigènes" étant au coeur de leur problématique. C'est une notion particulièrement multiforme (Doise, 1985), qui articule différents échelons du social et prend des sens différents selon l'application particulière qu'on lui fait subir [12].

Nous cherchons ici à préciser les divers niveaux de référence auxquels font appel les personnes lorsqu'elles parlent de l'amitié, comment s'articulent entre eux ces niveaux, et quelles variables peuvent en marquer les différences.

De façon concrète, que se passe-t-il lorsqu'*au cours d'une interview* les personnes sont invitées à parler de l'amitié ? Dans les enquêtes qui seront présentées ci-dessous, à la question "qu'est-ce que c'est pour vous un ami?", la réponse venait sans hésitation. Par contre, lorsqu'il s'agissait ensuite d'expliquer des amitiés particulières avec des personnes nommées ("pourquoi x est-il votre ami?"), la réponse était beaucoup plus difficile à obtenir, et elle s'écartait souvent de la définition de l'ami en général donnée auparavant. Je demandais ensuite de raconter comment s'était passée la rencontre initiale, ses circonstances, le déroulement de la relation, les seuils importants...

Ce sont ces écarts, ces attitudes différentes dans les interviews, qui m'ont incitée à me pencher sur ces *trois différents niveaux de discours* : la définition de l'ami en général, la description d'amitiés précises, et le récit de la fondation et de l'évolution de la relation.

2. REPRÉSENTATIONS DE L'AMITIÉ, SCHÈMES ET VARIATIONS

A un *premier niveau*, l'interviewé répond à une question générale sur un "personnage-type", l'ami. Le fait qu'il soit à même de répondre rapidement nous fait

---

11. Cf. à cet égard la critique qu'opère P. V. Marsden (1984) de la pertinence de la fréquence des interactions comme indicateur de la force du lien.

12. Pour S. Moscovici (1961), ce sont : "des systèmes de valeurs, des idées et des pratiques dont la fonction est double : en premier lieu, établir un ordre qui permettra aux individus de s'orienter et de maîtriser leur environnement matériel, ensuite faciliter la communication entre les membres d'une communauté en leur procurant un code pour désigner et classifier les différents aspects de leur monde et de leur histoire individuelle et de groupe".

penser que, s'il n'est pas habitué à formuler ce qu'est pour lui un ami, il dispose néanmoins de référents fixés, stabilisés, qu'il peut mobiliser aisément. C'est ce que D. Sperber (1989) appelle "les représentations culturelles". Sans préjuger d'une relation directe d'induction, on remarque par exemple que ces référents culturels sont largement présents dans la littérature. On y voit s'épanouir les amitiés "extraordinaires", bravant le temps et les obstacles sociaux pour faire triompher l'irréductible individualité des héros. L'amitié (mais l'archétype de cette figure est bien sûr l'amour) y est souvent confrontée à l'ordre social. A. Silver (1989) parle "d'idéal de l'amitié", en reconstituant la logique de son contenu tel qu'il apparaît dans les sociétés urbaines occidentales actuelles : l'amitié se construirait dans l'inversion de l'ordre social [13], en reposant toute sur l'interpersonnel ("true or 'real' selves").

On pourrait parler ici de figure idéalisée, de "prototype" dans le sens que lui donne G.P. Ginsburg (1988) [14]. Ce prototype ne fonctionne pas comme un modèle, il ne détermine pas directement les relations, mais il construit, sous forme de "cas", "d'exemples", des catégories de situations et de personnes, catégories qui peuvent rendre compte des conduites et qui sont socialement reconnues (les psycho-sociologues insistent sur leur rôle dans la communication). C'est ce mode de référence qui, je pense, apparaît dans les réponses à la question "qu'est-ce que c'est pour vous un ami?".

Ces réponses ne sont pourtant pas univoques, on y trouve des variations. On peut se référer ici au schéma des représentations sociales que propose Cl. Flament (1989). Sur ce schéma, les représentations d'un objet sont centrées autour d'un "noyau central", qui est le "lieu de cohérence" des représentations, qui en organise les schèmes périphériques. Ces schèmes périphériques, moins abstraits que ceux qui constituent le noyau central, "assurent le fonctionnement quasi instantané de la représentation comme grille de décryptage d'une situation : ils indiquent, de façon parfois très spécifique, ce qui est normal (et par contraste, ce qui ne l'est pas), et donc, ce qu'il faut faire comprendre, mémoriser... Ces schèmes normaux permettent à la représentation de fonctionner économiquement, sans qu'il soit besoin, à chaque instant, d'analyser la situation par rapport au principe organisateur qu'est le noyau central" (Flament, 1989, p. 209). Ce noyau central est plus stable que la périphérie, il résiste aux changements : "En fait, la périphérie de la représentation sert de zone tampon entre une réalité qui la met en cause, et un noyau central qui ne doit pas changer facilement. Les désaccords de la réalité sont absorbés par les schèmes périphériques, qui, ainsi, assurent la stabilité (relative) de la représentation" (p. 210). Il donne l'exemple de la représentation du "groupe idéal", dont le noyau central est constitué par les items "amitié" et "pas de hiérarchie", et montre que l'item "une grande convergence d'opinions" est par contre un schème périphérique, dont la mise en cause ne suscite pas le rejet de la grille de décryptage. La zone périphérique autorise aussi une diversité dans l'actualisation des représentations : "Deux sous-populations peuvent avoir, d'un objet donné, une même

13. "friendships are judged of high quality to the extent that they invert the ways of the larger society. In this ideal, friendships are voluntary, unspecialized, informal and private" (A. Silver, 1989, p. 274), [Les relations d'amitié sont jugées comme étant d'autant plus grande qualité qu'elles inversent les normes de la société globale. Selon cet idéal, l'amitié est volontaire, non spécialisée, informelle et privée].

14. "Prototypes are the "best example" of a set of exemplars that is defined in terms of family resemblances rather than criterial or necessary and sufficient attributes" (Ginsburg, 1988), [Les prototypes sont le "meilleur exemple" d'un ensemble de cas typiques qui est défini en termes de ressemblance, d'appartenance à une même famille, plutôt, que sur la base d'attributs constituant des critères ou des conditions nécessaires et suffisantes].

représentation (c'est-à-dire un même noyau central de la représentation) et, pour des raisons circonstancielles (notamment les pratiques individuelles), des schèmes périphériques inégalement activés - d'où des discours différents" (p. 216).

Ce sont ces *variations dans la représentation de l'amitié en général* que je voudrais mesurer ici, en étudiant les réponses à la question sur la définition de l'ami.

Deux *corpus de données* recueillis dans des conditions différentes sont analysés :
- d'une part les réponses à la question "qu'est-ce que c'est pour vous un ami?" posée dans l'enquête par entretiens semi-directifs que j'ai réalisés auprès de 58 ouvriers, employés et cadres, hommes et femmes, travaillant dans 5 entreprises [15] situées dans les quartiers Nord de Marseille.
- d'autre part les réponses à la question ouverte "Pour vous, qu'est-ce qu'une amie ou un ami?", posée dans le questionnaire d'une enquête menée par Hugues Lagrange et Sébastian Roché à Grenoble [16], auprès de 1700 Dauphinois habitant en milieu urbain et semi-rural. Je n'ai pu en traiter que 256 ; ceci constitue bien sûr un sous-échantillon limité, mais il permettra la confrontation avec les tendances que j'ai pu repérer dans ma propre enquête.

Ces deux enquêtes nous fournissent des matériaux différents. Si la question de l'enquête de Grenoble était ouverte (au sein d'un questionnaire fermé par ailleurs), les personnes ne pouvaient guère s'y exprimer par plus d'une ou deux phrases. L'enquête Marseillaise, elle, se base sur des interviews relativement longues (deux heures en moyenne), les personnes pouvant largement développer et préciser leurs propositions. J'ai cumulé les définitions recueillies dans ces deux enquêtes pour former 10 catégories, construites empiriquement, et qui permettent la confrontation entre les résultats. Ces catégories ne sont pas systématiques ni exclusives.

Dans la majorité des cas les réponses sont multiples, même dans l'enquête de Grenoble. Les personnes donnent souvent plusieurs définitions successives. J'ai tenu à distinguer la première réponse des suivantes éventuelles. On peut donc repérer précisément les variations dues à une "poursuite" au-delà de la première proposition spontanément privilégiée.

Je commencerai par décrire ces catégories, préciser leur contenu et étudier leur distribution selon quelques variables au sein de la population interviewée à Marseille. On pourra ensuite confronter cette distribution avec celle qui ressort de l'enquête de Grenoble, plus susceptible de quantifications.

Je classe ici ces définitions dans l'ordre de leur importance dans *l'enquête marseillaise*.

- La définition qui s'impose majoritairement à Marseille pourrait être intitulée "le drame". Pour ces interviewés, les amis sont "ceux sur qui l'on peut compter en cas de problème grave"
"Un ami, c'est celui qui sera là quand vous aurez vraiment besoin de quelque chose. Vous pouvez compter sur lui en cas de coup dur"

---

15. Il s'agit d'une entreprise de protection de métaux, d'une semoulerie, d'une entreprise de distribution pharmaceutique, d'une Caisse d'allocations familiales, et d'un supermarché.
16. H. Lagrange, S. Roché, 1988, Baby alone in Babylone, CERAT, Institut d'études politiques de Grenoble. Je les remercie ici de m'avoir permis de dépouiller ces réponses.

"L'amitié... il n'y a pas beaucoup de gens avec qui on partage notre difficulté et notre besoin. On demande quelque chose... si il m'arrive quelque chose, je le dis, si il le prend au sérieux, ça c'est l'ami"

Les amis sont ceux qui répondent toujours (*i.e.* sans incertitude) à l'appel. On voit très souvent les amis associés aux mauvais moments, les bons étant partagés avec les "simples copains". C'est aussi la possibilité de sacrifice.

On trouve également l'idée d'un test : c'est là que l'on reconnaît les "vrais" amis, qu'on les distingue des autres.

"Il y a les collègues de travail, et puis l'amitié, je pense que c'est pas pareil. Je pense que les amis, on les voit quand on a des mauvais moments, des problèmes. Peut-être que les collègues de travail aussi, hein, attention, mais enfin je pense qu'il faut qu'il y ait quelque chose qui se concrétise pour vraiment le voir. Je pense que s'il y avait un cas, avec un collègue de travail, il y aurait peut-être ça. Parce que c'est toujours dans le sens... si on a un problème, surtout malheureux ; c'est pas quand on est heureux, ces choses là. C'est dans ces moments malheureux qu'on voit vraiment ses véritables amis, et ses collègues. Parce que des fois on est beaucoup entourés et tout, et quand il se passe certaines choses, l'entourage diminue, et c'est là que... ceux qui restent, c'est les véritables amis"

Cette définition est dominante chez les ouvriers, elle apparaît majoritairement comme première définition donnée. On la trouve aussi présente chez les employés, plus chez des gens relativement âgés, non diplômés, que chez les jeunes. Des cadres la proposent aussi, mais plutôt en seconde position : elle n'est pas spontanément privilégiée. Ce sont des cadres âgés, non diplômés, qui ont été promus "à l'ancienneté", et sont pour la plupart d'origine ouvrière. De façon générale, les hommes la proposent plus que les femmes.

La prégnance de cette définition, mais surtout la façon dont les personnes l'érigent en "test", peut nous faire penser qu'elle fait partie du "noyau central" de la représentation de l'amitié. Elle structure la cohésion de la catégorie, en ce qu'elle en constitue un critère d'appartenance. "La théorie structurale du noyau central permet de prévoir que la mise en cause d'un élément du noyau entraîne le rejet de la représentation "groupe idéal" (ici, "ami") comme grille de décryptage de la situation (un groupe égalitaire ne peut être hiérarchisé" (ici, un ami ne peut pas faillir en cas de coup dur) (Flament, 1989, p. 208). D'autres définitions, moins décisives, et non exclusives, peuvent être apparentées à des schèmes périphériques.

- Une autre catégorie est celle qui définit l'amitié comme une relation de confidence.
"Une amie, c'est une personne à qui je confie... avec qui j'ai des relations plus que des sorties, je peux lui confier certaines choses sur ma vie personnelle ; à qui je peux tout raconter, qui m'écoutera, qui me donnera des conseils, sa façon de voir les choses. Je n'ai pas d'amis dans le travail car j'ai peur des racontars, que ça soit répété".

On trouve là l'idée de sceau du secret. La confidence implique souvent aussi la tolérance, le respect, l'acceptation des différences ; "on n'est pas jugé".

Ce sont les employés qui proposent surtout cette définition, surtout les femmes, d'âge moyen, et peu diplômées.

Contrairement à la définition en terme de "drame", elle n'est pas exclusive : des personnes, des hommes principalement, écartent la confidence. Les catégories qui suivent ne semblent pas, de la même façon, faire partie du noyau central.

- La comparaison entre l'amitié et la relation familiale est souvent proposée :
"Un ami, c'est comme un frère que j'aurais choisi. Je peux lui faire confiance, comme à mon frère ou à mes parents".

Parfois, la comparaison se fait au détriment de la famille :

"Un ami, c'est quelqu'un sur qui on peut compter. Peut-être plus que sur la famille. On a besoin de quelque chose, on se tourne vers eux. Que la famille, des fois on se tourne vers eux, eh bien... c'est non. C'est sur les amis qu'on peut compter. Des fois on dit : "les frères et les soeurs" ... mais moi j'ai mon amie, c'est sûr, ça fait 22 ans qu'on se connaît, c'est elle ma soeur".

Ce rapprochement est opéré par les ouvriers, non diplômés, autant masculins que féminins.

- On trouve aussi une catégorie rendant compte de la "facilité" de la relation :

"Il n'y a pas de gêne", "on se sent à l'aise", "on n'a pas besoin de faire des efforts", "on passe sans être invité" ; "on n'a pas besoin de rendre des comptes" ; "On n'a pas de devoirs"...

"Quand on est amis, on ne s'invite pas, les autres viennent, on mange ce qu'il y a. On peut passer à onze heures du soir. C'est ça qui fait les amis. Mais si ça dérange, on le dit, et il n'y a pas de problèmes".

Ce sont là aussi surtout les cadres diplômés qui proposent cette définition. Elle semble aussi être réservée aux jeunes.

- La définition reposant sur la notion de "confiance" nous a été relativement peu donnée telle quelle dans cette enquête. Elle implique, pour les personnes (nous nous appuyons aussi sur les réponses recueillies dans l'enquête de Grenoble), la franchise, la sincérité, l'honnêteté, le désintéressement, l'absence de jalousie.

"Un vrai ami, c'est la confiance. Moi je n'ai confiance en personne, sauf mon père et ma mère. Les vrais amis, c'est quand même moins que les parents, pour la confiance. Et l'amitié, c'est la confiance".

On peut penser cependant que cette notion de confiance est impliquée dans de nombreux autres items, tels la confidence, le drame... Nous y reviendrons.

- La "proximité interindividuelle" marque une ressemblance qui est posée sur un plan personnel ; "on a le même caractère, les mêmes goûts, les mêmes idées, des affinités personnelles, on se comprend, on a de la complicité".

"Avec un ami, il n'y a pas besoin de parler pour se comprendre. On a des idées communes, une complicité. Si je vois qu'il fait une remarque que j'aurais faite, ça fait "tilt". En fait, il faut qu'il me ressemble".

La proximité interindividuelle est mise en avant surtout par des jeunes, plutôt diplômés, employés masculins pour la plupart.

- Une autre catégorie de définitions est basée sur les échanges affectifs : "on est bien ensemble, on a du plaisir à se voir, on s'aime".

"Les amis c'est ceux avec qui on est bien, qu'on est toujours content de voir, avec qui on a plaisir à faire quantité de choses différentes.

Ce sont presque exclusivement les cadres qui proposent cette conception de l'ami. On trouve aussi quelques employées, diplômées également. C'est d'ailleurs une définition plus féminine que masculine. Les femmes cadres la donnent plus que leurs collègues masculins, qui la mettent parfois en seconde position.

- Certains privilégient la permanence, la présence : l'ami est celui qui est là, toujours disponible, toujours prêt à vous recevoir. Les jeunes y associent principalement le partage d'activités, alors que pour les gens plus âgés, c'est surtout une compagnie, un antidote à la solitude.

"Un ami, tu l'as 24 heures sur 24. L'autre, tu l'as dans le besoin, c'est vrai, il vient quand tu as un coup dur, mais il me semble que l'ami à part entière, c'est celui que tu as 24 heures sur 24 ; celui qui est là en permanence pour t'épauler."

Cette définition est relativement peu proposée. Les femmes semblent la privilégier davantage que les hommes.

- La "proximité sociale" peut aussi définir l'amitié : il s'agit là d'une ressemblance sur le plan social et culturel. Ce sont des "gens comme nous", "on est au même niveau", "on a la même éducation", "on est du même milieu". Elle nous a été très peu proposée à Marseille, du moins au niveau d'une définition générale de l'amitié.

- La définition qui privilégie le "long terme", l'inscription de la relation dans le temps a été très peu mise en avant dans notre enquête. Là, l'ami "c'est celui qui me connaît bien", et cela demande du temps, "on se connaît depuis longtemps".
"C'est difficile, les amis. Il y a des amis qu'on voit rarement mais ce sont des amis. C'est le passé qui fait l'amitié, ce qu'on a vécu en commun"

On peut maintenant comparer la distribution de ces définitions avec celle qui ressort de *l'enquête grenobloise.*

Nous avons dressé le tableau des pourcentages obtenus par chaque définition (n=256).

Le pourcentage global est calculé par concaténation de la première définition et des deux suivantes éventuelles. Pour les autres, on calcule le pourcentage de chaque définition parmi les définitions données en premier rang d'apparition dans la réponse, puis en second, en troisième rang. Les pourcentages des définitions données en 2ème et 3ème position sont calculés sur les choix exprimés.

Définitions	% global	% des définitions en 1er rang	% des définitions en 2ème rang	% des définitions en 3ème rang
Confiance	32	38	26	7
Drame	18	15	20	33
Confidence	14	13	13	25
Présence	10	8	13	7
Affectif	9	9	7	14
Proximité interindividuelle	5	5	4	11
Proximité sociale	4	4	7	0
Famille	4	4	3	0
Long terme	2	2	3	4
Facilité	2	1	4	0
	100	100	100	100

Dans un premier temps, on remarque que dans l'enquête de Grenoble la définition basée sur la confiance est très majoritairement privilégiée.

Il est intéressant aussi de remarquer que certaines définitions (le "drame", la "confidence", la "proximité interindividuelle", "l'affectif") sont plutôt proposées en 3ème position. Ce sont donc des définitions de l'amitié qui ne sont pas données d'emblée, mais dans un second temps, comme en complément ; alors que la définition basée sur la confiance est surtout proposée d'emblée.

En ce qui concerne la distribution selon les variables de sexe, d'âge, de profession, de niveau de diplôme, on retrouve globalement les mêmes tendances que dans l'enquête marseillaise.

La définition impliquant la confiance est également répartie selon les variables : on ne trouve aucun écart remarquable par rapport au pourcentage global. Il semblerait donc que ce soit une définition relativement consensuelle, régulièrement distribuée socialement.

On retrouve par ailleurs la division entre les ouvriers, qui privilégient le "drame" et la comparaison avec le lien familial, et délaissent relativement (i.e le pourcentage est nettement inférieur au pourcentage global) l'affectif, la proximité interindividuelle et la confidence ; les employés qui mettent surtout en avant la confidence, puis le long terme ; et les cadres qui proposent très nettement plus l'affectif, et se réfèrent également à la proximité sociale, délaissent le drame.

La division sexuelle est nette : les hommes privilégient relativement plus la définition "drame" et la comparaison avec la famille ; les femmes, la confiance et l'affectif.

En ce qui concerne l'âge, le drame intervient davantage après 45 ans, ainsi que l'affectif ; les jeunes privilégient plus la proximité interindividuelle, la présence (activités partagées), la facilité. Les 35-44 ans sont plus attachés à la confidence, la proximité sociale (plus marquante à cet âge?).

Si l'on croise le sexe avec la profession, on remarque que les femmes cadres choisissent plus l'affectif et le long terme que leurs collègues masculins, et moins la proximité sociale. Les femmes employées ne se distinguent pas nettement des hommes. Les ouvrières choisissent relativement plus l'affectif que les ouvriers, bien que tous proposent d'abord le drame.

Au niveau du bagage scolaire, les personnes sans diplôme ainsi que les titulaires de diplômes professionnels privilégient le drame et la famille, et négligent la proximité sociale et l'affectif. Ceux qui ont le BEPC et BEPS privilégient la proximité interindividuelle, la confiance et le long terme. Les bacheliers insistent sur la proximité sociale et la proximité interindividuelle, négligent le drame et la confidence. Les licenciés privilégient nettement l'affectif, délaissent le drame et la famille.

On retrouve assez bien les tendances liées à la profession. Si l'on croise la profession avec le diplôme, on remarque que les cadres choisissent parfois le drame lorsqu'ils sont peu diplômés (au-dessous du bac : cadres par promotion interne). Ce n'est en fait qu'au-dessus de la licence qu'ils proposent massivement l'affectif. Le niveau de diplôme intervient moins pour les employés, et les ouvriers possèdent trop rarement un diplôme pour que le compte soit significatif.

On peut penser, très schématiquement, que les ouvriers sont plus attentifs à la sécurité (réponse assurée en cas d'appel, de drame ; rapprochement d'un rôle "assigné", celui du frère) ; que les employés privilégient le versant de la proximité interpersonnelle, ce qui est du côté de la compréhension mutuelle, de la ressemblance, de l'intimité. Les cadres diplômés font eux intervenir "l'affectif", tout en restant attentifs à la proximité sociale.

La moitié des personnes ayant donné plus d'une définition, il est intéressant d'étudier leurs co-occurrences, du moins pour celles qui obtiennent un score significatif.

Les personnes qui donnent la définition de "la confiance", l'associent avec toutes les autres de façon assez répartie, sans qu'il apparaisse de nette priorité.

On remarque par ailleurs trois couples fortement liés : facilité-drame, présence-confidence et affectif-proximité interindividuelle. La confidence est donc liée à la quotidienneté, s'éloignant ainsi du drame qui relève de l'exceptionnel mais implique une absence de règles formelles de relations, de devoirs. L'échange affectif serait associé à la proximité interindividuelle (on s'aime parce qu'on se ressemble).

La définition basée sur la *notion de confiance* est, on l'a vu, la plus largement proposée à Grenoble. Mais elle est aussi la mieux répartie, la moins variable. Toutes les catégories de personnes la proposent spontanément, dont la plupart en première position et la moitié comme seule définition. Le fait qu'on la retrouve moins dans l'enquête de Marseille peut sans doute être rapproché des différences dans les modes de recueil des données : entre un questionnaire fermé (à Grenoble) que l'on remplit assez rapidement, dans un mode de discours globalement succinct, et une interview longue et approfondie (à Marseille), qui demande un investissement plus lourd, et provoque des réponses plus spécifiques, plus précises... [17].

Il me semble en effet que l'on peut considérer la définition basée sur la confiance comme une définition à la fois plus large et plus centrale. Elle englobe en quelque sorte les autres définitions, au niveau du sens. Elle en donne un résumé qui concentre le noyau positif, culturellement valorisé, de l'amitié. Si l'on reprend le schéma de Cl. Flament, la confiance serait également au coeur du "noyau central" de la définition. On peut la comparer avec la notion de "drame" qui est également dans ce noyau : alors que la définition qui repose sur ce "test" de l'attitude de l'ami en cas de coup dur peut être assimilée à un "prototype", un "exemple", un "cas" (Ginsburg, 1988 ; Semin, 1989), la notion de confiance serait le terme englobant, général, qui résume et concentre la condition de la relation d'amitié plutôt que d'en donner une illustration prototypique.

Les autres définitions relèveraient des "schèmes périphériques" (Flament, 1989), du "halo flou" (Boltanski, 1982), des "contours flous" des représentations culturelles (Sperber, 1989) [18]. Ces définitions ont à voir avec la confiance mais en donnent des éclairages précis et divers. Ce sont elles qui varient, qui sont distribuées différemment entre femmes et hommes, entre jeunes et vieux, entre cadres et ouvriers [19].

Nous avons fait l'hypothèse plus haut de l'appartenance de la définition en terme de "drame" au "noyau central" de la représentation de l'amitié. Or, on constate des variations dans la référence à cette définition : les ouvriers la proposent plus que les cadres. Contrairement aux enquêtes mises en oeuvre par les psychosociologues, la nôtre ne propose pas de définitions, la question (à Marseille comme à Grenoble) est ouverte. Il ne s'agit donc pas de marquer un accord mais de privilégier spontanément une

---

17. Si l'on peut s'interroger sur l'éventualité de variations régionales, nous n'avons pas les moyens de les mesurer ici, les différences dans le mode de recueil des données nous paraissant plus déterminants. D'autres écarts dans l'ordre majoritaire des définitions recueillies peuvent relever de différences entre les échantillons de Marseille et de Grenoble. On se souviendra qu'il ne s'agit ici que de repérer des grandes tendances.

18. On remarquera la convergence des diverses disciplines...

19. Cl. Flament remarque, à propos d'une étude sur les représentations de la culture : "L'étude suggère que toute la population a une unique représentation de la culture (en termes de noyau central), mais que les divers individus ont, pour des raisons en partie sociales, en partie personnelles, des pratiques culturelles plus ou moins intenses, d'où des niveaux variés d'activation de certains schèmes périphériques et des discours différents sur la culture." (1989, p. 216).

définition. Il reste que si l'on reprenait les dix catégories isolées ici, sous forme de questions fermées, l'accord avec l'item "l'ami est celui qui ne fait jamais défaut en cas de coup dur", serait, c'est mon hypothèse, assez général. Les variations ici dégagées relèvent plutôt, pour cette définition, d'une plus ou moins grande distanciation avec cet élément du noyau central, d'une propension différente à l'exprimer spontanément tel quel [20].

L'étude du lien étroit qui associe l'amitié avec la confiance est développée par S.N. Eisenstadt et L. Roniger (1984) et A. Silver (1989). L'interpersonnalité, l'intimité de la relation d'amitié suppose une connaissance de l'autre sur laquelle repose la confiance, confiance qui cependant ne se réduit pas à cette connaissance. Pour G. Simmel, la confiance est intermédiaire entre connaissance et ignorance à propos d'une personne (Simmel, 1950, p. 318) ; pour A. Silver la confiance dépasse l'expérience [21]. Elle n'a en tout cas pas toujours besoin de temps pour s'établir ; les entretiens nous fournissent nombre d'exemples "d'amitiés-coup de foudre", où dominent "l'instinct", "le flash", le "tilt"... La confiance, pour A. Silver, permet une réduction de l'incertitude à propos de l'autre.

Cette réduction de l'incertitude est ce à quoi semblent s'attacher plus particulièrement les ouvriers, qui insistent sur la dimension sécurisante de l'amitié : en situation exceptionnelle, en cas de drame, l'ami est celui qui répond toujours en cas d'appel, ou même sans qu'il y ait appel.

"Les amis, il n'y a pas besoin d'y faire appel, ils sont là, on peut compter sur eux. Il n'y a pas besoin de parler pour se comprendre. C'est très important, l'amitié. J'en ai besoin, ça me rassure. J'ai besoin de savoir qu'il y a des gens autour ; besoin qu'ils me confortent dans mes décisions."

Le "toujours" renvoie non pas à une dimension temporelle mais à la certitude de la réponse adéquate. Même s'ils se défendent, dans les interviews, d'associer un quelconque intérêt avec la relation d'amitié, en stigmatisant fortement cette attente, il y apparaît néanmoins nettement la notion d'un devoir. Devoir qui, s'il n'est pas rempli, s'il y a "déception", "trahison de la confiance", peut être cause de rupture.

Les employés, qui privilégient la dimension de la confidence, s'attachent par là à maximiser directement la connaissance de leur partenaire. La confidence est aussi une insistance sur le caractère privé de la relation : elle est réservée. Elle implique aussi, et les personnes interviewées insistent fortement sur cet aspect, le respect du devoir de secret. Là aussi, la trahison est rédhibitoire. La confidence fait aussi appel à la notion de franchise ; on y dit ce qu'on ne dit pas ailleurs, qui n'est habituellement pas dicible, et qui peut faire appel à une compréhension, à une tolérance particulières, même si l'on demande aussi de conforter des opinions ou des attitudes, de réconforter. C'est l'intimité sans fard. S'il y entre une dimension de sécurisation, elle est plus quotidienne, plus privée que pour les ouvriers.

20. On peut aussi se demander si les ouvriers ne marquent pas, plus que d'autres catégories sociales, une tendance à s'exprimer de façon générale sous forme de "prototypes", d'exemples, de récits. Cette hypothèse n'est pas nouvelle (cf. B. Bernstein, 1975). Ses extensions parfois caricaturales ont été critiquées par W. Labov (1976). Voir aussi la présentation des travaux de Schatzmann et Strauss dans Bourdieu, Chamboredon et Passeron (1968). Nous n'avons pas les moyens de tester ici cette hypothèse.

21. "The act of trust extends commitment beyond extrapolated experience, by resolving uncertainties about others in the direction of unconditional confidence in their essential qualities and enduring dispositions" (Silver, 1989, p. 277), [Le fait de donner sa confiance porte l'engagement au-delà d'une extrapolation de l'expérience, en réduisant l'incertitude sur les autres dans la voie d'une conviction inconditionnelle sur leurs qualités essentielles et leurs facultés de permanence].

Les cadres diplômés semblent, eux, mettre en avant la tonalité affective. Il n'y a plus de conditions, plus de demande de sécurisation, plus de devoirs. La confiance se construit dans le sentiment, le plaisir du contact. La proximité sociale, qu'ils mettent également en avant, permet peut-être de faire l'économie d'exigences plus formelles.

En ne considérant que ces trois catégories sociales, qui semblent marquer des tendances nettes dans leurs propositions de définitions de l'amitié (on pourrait aussi comparer les sexes, les âges...), on voit se dessiner au fur et à mesure que l'on "monte" dans les classes sociales, une tendance à privilégier les caractères informel, libre (sans devoirs), privé, proche, intime, de l'amitié.

Ces trois définitions, le drame, la confidence et l'affectif, font en tout cas ressortir le caractère exceptionnel (situations d'exception pour les ouvriers, relations d'exception pour les employés et les cadres), et privé, à l'écart des institutions sociales, de l'amitié.

3. DESCRIPTIONS DES RELATIONS VÉCUES

On peut maintenant explorer le second niveau de discours, celui qui est recueilli au moment où, dans l'entretien à Marseille, les personnes nous décrivent et comparent entre elles des relations vécues, particularisées, avec des personnes nommées. La réponse à la question "pourquoi x est-il votre ami?" provoque surtout de l'embarras. Selon G. Allan, il n'y aurait pas de mythe expliquant les relations d'amitié [22]. Il signale ainsi que les raisons pour lesquelles se construit une amitié n'existent pas dans le discours. Il n'y a pas de niveau de discours permettant de rendre compte d'une relation existante, en train d'exister. On peut raconter sa fondation, expliquer les raisons de sa rupture, mais pas celles de son existence courante.

On peut néanmoins recueillir les descriptions de leurs relations que font les personnes au cours de l'interview, en particulier en leur demandant de comparer les liens avec les partenaires réels qu'elles ont qualifiés d'amis ("Est-ce la même amitié avec X et Y ? A quoi sont dues les différences ?"). Nous avons donc eu recours à la comparaison pour faciliter l'émergence des traits pertinents.

Il peut paraître surprenant, au premier abord, de les voir alors se détacher de la définition générale qu'ils ont donnée de l'amitié, comme s'ils l'avaient oubliée [23].

Les ouvriers, on l'a vu, définissaient majoritairement l'amitié par le soutien en cas de problème grave. Ils introduisent par ailleurs, dans les descriptions de leurs relations amicales réelles, des schèmes plus liés à l'interindividualité, aux affinités, à l'affectivité, qui se rapprocheraient donc plus des définitions en termes de proximité interindividuelle et de lien affectif. Pour les ouvrières, on voit apparaître largement la confidence.

22. "Interestingly there are virtually no myths prevalent in our culture to "explain" friendship attractions" (Allan, 1979, p. 42), [Il est intéressant de noter qu'il n'y a pratiquement pas de mythes répandus dans notre culture pour "expliquer" les relations d'amitié].

23. Ce type de divergence n'est pas exceptionnel : "Procédant à l'analyse segmentaire de ce corpus, on met toujours en évidence des segments de significations locales très diverses, divergentes, souvent même contradictoires. On peut considérer deux segments praxiques, ou deux segments discursifs, ou un segment praxique et un segment discursif ; ainsi (Jodelet, 1985), on peut dire que la folie n'est pas contagieuse, et avoir, avec les fous, des pratiques d'hygiène destinées à prévenir la contagion". (Flament, 1989, p. 205). Si nous n'avons pas ici observé directement les pratiques, mais recueilli seulement du discours sur les pratiques, l'écart entre la définition de l'amitié en général et la description de l'amitié pratiquée nous paraît suffisant pour y étendre cette analyse.

Les employés privilégiaient dans leurs définitions générales la confidence, la proximité interindividuelle. La différence est moins marquée que pour les ouvriers : ils décrivent également leurs relations réelles comme relevant de ces deux schèmes, y ajoutant le long terme, la présence et "l'affectif". Les employées femmes en particulier centrent très nettement leurs relations réelles sur la confidence et la proximité interindividuelle, mais elles les décrivent plus que les hommes en termes affectifs. Les employés masculins, s'ils proposaient moins que les femmes la confidence comme définition, l'abordent plus dans leurs descriptions de relations réelles ; mais il faut noter qu'ils sont, dans ce cas, plus diplômés que leurs homologues féminines.

Les cadres mettaient l'accent d'emblée dans leurs définitions de l'amitié sur l'affectif, la proximité sociale et le long terme, et proposaient parfois "l'aide en cas de coup dur" (pour les cadres non diplômés principalement). Dans la description de leurs relations vécues, ils ajoutent la proximité interindividuelle mais aussi la confidence, pour laquelle les hommes rejoignent presque les femmes.

De façon générale, l'affectif, la proximité interindividuelle, la confidence et la présence apparaissent bien plus dans les descriptions de relations avec des personnes précises que dans la définition de l'amitié *in abstracto*, plus extérieure au vécu des individus. Une personne nous a explicitement désigné cette différence :

"Un ami, c'est quelqu'un sur qui on peut compter. Enfin, en apparence. Sur qui on peut compter, tant qu'on a pas d'ennuis, justement, on peut peut-être y compter, mais quand on a des ennuis, c'est à savoir si ce sera vraiment un ami.
Q : C'est un peu un test, cette question d'ennuis ?
R : Un test, je sais pas. Ca peut donner une opinion.
Q : Parce que vous disiez : quand on a un pépin, c'est là qu'on voit si c'est des amis.
R : Non, ça c'est des idées reçues que l'on a (rire), c'est des idées reçues, ça. Je sais pas, moi j'ai pas eu à vivre cette situation".

Il décrira ensuite ses amitiés comme relevant essentiellement d'une proximité de mentalité, de valeurs.

Il prend donc ses distances par rapport à ce discours "culturellement normé" qu'il a reproduit [24].

D'autre part, comme la quasi-totalité des personnes qui ont proposé la définition de "l'aide en cas de coup dur", il dit ne pas avoir eu à affronter cette expérience. Cette notion de "test" (c'est dans l'adversité que l'on voit qui sont les vrais amis, les "faux" nous abandonnent ou nous déçoivent) semble donc détachée de la réalité vécue, ne pas relever d'un "passage à l'acte", mais plutôt d'une épreuve imaginaire, dont le résultat hypothétique fonctionne bien comme critère décisif pour l'imposition du label "ami".

4. HISTOIRES VÉCUES DE L'AMITIÉ

Voyons maintenant ce qu'il en est au niveau de l'expérience racontée des histoires des relations, des circonstances de leur fondation, des seuils importants qu'elles ont traversé. On s'aperçoit alors que d'une façon extrêmement majoritaire, les amis se sont connus dans un moment où l'un des deux traversait un moment difficile (décès d'un

---

24. "Même lorsqu'un discours intégré existe, un enseignement de doctrine religieuse par exemple, on aurait tort d'y voir automatiquement l'expression exacte des représentations mentales de ceux qui le tiennent ou l'écoutent : ce discours est lui-même un comportement, souvent un comportement de répétition autant que de communication, un comportement qui doit être compris à partir des croyances et des intentions qui le sous-tendent ; il n'est pas lui-même sa propre explication." (Sperber, 1989, p. 123)

parent, problèmes avec les enfants, difficultés conjugales ou affectives, divorce...
principalement). Lorsqu'ils se fréquentaient déjà, ce seuil a marqué le passage à une
relation d'amitié.

"Q : C'est devenu une amie comment, X ?
R : Elle a eu de gros problèmes de famille, elle est mariée à un psychiatre, voilà. Je pense que je
vous ai donné toute l'explication. Et elle s'est retrouvée une main devant une main derrière, le
gars l'avait épousée pour son fric, et une fois qu'il a eu terminé ses études il l'a plantée là, mais
assez méchamment, il lui a donné tellement de complexes, il l'a tellement rabaissée que c'était
devenu une vraie loque. Et c'est là que j'ai réagi, que je l'ai... disons que l'amitié est devenue
plus profonde parce qu'on a été obligées de discuter de certaines choses qui font que après ça
devient plus solide, quoi."

On peut se demander pourquoi nombre de personnes, qui donnent une définition de
l'amitié centrée sur ces situations dramatiques, et qui ont effectivement fondé des
relations amicales sur de telles situations, d'une part ne les mentionnent pas dans la
description de leurs amitiés précises, et d'autre part disent n'avoir pas eu l'occasion de
vivre la situation de "test" (le drame qui sépare les "vrais amis" des autres). Il peut y
avoir plusieurs types de raisons. D'abord, le "drame" est advenu alors qu'ils n'étaient
pas encore amis, n'a donc pas été pertinent à l'époque de l'initiation de la relation, et
ce n'est que par nos questions qu'ils peuvent en reconstituer la cohérence.

"Les vrais amis, c'est quand on peut faire n'importe quoi, il peut vous arriver n'importe quoi,
sans que... on se sent épaulé. Pas forcément absout, mais on peut s'appuyer. Ils peuvent être
contre, même, franchement contre.
Q : C'est arrivé qu'effectivement vous ayez besoin d'eux ou qu'ils aient besoin de vous, et que...
R : Non, non. C'est une hypothèse. Parce que, remarquez, on s'est épaulés, oui, par exemple,
celle de la Drôme a eu une fracture du bassin, elle est seule, elle est isolée, elle est venue trois
semaines à la maison, sans problème. Voilà, c'est ça que j'appelle des vrais amis."

Ils ne peuvent pas, auparavant, lier ce drame à leur ami actuel, qui leur apporte
maintenant essentiellement de la complicité et de l'affection quotidiennes. Ensuite, ce
fameux test de "l'ami qui reste quand les malheurs ont éloigné les autres" semble être
plus incantatoire que véritablement appliqué en tant que test (la situation dramatique
initiale n'est pas reconnue comme test). Il n'est pas pour autant illusoire : son efficacité
certaine au niveau des représentations n'a sans doute pas besoin d'être confirmée par
l'expérience ; on peut très bien "trier" ses amis en leur attribuant une confiance réelle
à partir d'un critère "fictif", en tant que l'on dispose de suffisamment d'informations
(et c'est ce seuil d'informations qu'il serait intéressant de pouvoir préciser) pour être
sûr qu'il réagirait bien en cas de drame.

Beaucoup de personnes, en particulier des cadres, qui n'avaient pas proposé ce
schème dans leur définition générale de l'amitié, ont aussi fondé, leur récit en témoigne,
leurs relations dans des moments difficiles. Ces expériences initiales ne sont donc pas
forcément rapportées au niveau de la représentation globale.

On trouve aussi des cas où la relation a débuté dans des circonstances pas vraiment
dramatiques, mais en tout cas exceptionnelles. L'accouchement en est un exemple. J'ai
pu voir plusieurs hommes particulièrement sensibles au fait qu'une personne (un
homme en particulier) aille visiter leur femme à la clinique, et qui ont situé là le seuil
de leur amitié, ou du moins ont attribué à cet événement la valeur d'un signe, d'une
preuve. D'autres situations, plus collectives, sont aussi des ferments d'amitiés. Le stage
de formation assuré par l'entreprise, où les employés se retrouvent ensemble et isolés
du reste du monde, est caractéristique de ce type de moment privilégié.

"Vous savez, pendant ces formations, on vit intensément, on doit dormir trois ou quatre heures par nuit, on passe une vingtaine d'heures par jour ensemble. C'est des gens que je voyais dans leurs comportements professionnels et en même temps dans leurs comportements privés, des gens que je m'imaginais, parce que j'étais quand même très jeune à l'époque, que je m'imaginais sans problèmes et qui en avaient, et qui à un moment donné me l'exprimaient. Ca m'avait rassuré... (...) On se retrouvait tous célibataires, à ces moments là, tous pareils."

Le service militaire est aussi, c'est bien connu, un moment privilégié de relations, et de relations qui durent parfois bien au-delà du temps de l'armée.

"C'est la relation qui résiste le plus. Je crois que tous les hommes qui ont fait l'armée vous expliqueront pourquoi. Je crois que c'est la période, à l'armée tout le monde est pareil, il n'y a plus de différences. C'est comme le sport, il n'y a plus de riches, plus de pauvres, plus d'intelligents ni de... c'est pareil pour tout le monde, tout le monde est confronté à la même imbécillité ambiante, et ça ne peut que resserrer les liens."

La situation est socialement exceptionnelle, et tend à gommer les repères sociaux. Elle permet à une relation élective, détachée des contingences et des nécessités, des intérêts socialement investis, comme prétend l'être idéalement l'amitié, de trouver un terrain particulièrement favorable, déjà dépouillé.

Les amitiés d'enfance, qui persistent parfois à l'âge adulte bien que le mariage, les enfants et les déménagements en éliminent une bonne part (surtout pour les femmes), sont considérées par les acteurs comme des relations exceptionnelles, dont la principale qualité réside justement dans leur capacité à survivre aux changements de sphères sociales.

"Quand je dis que c'est mon meilleur ami, ça veut dire que c'est celui finalement avec lequel j'aurais eu le plus de facilité pour le perdre de vue."

La "valeur", le principe même de la relation, repose sur cette résistance aux bouleversements, plus que dans la longévité elle-même.

La majorité des relations d'amitié prend ainsi racine dans des situations "exceptionnelles", hors des cadres et des réponses socialement institués qui balisent la vie ordinaire. Cela ne veut pas dire pour autant que l'amitié soit proprement a-sociale. On sait qu'elle est, comme les autres formes de sociabilité, socialement marquée. Mais les circonstances qui la fondent l'écartent de fait des situations communes. Et ce moment fondateur peut en constituer l'essentiel, qu'il soit traduit ou non dans l'expression d'un "prototype" de la définition de l'amitié. Ce prototype, qui est un élément du noyau central de l'amitié, n'est pas en correspondance immédiate avec les représentations des relations vécues, mais on peut parfois en retrouver le pouvoir structurant dans les récits de fondation des relations.

Le schème central, la figure idéale de l'amitié se concentre par ailleurs dans la notion de confiance. L'expérience de situations exceptionnelles est souvent à l'origine (bien que ce lien soit généralement méconnu par les acteurs) de la confiance. Le caractère privé, interindividuel, affectif, qui constitue la représentation dominante des relations vécues, peut dériver de cette fondation : c'est le drame qui isole l'individu en tant que tel, qui le distingue. L'ami, c'est la personne exceptionnelle dans le moment exceptionnel.

CLAIRE BIDART
CERCOM, EHESS-CNRS
2 rue de la Charité - 13002 MARSEILLE

RÉFÉRENCES BIBLIOGRAPHIQUES

ADAMS, B.N. *Kinship in an urban setting*. Chicago, Markham, 1968.

AGULHON, M. Le cercle dans la France bourgeoise, 1810-1848, Etude d'une mutation de sociabilité. *Cahiers des Annales*, Paris, A. Colin, 1977.

ALBERONI, F. *L'amitié*. Paris, Ramsay, 1984.

ALLAN, G.A. *A sociology of friendship and kinship*. London, Boston, Sydney, G. Allen & Unwin, 1979. 156 p.

ARGYLE, M. The skills, rules, and goals of relationships. In GILMOUR, R. and DUCK, S.W. (eds). *The emerging field of personal relationships*. Hillsdale, N.J., Erlbaum, 1986, p. 23-39.

ARIES, P. et DUBY, G. (eds). *Histoire de la vie privée, de la première guerre mondiale à nos jours*. Paris, Le Seuil, 1987.

AYMARD, M. Amitié et convivialité. In ARIES, P. et DUBY, G. (eds). *Histoire de la vie privée*. CHARTIER, R. (ed). De la renaissance aux lumières, Tome 3, Paris, Seuil, 1986, p. 455-499.

BABCHUK, N. Primary friends and kin : a study of the associations of middle-class couples. *Social Forces*, 1965, n° 43, p. 483-493.

BABCHUK, N. and BATES, A. The primary relations of middle-class couples : the study of male dominance, *American sociological review*, 1963, n° 28, p. 377-384.

BECKER, H.S. *Outsiders*. Paris, A.M. Métailié, 1985.

BELL, C.R. Mobility and the middle-class extended family. *Sociology*, vol. 2, 1968, p. 173-184.

BERNARD, H.R., SHELLEY, G.A. and KILLWORTH, P. How much of a network does the GSS and RSW dredge up ? *Social Networks*, 1987, n° 9, p. 49-61.

BERNSTEIN, B. *Langage et classes sociales*. Paris, Editions de Minuit, 1975

BIDART, C. (a). Sociabilités : quelques variables. *Revue Française de Sociologie*, 1988, XXIX, p. 621-648.

BIDART, C. (b). Les semblables, les amis et les autres..., Sociabilité et amitié. Colloque de l'AISLF, Genève, 1988.

BOLTANSKI, L. *Les cadres ; la formation d'un groupe social*. Paris, Editions de Minuit, 1982, 523 p.

BOTT, E. *Family and social network*. London, Tavistock, 1957.

BOURDIEU, P., CHAMBOREDON, J.C. et PASSERON, J.C. *Le métier de sociologue*. Paris, Editions de Minuit, 1968.

CLARK, G. and S. Friendship in the Christian tradition. In PORTER, R. and TOMASELLI, S. (eds). *The dialectics of friendship*. London, Routledge, 1989.

COENEN-HUTHER, J. Relations d'amitié, mobilité spatiale et mobilité sociale. *Espaces et sociétés*, 1989, n° 54-55, p. 50-65.

COHEN, Y.A. Patterns of friendship. In Cohen Y. (ed). *Social structure and personality*. New-York, Holt, Rinehard & Winston, 1961.

DAVIS, K.E. and TODD, M.J. Friendship and love relationships. In DAVIS K.E. (ed). *Advances in descriptive psychology*. Vol. 2, Greenwich, CT, JAI Press, 1982.

DERLEGA, V.J. and WINSTEAD, B.A. (eds). *Friendship and social interaction*. New York, Springer-Verlag, 1986.

DICKENS, W.J. and PERLMAN, D. Friendship over the life-cycle. In DUCK, S.W. and GILMOUR, R. (eds). *Personal relationships, vol. 2, developing personal relationships*. New York, Academic Press, 1981.

DOISE, W. Les représentations sociales : définition d'un concept. *Connexions*, 1985, n° 45.

DUCK, S.W. (ed). *Handbook of Personal relationships. Theory, research and interventions*. New York, John Wiley & Sons, 1988.

DUCK, S.W. (ed). *Personal relationships vol. 4 : dissolving personal relationships*. London, Academic Press, 1982.

DUCK, S.W. and GILMOUR, R. (eds). *Personal relationships 3 : developing personal relationships*. London, Academic Press, 1981.

EASTERLING, P. Friendship and the Greeks. In PORTER, R. and TOMASELLI, S. (eds). *The dialectics of friendship*. London, Routledge, 1989.

EISENSTADT, S.N. Ritualized personal relations. *Man*, 1956, n 96, p. 90-95.

EISENSTADT, S.N. and RONIGER, L. *Patrons, clients and friends ; interpersonal relations and the structure of trust in society*. Cambridge University Press, 1984. 343 p.

FERRAND, A. *Amis et associés*. CESOL, 1985-86, Fasc. 1, 2, 6.

FERRAND, A. *Amis et associés*. CESOL, 1986, Fasc. 10.

FERRAND, A. Une relation interpersonnelle peut-elle être irrévocable ? Colloque de l'AISLF, Genève, 1988.

FERRAND, A. Connaissances passagères et vieux amis, les durées de vie des relations interpersonnelles. *Revue Suisse de Sociologie*, 1989, n 2.

FERRAND, A. For a structural analysis of relational contents. European Conference on Social Network Analysis, Groningen, June 1989.

FERRAND, A. L'inverse de l'ordre ; essai d'interprétation d'un type d'amitié. Paris, LASMAS-CNRS, 1990.

FERRAND, A., MOUNIER, L. Relations sexuelles et relations de confidence, analyse de réseaux. Paris, LASMAS, 1990. Rapport de recherche.

FIRTH, R., HUBERT, J., and FORGE, A. *Families and their relatives, kinship in a middle-class suburb of London*. London, Routledge and Kegan, 1969.

FISCHER, C.S. *To dwell among friends ; personal networks in town and city*. Chicago, London, The University of Chicago Press, 1982. 451 p.

FLAMENT, Cl. Structure et dynamique des représentations sociales. In JODELET, D. (ed). *Les représentations sociales*. Paris, Presses Universitaires de France, 1989, p. 204-219.

FRAISSE, J.C. Philia, *La notion d'amitié dans la philosophie antique*. Paris, Librairie philosophique J. Vrin, 1974.

FURNHAM, A. Friendship and personal development. In PORTER, R. and TOMASELLI, S. (eds). *The dialectics of friendship*. London, Routledge, 1989.

GINSBURG, G.P. Rules, scripts and prototypes in personal relationships. In DUCK, S.W. (ed). *Handbook of personal relationships*. New York, John Wiley & Sons, 1988.

GRAFMEYER, Y. and JOSEPH, I. *L'école de Chicago, naissance de l'écologie urbaine*. Paris, Aubier, 1979.

GRANOVETTER, M.S. The strength of weak ties. *American Journal of Sociology*, 1973, p. 1361-1380.

GRANOVETTER, M.S. *Getting a job, a study of contacts and careers*. Harvard University Press, 1974.

GRANOVETTER, M.S. The strength of weak ties ; a network theory revisited. In MARSDEN, P. and LIN, N. (eds). *Social structure and network analysis*. Beverly Hills, Sage, 1982, p. 105-130.

HANNERZ, U. *Explorer la ville*. Paris, Editions de Minuit, 1983.

HAYS, R.B. Friendship. In Duck, S.W. (ed). *Handbook of personal relationships*. New York, John Wiley & Sons, 1988.

HERAN, F. Comment les Français voisinent. *Economie et Statistiques*, 1987, n° 195, p. 43-59.

HERAN, F. Les relations de voisinage. *Données sociales*, INSEE, 1987, p. 326-337.

HERAN, F. La sociabilité, une pratique culturelle. *Economie et statistiques*, 1988, n° 216, p. 3-21.

HERAN, F. Mixité et "homolalie" ; les rapports entre les sexes dans la vie quotidienne des Français. In *Les ménages*. Mélanges en l'honneur de J. Desabie. INSEE, 1989, p. 431-445.

HERAN, F. Trouver à qui parler : le sexe et l'âge de nos interlocuteurs. *Données sociales*, INSEE, 1990.

HUCKFELDT, R.R. Social contexts, social networks, and urban neighborhoods : environmental constraints on friendship choices. *American Journal of Sociology*, 1983, Vol. 3, p. 650-669.

HUGUES, E.C. *Men and their work*. Glencoe, Free Press, 1958.

LABOV, W. *Sociolinguistique*. Paris, Editions de Minuit, 1976.

LAGRANGE, H. et ROCHE, S. Baby alone in Babylone, CERAT, Institut d'Etudes Politiques de Grenoble, 1988.

LAZARSFELD, P. F and MERTON, R.K. Friendship as social process : a substantive and methodological analysis. In BERGER, M., ABEL, T. and PAGE C. (eds). *Freedom and control in modern society*. New York, Van Nostrand, 1954.

Mac CALL, G.J. The organizational life cycle of relationships. In DUCK, S.W. (ed). *Handbook of personal relationships*. New York, John Wiley & Sons, 1988.

MAISONNEUVE, J. *Psycho-sociologie des affinités*. Paris, Presses Universitaires de France, 1966.

MOSCOVICI, S. *La psychanalyse, son image et son public*. Paris, PUF, 1976. 1ère éd. 1961.

ORMEL, J., Van TILBURG, T.G. and Van SONDEREN, F.L. Personal network delineation and social support ; a comparison of four delineation methods. European Conference on Social Network Analysis, Groningen, June 1989.

PAINE, R. In search of friendship. An exploratory analysis in "middle-class" culture. *Man*, 1969, vol. 4, p. 505-524.

PAINE, R. Anthropological approaches to friendship. *Journal of the institute of man*, 1970, n° 1, p. 139-159.

PARADEISE, C. Sociabilité et culture de classe. *Revue Française de Sociologie*, 1980, XXI, p. 571-597.

PARK, R. and BURGESS, E.W. *The city*. Chicago, The University of Chicago Press, 1925.

PERLMAN, D. and DUCK, S.W. (eds). *Intimate relationships : development, dynamics and deterioration*. Beverly Hills, Sage, 1987.

PITT-RIVERS, J. *People of the Sierra*. Chicago, Phoenix, 1963.

PITT-RIVERS, J. Kinship : pseudo-kinship. In *International Encyclopedia of the Social Sciences*, New York, MacMillan, Free Press, 1968.

POGREBIN, L.C. *Among friends : who we like, why we like them, and what we do with them*. New York, McGraw-Hill, 1987.

SCHUTTE, J.G. and LIGHT, J.M. The relative importance of proximity and status for friendship choices in social hierarchies. *Social Psychology*, 1978, Vol 41, n° 3, p. 260-264.

SEMIN, G. Prototypes et représentations sociales. In JODELET, D. (ed). *Les représentations sociales*. Paris, PUF, 1989.

SENNETT, R. *Les tyrannies de l'intimité*. Paris, Le Seuil, 1980 a.

SENNETT, R. *Familles contre la ville*. Paris, Encres-recherches, 1980 b.

SERAFICA, F.C. Conceptions of friendship and interaction between friends : an organismic-developmental persopective. In SERAFICA, F.C. (ed). *Social-cognitive development in context*. London, Methuen, 1983.

SILVER, A. Friendship and trust as moral ideals : an historical approach. *Archives Européennes de Sociologie*, Cambridge University Press, 1989, Vol. XXX, p. 74-297.

SIMMEL, G. *Sociologie et épistémologie*. Paris, PUF, 1981.

SIMMEL, G. *The sociology of G. SIMMEL*. Glencoe, Ill., The Free Press, 1950.

SPERBER, D. L'étude anthropologique des représentations : problèmes et perspectives. In JODELET, D. (ed). *Les représentations sociales*. Paris, PUF, 1989.

SUTTLES, G.D. Friendship as a social institution. In Mc CALL, G.J. (ed). *Social relationships*. Chicago, Aldine, 1970.

TELFER, E. Friendship. *Proceedings of the Aristotelian Society*, 1970, LXXI, p .223-241.

VERBRUGGE, L.M. The structure of adult friendship choices. *Social Forces*, 1977, vol 2, n° 56, p. 576-597.

WIRTH, L. Urbanism as a way of life. *The American Journal of Sociology*, 1938, n° 1, p. 1-24.

YOUNG, M. and WILLMOTT, P. *Le village dans la ville*. Paris, Centre de création industrielle, Centre G. Pompidou, 1983.

CONTRIBUTION À UNE MORPHOLOGIE
DES RÔLES RÉTICULAIRES

RÉSUMÉ : *Dans une enquête sur la sociabilité, lorsqu'on demande à un individu A quelles sont ses relations, il cite mettons B et C. Mais lorsqu'on pose la même question à B, il ne cite pas nécessairement A. L'algorithme présenté ici tire avantage de cette dissymétrie. Après en avoir exposé le principe, nous verrons qu'il permet, pour les relations directes ou indirectes entre individus, d'identifier quatre formes élémentaires de connexions : relais multiple, amplification, filtrage, relais simple. L'application à l'étude d'un réseau de sociabilité dans une commune rurale de Bourgogne montre qu'un profil socio-démographique peut être associé à chacune de ces formes. En ce sens, les rôles réticulaires ne sont pas sans logique sociale.*

Les recherches sur les réseaux de sociabilité se partagent en deux grands courants. Le premier se centre sur l'individu et s'attache à décrire son réseau personnel (*ego network*), sans chercher à analyser les connexions qui peuvent exister entre les individus appartenant à ce réseau. Cette restriction a l'avantage de permettre la réalisation d'enquêtes extensives sur des échantillons éventuellement représentatifs [1], mais il est impossible de saisir le système global des connexions. C'est en revanche sur ce système que portent les investigations du second grand courant d'études. On commence ici par délimiter un ensemble clos d'individus dont les relations sont susceptibles d'être décrites exhaustivement. L'approche est de type monographique. Elle vise à élucider les mécanismes réticulaires responsables de la structuration des rapports sociaux (Wellman et Berkowitz, 1988). La position de chaque membre du réseau vis-à-vis de cette structure est systématiquement appréciée relativement à l'ensemble des relations.

De nombreux algorithmes ont été mis au point pour mettre en évidence les groupes d'individus à l'intérieur d'un réseau ainsi que les relations entre ces groupes. Les deux critères les plus fréquemment utilisés reposent soit sur la similitude de position, soit sur la densité de relations entre individus. Dans les deux cas on aboutit à la constitution de classes structuralement équivalentes (ou approximativement) dont l'identification permet de simplifier l'étude du graphe complet des relations, d'en cerner la structure,

---

1. L'enquête dite "Contacts entre les personnes" effectuée par l'INSEE en 1983 en est un exemple (Héran, 1988).

et de répondre par là à de nombreuses questions sur la distribution des rôles, des status ou des groupes au sein d'un réseau social.

Bien que s'inscrivant dans ce courant de recherches, nous présenterons ici une démarche différente consistant à classer les individus selon quatre formes fondamentales de connexions susceptibles de les relier directement ou indirectement, pour ensuite comparer les classements correspondant aux liaisons directes avec ceux concernant les liaisons indirectes. Il ne s'agit donc pas d'équivalence structurale (Lorrain, 1975) aux sens qu'on attache généralement à ce terme (Degenne, 1990). Il vaut mieux parler d'*équivalence structurelle* en la définissant comme suit : deux individus dont les formes de connexions directes ou indirectes relèvent d'une même catégorie sont considérés comme jouant des rôles réticulaires équivalents. On peut ensuite faire l'hypothèse que chaque catégorie est porteuse de rôles et de status sociaux qui lui sont propres.

Le logiciel Micmac, qui nous servira à établir ces équivalences, en permet une première vérification car, pour les liaisons directes et indirectes, il construit une hiérarchie des individus selon le degré auquel ils participent d'un type de connexions. La hiérarchie obtenue pour les relations directes n'ayant a priori aucune raison de coïncider avec celle correspondant aux relations indirectes, il sera instructif de les comparer.

Ce propos peut paraître assez "formaliste", c'est pourquoi, après avoir exposé en détail l'algorithme de calcul, nous le testerons en l'appliquant à l'étude d'un réseau de sociabilité qui a déjà fait l'objet de plusieurs investigations (Courgeau, 1972 ; Forsé, 1981). Il s'agit d'un village de Bourgogne (Nolay) dont une enquête de l'INED datant de 1970 nous a permis de reconstituer le réseau complet des relations (hors-travail) entre 110 individus. Il sera ainsi possible de vérifier si des catégories socio-démographiques peuvent être associées à des formes élémentaires de relations.

1. ALGORITHME DE CONVERGENCE LORS DE L'ÉLÉVATION D'UNE MATRICE À DES PUISSANCES SUCCESSIVES

Dans une enquête sur la sociabilité lorsqu'on demande à un individu A quels sont ses amis, il cite mettons B et C. Mais lorsqu'on pose la même question à B, il ne cite pas nécessairement A. Insister auprès de B ou revenir interroger A serait très coûteux en temps, puisque, pour être systématique, il faudrait le faire pour chaque membre du réseau. Il serait d'ailleurs difficile de mettre en oeuvre un protocole fiable et les risques de biais seraient grands. Une telle procédure serait d'autant plus dommageable que l'on peut tirer avantage de cette dissymétrie. En outre, dans le cas d'une analyse secondaire, il est impossible d'y remédier.

L'algorithme sur lequel le logiciel Micmac [2] est basé est tout particulièrement indiqué puisqu'il a entre autre pour objectif d'exploiter la non réciprocité. Originellement ce logiciel a été conçu pour hiérarchiser les variables d'un modèle structurel (c'est-à-dire dont les relations se présentent sous la forme d'une matrice booléenne) selon leur degré de motricité ou de dépendance directe et indirecte. Or les données décrivant un réseau de sociabilité peuvent être codées de manière formellement identique, à savoir une matrice carrée et binaire (mais non nécessairement

---

2. Mis au point par M. Godet et J-C Dupérin (1973). On en trouvera un exposé synthétique dans Godet, M. (1985).

symétrique) où les individus représentent les intitulés lignes et colonnes et où à l'intersection d'une ligne i et d'une colonne j on porte un 1 s'il existe une relation entre l'individu i et l'individu j et un 0 sinon. Une fois cette matrice constituée, l'application de Micmac ne pose aucun problème technique particulier. En revanche le changement de contexte obligera à trouver de nouveaux concepts pour décrire les résultats.

Micmac est un programme de multiplication matricielle dont le principe est assez simple [3]. Si un individu i cite un individu j et si k est cité par j, on a le schéma suivant :

$$i \to j \to k$$

Il y a deux liaisons directes. Par exemple i est lié au degré 1 avec j mais il existe une liaison indirecte, c'est-à-dire un chemin de longueur 2, associant i à k. Dans une matrice décrivant un réseau social il existe de très nombreuses liaisons indirectes de ce type et de longueurs variables.

L'élévation de la matrice à la puissance 2 met en évidence les liaisons indirectes de degré 2. Appelons M la matrice du réseau. Elle est de terme général $[m_{ij}{}^1]$ et comporte n lignes ou colonnes. Le terme général de $M^2 = M \times M$ est :

$$[m_{ij}{}^2] = \sum_{k=1}^{n} m_{ik}\ m_{kj}$$

$[m_{ij}^P]$, terme général de M^p, donne le nombre de chemins de longueur p entre l'individu i et l'individu j. Certains auteurs utilisent dans cette multiplication matricielle une arithmétique pseudo-booléenne.

$$m_{ij}^P = \begin{cases} 1 \text{ si} \sum_{k=1}^{n} m_{ik}\ m_{kj} \neq 0 \\ 0 \text{ si} \sum_{k=1}^{n} m_{ik}\ m_{kj} = 0 \end{cases}$$

Dans ce cas m_{ij}^P indique seulement s'il existe ou non un chemin de longueur p allant de i à j.

J.F. Lefebvre (1982) a montré dans sa thèse qu'en utilisant l'arithmétique classique (comme nous le ferons), les chemins dont le nombre est donné par m_{ij}^P ne sont pas nécessairement élémentaires. Au fur et à mesure qu'on élève la matrice à des puissances successives, on prend en compte des chemins déjà comptabilisés. Il en va de même

3. Nous tenons à la disposition du lecteur intéressé une version de ce programme que nous avons écrit pour tout ordinateur de la gamme Macintosh (matériel requis : une Imagewriter).

pour les circuits passant par l'individu i dont on trouve le nombre (m_{ii}^P), pour une longueur p, sur la diagonale de la matrice M^P.

La remise à zéro de la diagonale à chaque nouvelle itération ne suffit pas, comme le démontre encore J.F. Lefebvre, à surmonter cette difficulté. Certains algorithmes parviennent à l'écarter [4] mais, comme ils exigent un très grand nombre d'élévations en puissance, ils sont très couteux en temps de calcul dès que la matrice est de taille importante.

L'objectif n'étant pas de compter les chemins strictement élémentaires de longueur p entre individus, la difficulté mise en évidence par J.F. Lefebvre n'est pas rédhibitoire.

L'algorithme utilise une propriété remarquable de certaines matrices booléennes. Après chaque élévation à une puissance p, on additionne les éléments d'une ligne donnée (X_i) et l'on procède de la même façon pour chaque colonne (X_j) soit :

$$x_i = \sum_{j=1}^{n} m_{ij}^P \qquad\qquad\qquad x_j = \sum_{i=1}^{n} m_{ij}^P$$

On classe ensuite par ordre décroissant les X_i (et les X_j) selon les scores obtenus. Or, au-delà d'une certaine puissance p (variable selon la matrice de départ), on constate que *les hiérarchies des lignes ou des colonnes demeurent invariables*. En élevant la matrice à des puissances supérieures les valeurs augmentent, mais l'ordre reste identique. Il faut noter que cette propriété, qui semble due aux propriétés spectrales des matrices, est empirique et n'a pas fait l'objet, à notre connaissance, d'une démonstration rigoureuse. Cependant dans tous les cas rencontrés (et ils deviennent nombreux) elle s'est vérifiée. La hiérarchie des nombres situés sur la diagonale de la matrice dite "de convergence" est elle aussi stable à partir d'un seuil donné. Cette hiérarchie classe les individus selon le nombre de circuits qui leur sont associés, c'est-à-dire selon le rôle plus ou moins grand joué dans les "bouclages" du système.

Deux conditions semblent requises pour que la stabilité des hiérarchies apparaisse :
- le graphe doit comporter des circuits,
- il doit exister des circuits dont les longueurs sont premières entre elles.
Pour rendre cette technique plus parlante, prenons un exemple simple. Soit le graphe suivant :

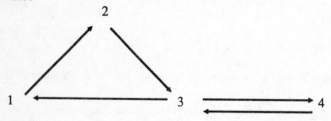

---

4. On trouvera les principaux algorithmes concernant l'élévation d'une matrice binaire à des puissances successives dans Harrary F., Norman R. Z., Cartwright D., (1968).

La matrice d'incidence s'écrit :

$$M = \begin{pmatrix} 0\,1\,0\,0 \\ 0\,0\,1\,0 \\ 1\,0\,0\,1 \\ 0\,0\,1\,0 \end{pmatrix}$$

Les élévations à des puissances successives donnent :

M	1	2	3	4	Somme	Classement
1	0	1	0	0	1	2
2	0	0	1	0	1	2
3	1	0	0	1	2	1
4	0	0	1	0	1	2
Somme	1	1	2	1		
Classement	2	2	1	2		

M^2	1	2	3	4	Somme	Classement
1	0	0	1	0	1	2
2	1	0	0	1	2	1
3	0	1	1	0	2	1
4	1	0	0	1	2	1
Somme	2	1	2	2		
Classement	1	2	1	1		

M^3	1	2	3	4	Somme	Classement
1	1	0	0	1	2	2
2	0	1	1	0	2	2
3	1	0	1	1	3	1
4	0	1	1	0	2	2
Somme	2	2	3	2		
Classement	2	2	1	2		

M^4	1	2	3	4	Somme	Classement
1	0	1	1	0	2	3
2	1	0	1	1	3	2
3	1	1	1	1	4	1
4	1	0	1	1	3	2
Somme	3	2	4	3		
Classement	2	3	1	2		

M^5	1	2	3	4	Somme	Classement
1	1	0	1	1	3	3
2	1	1	1	1	4	2
3	1	1	2	1	5	1
4	1	1	1	1	4	2
Somme	4	3	5	4		
Classement	2	3	1	2		

En élevant à des puissances supérieures, les classements des lignes et des colonnes ne varieront plus. On voit ici qu'ils se stabilisent dès la puissance 4.

Cette convergence présente plusieurs intérêts pratiques. Tout d'abord, s'agissant d'étudier des relations indirectes, elle permet de se fixer un rang donné. Sinon quelle puissance de la matrice faudrait-il considérer ? De plus, même pour des matrices de taille importante (d'ordre 50 par exemple), il suffit en général de 6 à 8 itérations pour obtenir la stabilité des classements. Enfin les résultats se prêtent aisément à des représentations graphiques plus parlantes.

2. ELÉMENTS DE MORPHOLOGIE DES CONNEXIONS ÉLÉMENTAIRES DANS LES RÉSEAUX SOCIAUX

Dans un réseau social chaque individu peut être considéré comme un relais au sein d'un maillage. Ce relais peut toutefois apparaître de deux manières. Lorsque A cite B et que B ne recite pas A (A -> B), l'individu A joue un rôle *moteur* alors que l'apparition de B est *dépendante* de ce que A a déclaré connaître B. On peut parler de "citations actives" (A cite B) et de "citations passives" (B est cité par A). La "motricité" d'un individu par rapport à tous ceux qui composent le réseau sera fonction de son nombre de citations actives (ou nombre de successeurs dans le vocabulaire de la théorie des graphes), et sa "dépendance", de son nombre de citations passives (ou nombre de prédécesseurs). Comme nous l'avons vu dans l'exemple précédent, l'ensemble des citations actives de A est obtenu en faisant, dans la matrice, la somme des composantes du vecteur-ligne correspondant à A. Pour trouver le nombre de citations passives, il suffit de faire la somme en colonne. Les sommes lignes et colonnes de la matrice d'incidence d'un réseau sont donc des indicateurs du degré de motricité ou de dépendance des individus.

Pour chacun de ces deux critères, on pourra comparer le classement correspondant aux liaisons directes avec le classement obtenu pour les liaisons indirectes "à la convergence". La réalisation de ce classement se fera en utilisant le même principe, mais en portant attention cette fois aux sommes lignes ou colonnes de la matrice de convergence. Certains individus verront leur rang se confirmer, alors que d'autres le verront augmenter ou diminuer. L'exemple précédent donne les résultats de la page ci-contre.

Distinguer deux degrés, disons fort et faible, pour la motricité comme pour la dépendance et croiser ces deux critères, permet d'identifier quatre formes fondamentales d'étoiles, c'est-à-dire de connexions d'un individu avec ceux qu'il cite ou qui l'ont cité.

Si l'on suit les deux diagonales de ce tableau carré, on voit se dessiner une opposition entre une situation équilibrée et une situation déséquilibrée. D'un côté il y a autant de citations passives que de citations actives. Les individus centres sont seulement des relais, mais dans la case en bas à gauche on peut parler de "*relais simple*" (ou simplex), alors que dans la case en haut à droite il s'agit de "*relais multiple*" (ou multiplex). L'autre diagonale se caractérise par la non-linéarité et en quelque sorte par une dynamique, qui tranche avec la situation conservatoire propre aux relais. Toutefois, ici encore, nous avons affaire à deux formes antithétiques : avec une dépendance faible et une motricité forte, il y a *amplification* ; avec une dépendance forte et une motricité faible, il y a *filtrage*.

Les données d'enquête se prêtent aisément à une représentation graphique (qu'on appelle plan de motricité / dépendance). Il suffit, pour chaque individu, de porter son nombre de citations actives (ou de successeurs) en ordonnée, et son nombre de citations passives (ou de prédécesseurs) en abscisse. En découpant le graphique en quatre zones, représentant chacune un rôle réticulaire, on peut déterminer à laquelle des quatre formes fondamentales de connexions un individu a tendance à se rattacher.

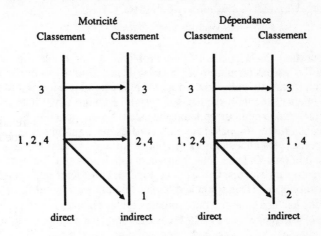

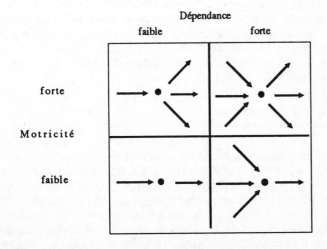

Le graphique (ci-dessous) étant tracé pour les liaisons directes, il sera utile de le comparer avec celui correspondant aux liaisons indirectes (techniquement, on refera les mêmes opérations à partir de la matrice de convergence). Un individu peut par exemple n'avoir qu'un rôle de simple relais si l'on s'en tient à ses relations directes, mais s'avérer être un amplificateur lorsqu'on prend en compte ses relations de degré supérieur.

Motricité

amplificateur	relais multiple
relais simple	filtre

Dépendance

Reste la question de la *centralité*. Ce problème a fait l'objet de nombreuses discussions car il n'y a pas unanimité sur la façon de la définir. Nous dirons pour notre part que, dans un réseau, un individu est d'autant plus central que le nombre de circuits (non nécessairement élémentaires) qui passent par lui est important. Micmac offre alors un moyen simple, et non coûteux en temps de calcul supplémentaire, pour classer les individus selon ce critère. Rappelons que les chiffres qui figurent sur la diagonale de la matrice de convergence mesurent pour chaque individu ce nombre de circuits, de longueur égale à la puissance de cette matrice, et que leur hiérarchie reste invariable pour des longueurs supérieures. On est donc fondé à considérer que cette hiérarchie ordonne les membres du réseau selon le rôle plus ou moins central qu'ils y jouent.

Les individus les plus centraux ont d'ailleurs toutes chances d'être également des relais multiples. Pour que cela ne soit pas le cas il faudrait, par exemple, que le multiplex résulte essentiellement de liaisons avec des individus sans autre relation. Les relais multiples seraient des centres de petits groupes mais non de l'ensemble du réseau. Qu'il puisse y avoir confusion entre multiplex et centralité est en revanche tout à fait conforme à l'image que l'on se donne habituellement d'un centre. Géographiquement ne le reconnaît-on pas au fait que beaucoup de voies de communication en partent ou y convergent ? L'application à des données empirique permettra de déterminer dans quel cas de figure on se trouve, ce qui n'est pas sans importance par exemple pour expliquer un processus épidémiologique.

3. RÔLE RÉTICULAIRE ET STATUS SOCIAL

Les données dont nous disposons sur Nolay concernent uniquement la sociabilité (outre les caractéristiques sociodémographiques usuelles dont les principales sont reproduites en annexe). Nous avons regroupé les quatre types de relations disponibles (avec la famille, les amis, les voisins et les collègues de travail en dehors du cadre professionnel) de façon à ne former qu'une seule matrice. Pour délimiter un ensemble clos de relations, nous avons exclu du fichier de départ les individus cités mais non enquêtés ainsi que les enquêtés qui ne citaient pas d'autres individus enquêtés. Ces restrictions nous ont permis de constituer *la matrice des relations de sociabilité entre 110 individus à l'intérieur du village.*

Un individu a en moyenne 2,4 relations, ce qui est plutôt faible comparé à certaines données nationales mais provient, au moins en partie, du fait que nous nous sommes limité aux liaisons internes à l'échantillon. La matrice est donc très peu dense : 265 relations pour près de 12 000 possibles. Dans ces conditions la convergence des classements pour les citations actives et passives n'a pu être obtenue qu'après élévation à la puissance 17.

Les individus les plus centraux, d'après le classement de la diagonale de la matrice de convergence, sont également ceux qui ont le plus tendance à être des relais multiples (indirectement). Les liaisons multiples ne se font donc pas vers des isolats.

Compte-tenu de la faible densité de relation, une grande majorité des individus sont des relais simples. Il y a de ce point de vue peu de changement entre classement direct et indirect. Les autres catégories font l'objet d'une mobilité plus importante, en particulier les amplificateurs qui passent de 1 à 10 lorsqu'on prend en compte leurs relations indirectes (une grande partie ayant été classée comme relais simples lors de l'examen des liaisons directes). Les relais multiples et les filtreurs ne varient guère en nombre, mais ils ne sont qu'une minorité à rester dans la même catégorie. Au total 22 % des individus se voient attribuer une forme de connexion différente lorsqu'on compare classement direct et indirect. Il n'y a donc pas invariance d'échelle.

MOBILITÉ ENTRE CLASSEMENT DIRECT ET INDIRECT

Classement direct	Classement indirect				Total
	multiple	amplificateur	filtre	simple	
multiple	2	1	2	1	6
amplificateur	0	0	0	1	1
filtre	0	0	2	5	7
simple	3	9	2	82	96
Total	5	10	6	89	110

Le nombre d'enfants, le sexe et, dans une moindre mesure, l'état matrimonial sont peu explicatifs des classements des individus. En revanche, pour ce qui concerne les relations indirectes, les formes de connexions sont assez fortement dépendantes de l'ancienneté de résidence à Nolay. Les relais multiples y ont résidé de 11 à 20 ans, les amplificateurs et les filtres depuis plus de 20 ans. A l'inverse les relais simples y sont installés depuis moins de 10 ans. Cet effet de la durée de résidence est corroboré par celui du nombre de migrations. Elles sont peu nombreuses, voire inexistantes, chez les relais multiples et les amplificateurs, un peu plus fréquentes chez les filtres et nettement plus importantes chez les relais simples.

Il ne faut pas en conclure que les individus les plus moteurs sont nécessairement âgés. Les relais multiples sont surtout des jeunes de 18 à 29 ans, les amplificateurs ont plutôt entre 30 et 44 ans, les filtres entre 45 et 64 ans, et les relais simples ont souvent plus de 65 ans.

Il existe également une liaison assez significative entre groupes socio-professionnels et rôles réticulaires. Les relais multiples ont tendance à se recruter parmi les ouvriers ou employés. C'est également le cas des amplificateurs, quoique certains exercent des professions indépendantes (agriculteurs, commerçants et artisans). Le filtrage est davantage le fait des couches supérieures (cadres et professions libérales, parmi lesquels on trouve les notables du village). Quant aux relais simples, en dehors des ouvriers et employés, ils concernent à peu près toutes les catégories, notamment les inactifs.

Tout ceci permet, de façon *tendancielle* (eu égard au faible nombre d'individus), d'associer une typologie socio-démographiques à la morphologie des rôles réticulaires (obtenue ici par examen des relations de sociabilité indirectes) :

Relais multiples	*Amplificateurs*	*Filtres*	*Relais simples*
ancienneté de résidence supérieure à 10 ans	ancienneté de résidence supérieure à 10 ans	ancienneté de résidence supérieure à 10 ans	ancienneté de résidence inférieure à 10 ans
pas ou peu de migrations	pas de migration	peu de migrations	migrations plus nombreuses
18 à 29 ans	30 à 44 ans	45 à 64 ans	65 ans et plus
ouvriers, employés	ouvriers, employés, indépendants	cadres et professions libérales	(inactifs)

Il n'y a guère à s'étonner de ce que la motricité suppose une certaine ancienneté de résidence à Nolay, ancienneté qui n'exclut pas le fait d'être jeune ou d'appartenir à des catégories modestes. D'autres résultats sont plus contre-intuitifs mais peuvent trouver une explication. Par exemple, si les notables (qui n'ont pas toujours résidé à Nolay) sont en position de filtrage, c'est que leur notoriété les conduit à être bien plus cités qu'eux-mêmes ne citent d'individus.

CONCLUSION

Aux quatre types de connexions que nous avons distingués correspondent des catégories de population relativement bien délimitées socio-démographiquement. Les formes élémentaires des relations au sein d'un réseau de sociabilité ne sont donc pas sans logique sociale. Il faudrait bien sûr d'autres études du même genre, et sur des échantillons plus larges, pour savoir si ces correspondances sont stables.

Il serait également intéressant de comparer ces résultats avec ceux que l'on obtient au moyen d'autres logiciels destinés à mettre en évidence les groupes d'individus et leurs relations au sein d'un réseau. On pourrait ainsi savoir si les individus qui ont tendance à avoir même forme de relations ont aussi tendance à faire partie des mêmes groupes. Ayant repéré les articulateurs entre groupes, on pourrait encore vérifier que ce ne sont pas des relais simples, ce qui accréditerait de façon plus systématique la thèse de Granovetter (1973) selon laquelle leurs liens sont faibles. Mais c'est peut-être dans le domaine des études de diffusion que l'on peut attendre de cette méthode les progrès les plus significatifs. On peut en effet se demander si chaque grande étape d'une diffusion (et l'on peut justement en distinguer quatre dans le cadre d'un processus logistique) ne peut pas se caractériser par une forme réticulaire qui serait alors en grande partie responsable des ralentissements ou accélérations constatées statistiquement.

MICHEL FORSÉ
Université de Lille I
Institut de sociologie - CLERSE
59655 VILLENEUVE D'ASCQ CEDEX

RÉFÉRENCES BIBLIOGRAPHIQUES

COURGEAU, C. Les réseaux de relations entre personnes. Etude d'un milieu rural. *Population*, 1972, 4-5.

DEGENNE, A. La notion d'équivalence structurale dans l'étude des réseaux sociaux. Communication au colloque La théorie des réseaux et ses applications en sciences humaines, Universités Lyon I et II, Juin 1990.

FORSÉ, M. Les réseaux de sociabilité dans un village. *Population*, 1981, 6.

HÉRAN, F. La sociabilité, une pratique culturelle. *Economie et Statistique*, décembre 1988, n 216.

GODET, M. et DUPÉRIN, J.-C. Méthode de hiérarchisation des éléments d'un système. Essai de prospective du système de l'énergie nucléaire dans son contexte sociétal. Rapport CEA -R- 4541, 1973.

GODET, M. *Prospective et planification stratégique*. Paris, CPE-Economica, 1985.

GRANOVETTER, M. The strength of weak ties. *American Journal of Sociology*, 1973, LXXVIII, 6.

HARRARY, F., NORMAN, R. Z. and CARTWRIGHT, D. *Introduction à la théorie des graphes orientés, Modèles structuraux*. Paris, Dunod, 1968.

LEFEBVRE, J.F. *L'analyse structurelle : Méthodes et développements*. Paris, CNAM, Thèse de doctorat de troisième cycle, 1982.

LORRAIN, F. *Réseaux sociaux et classifications sociales*. Paris, Hermann, 1975.

WELLMAN, B., BERKOWITZ, S.D (eds). *Social structure : a network approach*. New York, Cambridge University Press, 1988.

ANNEXE

QUELQUES CARACTÉRISTIQUES SOCIO-DÉMOGRAPHIQUES DE L'ÉCHANTILLON

Sexe
Hommes : 32 %
Femmes : 68 %

Age
18 à 29 ans : 21 %
30 à 44 ans : 22 %
45 à 64 ans : 28 %
65 ans et plus : 29 %

Groupe socio-professionnel
Indépendants : 15 %
Professions libérales et cadres : 14 %
Ouvriers et employés : 15 %
Femmes au foyer : 33 %
Inactifs : 23 %

Durée de résidence à Nolay
0 à 2 ans : 8 %
3 à 10 ans : 30 %
11 à 20 ans : 18 %
21 ans et plus : 44 %

LES HOMMES SONT DES RÉSEAUX PENSANTS [1]

RÉSUMÉ : *Qu'est-ce que l'analyse de systèmes de relations au sein de groupes d'agriculteurs, conduite en termes d'analyse de réseau, apporte à la connaissance des phénomènes de changement technique, ou de production et de commercialisation, dans l'agriculture. Nos observations passent bien entendu par l'observation des processus de changements matériels des activités, outillages, etc. Mais ce que nous cherchons surtout, c'est à mettre en relation d'une part des types morphologiques de réseaux de dialogue, et d'autre part, les façons de connaître et d'évaluer la réalité, les façons dont elles se reproduisent et se transforment, bref, les façons dont s'exerce, collectivement, l'activité de pensée.*

Cet article [2] vise à répondre à la question : qu'est-ce que l'analyse des systèmes de relations au sein de petits groupes (ici d'agriculteurs), conduite en termes d'analyse de réseau, apporte à la connaissance des processus de changement des pratiques.

L'étude des processus de reproduction et de changements techniques porte bien entendu en premier lieu sur les aspects matériels des activités, outillages et produits. La distribution des variantes techniques qu'on peut observer dans un milieu d'inter-connaissance peut être mise en relation avec des positions dans le réseau des relations et avec la forme générale de ce réseau.

Ce n'est là cependant, dans notre perspective de recherche, qu'une première étape vers l'étude des formes de connaissance et d'évaluation de la réalité, de leurs façons de se reproduire et de se transformer dans le flux dialogique local, et vers la mise en évidence de relations entre des types morphologiques de *réseaux de dialogue* et les façons dont s'exerce, collectivement, *l'activité de pensée.*

Je préciserai d'abord notre objet et nos hypothèses. Une deuxième partie sera consacrée aux principes de méthode, issus de cet objet et des hypothèses, et la troisième à nos résultats, confrontés aux thèses communément acceptées par les acteurs du "développement agricole", souvent relayés par le discours savant.

1.   Blaise Pascal
2.   Ecrit avec l'aide de R. Le Guen, GERDAL-ESA.

1. L'OBJET : DE LA DIFFUSION À LA CONVERGENCE

Notre point de départ réside dans la critique du "modèle linéaire" de la communication, qui constitue la base du sens commun de la vulgarisation, que les termes mêmes de "diffusion", "vulgarisation" ou son équivalent anglais "extension" indiquent bien.

Ce modèle repose sur l'image de sens commun qui assimile une information à une substance physique que certaines personnes envoient à d'autres, et à propos de quoi on s'interroge sur l'effet que cette information produit sur un individu qui la reçoit. Cette vision est cohérente avec la vision du travail socialement divisé, selon laquelle certains hommes sont supposés concevoir le travail que les autres exécutent, vision dont on trouve l'écho dans l'organisation institutionnelle, de la science à l'agriculture : les chercheurs produisent des informations, par exemple sur les relations entre les rations alimentaires des vaches et les quantités de lait qu'elles produisent, les ingénieurs d'instituts techniques transforment ces informations en prescriptions, en définissant des procédures de calcul des rations journalières, des techniciens-conseils de terrain les expliquent et les diffusent aux éleveurs, qui sont censés transformer ce dernier état de l'information en opérations matérielles (distribution de foin et d'aliments concentrés).

Cette conception du développement agricole relève d'un premier ensemble de critiques, qui visent d'une façon générale les schémas de diffusion de l'information où le "récepteur" est conçu soit comme individu, soit comme collection amorphe d'individus. Les premiers éléments de cette critique ont été apportés par P.F. Lazarsfeld, avec la *two steps flow hypothesis* (Lazarsfeld, 1948) [3], par les travaux de G.H. Mead ou de Bateson sur l'erreur théorique qui consiste à isoler l'esprit d'un individu de son environnement (Bateson, 1981 ; Mead, 1934), par l'école de Palo Alto, avec la notion de "communication nexus" (Watzlavick, 1967).

En second lieu, il est fréquent de constater que l'exécution par les éleveurs ne reproduit jamais ni tout à fait exactement, ni seulement la prescription. C'est cet écart que les ergonomes désignent par la distinction entre "norme prescrite" et "norme réelle". Il est évident que ce n'est pas la théorie scientifique à l'origine de la prescription (exemple : la physiologie de la digestion des ruminants et l'analyse des valeurs alimentaires des fourrages) qui conduit les actes des éleveurs. Entre l'information initiale, fut-elle ajustée par des intermédiaires, et les façons d'agir des agriculteurs, associées à leurs propres façons de connaître les choses, de les décrire, il y a nécessairement une activité de construction, que nous dirons normative, à la fois sur le plan des opérations matérielles et sur celui de la connaissance. Cette activité, ainsi que le suggèrent les critiques citées ci-dessus, est une activité collective donc pleinement sociale, au même titre que le produit lui-même, à savoir une culture technique locale ou encore la variante locale d'une culture technique.

Il reste à s'interroger sur la façon dont s'exerce cette part sociale de l'activité de pensée et sur les relations entre les formes de systèmes de relations et la manière dont s'exerce cette activité : la forme des "réseaux pensants", selon notre hypothèse, conduit la forme des façons de penser.

Le moyen par lequel s'exerce cette activité sociale de pensée, c'est le dialogue. Le dialogue est, à un premier niveau d'observation, moyen de communication

---

3. Premier pas : la réception par les individus ; second pas : la circulation-mise à l'épreuve de l'information entre les membres d'un groupe.

d'information et d'expériences, et moyen d'influences réciproques. Mais ce premier niveau en implique un second. Ces fonctions, en s'accomplissant, entraînent de façon nécessaire, indépendante de la volonté des interlocuteurs, un processus d'ajustement constant pour se comprendre. D.L. Kincaid (Rogers et Kincaid, 1981) décrit ce processus sous le terme de processus de "convergence" : les individus en interaction verbale construisent leur compréhension mutuelle en éliminant, par ajustements successifs, les malentendus. Les linguistes désignent ce phénomène sous le nom de "construction du sens" : le sens des mots, le sens des énoncés, se construisent dans l'interaction. (Boutet, 1989).

Ce processus linguistique nous intéresse pour autant que nous pouvons le mettre en relation avec des réalités non linguistiques. Ce sont, en premier lieu, les structures, relativement durables, d'interaction, de dialogue, au sein de milieux d'inter-connaissance, et en second lieu les formes de l'activité professionnelle. La coopération pour construire le sens des mots est en effet aussi coopération pour construire une connaissance des choses : chaque groupe d'agriculteurs construit (bien entendu en interaction avec son environnement social) ses "points de convergence", qui constituent ses façons de voir les choses, de les concevoir, et le catalogue des façons de faire envisageables, bref, son *système de normes.*

Notons que le fait d'intégrer, dans la construction de l'objet scientifique, les systèmes de relation *durables*, antérieurs à telle situation d'interaction, et le profit pour l'action qu'en attendent les interlocuteurs, distinguent cette orientation de recherche de celles qui, comme l'ethnométhodologie, ne veulent considérer que "l'ici et maintenant" de l'interaction sociale, et s'intéressent aux règles qui la régissent, plus qu'à son résultat et à ses effets hors-situation d'interaction.

Il est certes intéressant d'étudier comment ce processus de convergence s'opère dans l'instantané d'un dialogue. Mais ce que nous cherchons surtout à décrire et à comprendre, c'est la façon dont s'opèrent les effets cumulatifs dans un réseau de dialogue, comment au fil des jours et des rencontres, ce processus conduit à la constitution d'un "sens commun" du groupe, à la production des façons de décrire et d'évaluer les choses partagées dans le groupe, et éventuellement différentes de celles d'autres groupes.

> Par exemple, les experts considèrent qu'il faut traiter les céréales contre les champignons lorsque l'infestation atteint un certain niveau dans la région. Dans une commune (de Haute-Garonne, où c'est le cas à tel moment), les agriculteurs considèrent que seules les variétés récentes doivent être traitées. Dans une commune de Bretagne (même époque, même niveau d'infestation), il est admis que "on ne traite pas ici", ça ne vaut pas le coût, et on cherche des alternatives (Darré, 1985).

Ce processus suppose à la fois la durée et la relative stabilité d'un groupe d'inter-connaissance. Nous définissons ce groupe à la fois par la proximité socio-géographique - par exemple, le village, la vallée - qui maintient les membres du groupe "à portée de dialogue", et par des activités semblables. Nous appelons l'entité correspondant à cette définition "groupe professionnel local" [4].

Nous n'avons accès à ce processus que lorsqu'apparaissent des écarts, des divergences, dans le cours du discours local, qui déséquilibrent le fond commun sur lequel repose un certain niveau de compréhension au sein du groupe.

---

4. Cette définition admet aussi l'équipe dans l'entreprise : Maget, 1962 ; Oddone, 1981 ; Darré et Le Guen, 1986.

A défaut de pouvoir décrire le processus, sur l'ensemble d'un système de dialogue local, nous pouvons connaître le produit, c'est-à-dire le système de normes local, à la fois façons de voir les choses et façons d'agir. Et nous pouvons, sur ce fond, repérer les points où le système va céder et où va devoir se reconstruire la compréhension mutuelle et, par là, s'ajuster le système de normes.

Dans la commune de Haute-Garonne, citée ci-dessus, l'univers des variétés de blé est construit sur l'opposition entre variétés récentes, de forts rendements mais fragiles et qu'il faut traiter, et variétés anciennes à rendements moyens, plus solides et qu'on ne traite pas, distinction non justifiée selon les experts. Les pratiques matérielles des agriculteurs sont commandées par cette conception, à laquelle s'ajoute ce fait que "les nouvelles variétés sont pour les gros agriculteurs" - les petits en restant aux anciennes). Cependant, un petit agriculteur annonce qu'il va faire l'essai de semer une nouvelle variété sans traiter : quelque soit le résultat, il introduit un élément nouveau, un débat qui déséquilibre l'évidence antérieure (Darré, 1985).

La connaissance de *points d'instabilité* dans un système de normes, est d'abord observable à partir de l'introduction de techniques nouvelles (outils et machines, opérations, intrants, produits). Mais aux changements sur le plan matériel sont associés, dans le groupe local, des débats, des échanges d'arguments pour ou contre. Il est très rare en effet que tout le monde adopte en même temps dans un village une innovation technique, et de toute façon les introducteurs de la variante nouvelle poursuivent l'échange d'idées avec leurs pairs pour s'assurer la maîtrise et pour maintenir leur position dans le réseau.

Les arguments échangés, comme les pratique matérielles, ont une double valeur aux yeux des sujets et sont intelligibles pour l'observateur selon ces deux plans. En premier lieu, ils occupent une certaine place dans le système social local : celle du membre du groupe qui a fait tel choix et qui l'argumente. En second lieu, ils occupent une certaine place dans le discours technique local, dans le champ des conceptions techniques locales. Faire de l'ensilage, semer telle variété, avoir des pie-rouges dans un troupeau de vaches laitières, ou l'opposé, sont repérables dans le réseau local et l'argumentaire qui constitue le discours local peut s'analyser à la fois en termes de logiques techniques et de logiques des relations.

Distribution des pratiques matérielles et argumentaire local sont en quelque sorte, pour l'observateur, à l'interface du système de normes et du réseau de dialogue.

2. MÉTHODES

Au point de passage entre nos attendus théoriques et la définition des méthodes figure la notion de *débat en cours* dans le groupe professionnel local (GPL). Dans ce *débat en cours* figurent à la fois les références aux variantes matérielles et les arguments.

Le questionnaire, base d'enquête auprès de tous les membres du groupe (par exemple, les agriculteurs d'une commune) est construit à partir des résultats d'une enquête sur les *débats en cours* au sein du GPL, c'est-à-dire, d'une façon générale, sur les parties instables du système de normes : les domaines qui acceptent des variantes, en ce qui concerne les façons de dire les choses, de les évaluer et de les faire.

A partir du débat ainsi situé, nous constituons un ensemble de questions : qu'est-ce qu'on pense de l'avenir de l'herbe, quels sont les arguments de ceux qui sont pour ou contre, avec qui en a-t-on parlé dans la commune, etc. ?

Ce que nous observons, c'est donc, plutôt qu'un état des choses, une *scène*, où sont en jeu et en mouvement des idées, des désirs, des préférences et des positions, à partir desquelles s'exercent diverses possibilités d'influence : chacun occupe une position, sans cesse mise en jeu, à la fois dans le système de normes et dans le réseau de dialogue.

Les questions visent à repérer les positions de chacun dans ces deux systèmes, et à établir les relations entre ces deux faces de la réalité sociale, avec les moyens suivants :
- les liens de dialogue, qui peuvent être soit de simple information (dans un ou les deux sens), soit fréquents et supposant un niveau plus élevé de coopération (l'opposition lien faible/lien fort de Granovetter, 1973) ;
- la répartition dans le réseau des variantes matérielles : quelles sont les relations entre position dans le réseau et variantes techniques ;
- l'origine extérieure et le chemin des variantes dans le groupe ;
- enfin, le "portrait" du discours local, en termes d'arguments échangés : comment les uns et les autres justifient leurs positions dans le débat, sur quel *fond commun*, condition du dialogue, s'établit le conflit, quelles sont les relations entre le système argumentaire et le système de relations de dialogue ?

Nous disposons d'une cinquantaine d'études de cas de groupes d'agriculteurs en France, réalisées depuis 1984. Il s'agit, soit de thèses ou de travaux (Darré, 1985 ; Le Guen, 1990 ; Lemery, 1988 ; Fraslin, 1989 ; Moisan, 1989 ; Ruault, 1990), soit de mémoires de fin d'étude (INPSA-Dijon, ESA-Angers), soit de travaux réalisés avec des groupes d'élèves ingénieurs de l'ESA d'Angers, sous la direction de l'un d'entre nous (travaux désignés ici par la seule indication du département).

Nous cherchons autant que possible à réaliser des études sur des couples de communes voisines, ayant des caractéristiques semblables, en particulier en ce qui concerne le milieu naturel, afin d'isoler, autant que faire se peut, la variable *système de relations*. Un premier tour sur le terrain permet aussi d'affiner le choix, en retenant des situations aussi contrastées que possible du point de vue de ce qu'on appelle communément le "dynamisme" local.

Pour faire mieux parler ces résultats, je m'appuierai en particulier sur une étude de ce type.

3. RÉSULTATS

3. 1. LES MORPHOLOGIES DES RÉSEAUX EXPLIQUENT DES DIFFÉRENCES

Soit par exemple un phénomène d'actualité en France : "la déprise", c'est-à-dire l'abandon à la forêt ou à la friche de parcelles naguère utilisées pour des cultures ou des prairies. La question de savoir pourquoi le phénomène est plus important dans certaines régions que d'autres relève d'explications de caractère technique ou économique (potentialités agro-climatiques, marchés, orientations et moyens de production, environnement socio-économique, etc.).

Des chercheurs de l'INRA (Baudry, 1989 ; Laurent, 1990) ont aussi pu montrer que la déprise telle qu'elle est saisie par l'appareil statistique enregistrée, répertoriée pouvait être très différente de la déprise réelle.

Les différences observables entre communes voisines, de même milieu agro-climatique, de même histoire techniques résistent cependant à ces explications. Il reste alors, soit, comme il est d'usage dans les milieux du développement et de la vulgarisation agricoles, à invoquer la présence d'individus d'exception, entraîneurs, "leaders" et modèles, soit à faire l'hypothèse que, quoiqu'il en soit des personnalités présentes dans tel village, *en tout cas* une part d'explication des différences revient au système local de relations.

Considérons deux communes voisines du Pays d'Auge, (Normandie), C et M. La déprise est nulle à C, et il n'y a pas de perspective d'apparition de friches, alors qu'à M, 6% de la surface agricole sont en friche, et l'aggravation du phénomène est prévisible.

Cette différence est associée à plusieurs autres, indiquant de meilleures perspectives d'avenir ou plus précisément une maîtrise plus élevée de la situation chez les agriculteurs de C. Entre C et M, cependant, on ne relève qu'une seule différence notable de situation technico-économique : l'offre d'emplois (féminins en particulier) est un peu plus proche géographiquement à C qu'à M.

En revanche, les deux réseaux ont des formes très contrastées. Le GPL de M est constitué d'une grappe (7 agriculteurs, dont 2 hors commune, densité : .55) entourée de 4 agriculteurs (2 isolés, une dyade) ayant des liens faibles avec la grappe. (Les agriculteurs de la dyade se plaignent d'être isolés, "exclus du noyau", "de leur groupe", "ils nous ont dégagés"). Il y a 13 pluriactifs et retraités qui n'ont aucune relation d'ordre professionnel localement, et qui ne sont pas comptés pour ce fait dans le GPL.

A C, il y a également une grappe centrale, (5 agriculteurs, densité : .95). Comme à M, cette grappe est liée aux organismes de développement, où elle trouve ses modèles technico-économiques. Mais là s'arrête la ressemblance : il y a une autre grappe, de 3 agriculteurs, dont les sources d'information et les modèles technico-économiques sont différents de la première, et tous les agriculteurs de la commune sont et s'estiment liés (liens faibles) à l'une des deux grappes, ou, comme 2 "gros", membres de grappes de communes voisines, aux deux. 3 retraités ou pluriactifs sur 6 ont des relations professionnelles dans le village, et sont comptés dans le GPL.

Les caractéristiques (âge, importance des exploitations) sont semblables dans les 2 communes. Les agriculteurs de la grappe centrale de C ont des exploitations un peu plus grandes, mais les performances techniques (production laitière) sont de mêmes niveaux dans les grappes centrales des deux communes. (Coquereau et Versiller-Coquereau, 1990).

3. 2. SOUPLESSE DU SYSTÈME DE NORMES

D'une façon générale, les types de morphologies de réseaux de dialogues issus de notre échantillon de cas, se situent entre deux pôles.

Au premier pôle, des réseaux avec une seule grappe, dominante dans le système et sans concurrence. D'une façon générale, cette grappe est constituée par les agriculteurs clients des agents ou organismes de développement, économiquement et culturellement les mieux placés. Ils ont une référence unique ou très dominante d'information et de conseil - les organismes de développement - dont ils sont les représentants légitimes et reconnus dans le village. Il y a cependant peu de moyens de diffusion - de ponts - hors de la grappe, qui est généralement entourée d'isolés ou de dyades, avec des échanges dialogiques pauvres [5].

A l'opposé de ce type de morphologie - une grappe dominante, légitime, et une très faible densité autour - se trouve un système de relations qui est l'application, sur le plan de l'organisation sociale, de cette idée banale qu'il n'y a progression d'idées que lorsqu'il y a débat d'idées, conflit. La persistance du mythe du "noyau dynamique" et entraîneur témoigne du fait que ce qu'on attend en général des agriculteurs, ce n'est pas qu'ils aient des idées pour diriger leurs affaires, mais qu'ils appliquent sagement celles qu'on leur prépare.

---

5. Les principales études de cas sur ce point sont Darré, 1985 ; Darré, Le Guen, Lemery 1988 ; Ruault, 1990).

Ce type est décrit, avec deux variantes, par B. Lemery (1988), et je n'en retiendrai que les deux caractères centraux : il y a plusieurs grappes, et il y a de nombreux ponts entre les grappes. Il faut souligner que ces ponts ne tiennent pas leur utilité seulement de leur fonction de circulation d'informations comme le dit Granovetter (Granovetter, 1973), mais aussi, et surtout, du fait qu'ils assurent la confrontation des idées.

Ce type, ou ces types, se différencient du précédent par les caractéristiques du système de normes et de ses transformations, autant que par celles du réseau de dialogue. Ces différences se mesurent et se comparent selon les traits suivants :

- La diversité des origines extérieures de variantes. Lorsqu'il n'existe qu'une grappe sans concurrence, la seule source d'innovation technique est constituée par les organismes officiels de développement. Lorsqu'il y a des grappes en concurrence, il s'y ajoute les organismes commerciaux, les agriculteurs de villages voisins, la mémoire de pratiques anciennes, etc. (Darré, 1985 ; Ruault, 1991 ; Lemery, 1988),

- La variété des origines internes de variantes au sein du groupe (Darré, Ruault, Lemery, etc.). En d'autres termes, les groupes multigrappes avec ponts ont une aptitude plus élevée à recevoir et à examiner les initiatives de tous les membres du groupe, ou au moins du plus grand nombre. Cela ne signifie pas la disparition des inégalités de position, mais la capacité d'en faire un autre usage. Il s'ensuit en outre que, dans ces groupes, la mobilité des positions est plus élevée : introduire une variante, c'est aussi améliorer sa position et éventuellement modifier le dessin du réseau.

- Les capacités d'échanges et d'accueil d'idées avec des groupes non liés à l'agriculture (Coquereau et Versiller-Coquereau, 1990 ; Ruault, 1991).

- L'étendue des variantes individuelles admises dans le système de normes (ce que B. Lemery appelle : la capacité collective à gérer la diversité. Cf. Lemery, 1988).

- La force et la qualité des justifications des choix, leur cohérence (Ruault, *ibid.* ; Lemery). Ou, plus précisément, la capacité à verbaliser ces justifications.

- La forme des systèmes d'argumentation des choix. Par exemple, la part relative, dans le système local, d'arguments fondés sur l'attribution à une position ou à des caractéristiques d'individus, part d'arguments fondés sur des raisons technico-économiques (Ruault, *ibid.*).

On pourrait ajouter d'autres traits, tels que l'intensité, la vitalité des débats, que nous ne pouvons retenir, faute de pouvoir comparer les cas selon ces dimensions avec suffisamment d'assurance.

A C comme à M, les agriculteurs classent les parcelles en deux grandes catégories, terres labourables et terres non-labourables, exploitables seulement en herbe (selon la pente et la nature du sol). Dans les deux communes, les premières sont les plus valorisées. Elles seules sont adaptées au modèle préconisé comme seul moderne et viable par les organisations de développement, élevage laitier intensif, avec le maïs (plante cultivée) conservé en ensilage comme base d'alimentation, contre le système antérieur, lait ou bovins-viande, avec l'herbe pâturée comme base d'alimentation. Les agriculteurs des grappes centrales des deux communes sont adoptants et défenseurs du modèle dit moderne.

Dans les deux communes également, des agriculteurs, non-membres de la grappe, nourrissent leurs bêtes à l'herbe. Ils sont 3 à M, dont l'un est le plus gros éleveur de la commune. Tous trois considèrent leur système fourrager comme sans avenir, faisant écho à la thèse dominante, et se considèrent eux-mêmes comme des exclus de l'avenir, ou comme cas aberrant, faisant là aussi écho aux opinions et comportements de la grappe dominante.

L'éleveur le plus important des trois a racheté des terres non-labourables, mais les deux autres, faute d'avoir les moyens d'acheter des terres labourables, chères, et ne voyant par d'avenir pour eux dans les terres bon marché, non-labourables, ont renoncé à s'agrandir, s'agrandir étant considéré par tout le monde comme nécessaire pour survivre.

A C, à la différence de M, deux types de variantes sont considérées comme défendables dans le GPL, y compris par les agriculteurs de la grappe centrale, correspondant à des différences de situations, de possibilités ou d'objectifs. La première variante porte sur l'orientation fourragère : deux des plus gros agriculteurs de la commune (membres de grappes de communes voisines) le sont devenus en achetant des friches (non-labourables) à bas prix, en affirmant faire la démonstration que c'est aussi une solution viable : l'herbe à C est un choix adapté, pas un pis-aller sans avenir (six agriculteurs font de l'herbe). L'autre variante porte sur les possibilités de survie de petites exploitations : les agriculteurs de la commune (y compris ceux de la grappe centrale, moyens ou gros) reconnaissent qu'actuellement pour ces exploitations "ça va bien". Mais la plupart s'interrogent : "je ne sais pas si ça ira" (dans l'avenir), alors que deux jeunes exploitants revendiquent leur système comme un choix : travail mieux fait, produits de qualité, moins de travail et moins de soucis. Les femmes de ces exploitants sont salariées au dehors de l'exploitation, et cela aussi fait partie du "modèle" en débat dans le groupe. Qu'il s'agisse de ce modèle ou de l'herbe, dans les deux cas les initiateurs "font parler d'eux" en même temps qu'ils font parler de leurs variantes.

Avec cette pluralité de modèles, la tendance à la déprise observée à M s'inverse à C : les petites exploitations maintenues et l'achat d'herbe réduisent les friches.

4. DISCUSSION

La conduite des actions de développement agricole, en France, repose sur quelques présupposés de sens commun, qui sont d'ailleurs loin d'être spécifiques à l'agriculture. Les résultats de nos recherches mettent sérieusement en cause ces conceptions, ainsi que je voudrais le montrer maintenant, espérant que l'intérêt de cette discussion dépasse le domaine de l'agriculture.

Ce sens commun du développement agricole s'organise, pour l'essentiel, autour de deux axes : le premier construit la clientèle du développement sur le modèle de l'économie classique : chaque individu agit de façon indépendante selon ses intérêts, ses compétences ou ses aptitudes et son mérite, et selon les ressources de diverses sortes dont il dispose. Du côté des actions de développement, cela conduit à privilégier les actions individuelles, ou avec des groupes homogènes, et à diversifier les produits et services par segments de population, selon une sorte de marketing de la vulgarisation (cf. Madeline, 1985). Du côté de la recherche, cela ouvre un champ renouvelé à partir de la "théorie de l'acteur rationnel" et des travaux des cogniciens, qu'il semble aisé d'adapter à l'analyse de ce qu'il est convenu d'appeler "les processus de décision" (cf. Cerf et Sebillotte, 1988).

Le deuxième axe de la pensée du développement est constitué par l'idée que la masse agit par contagion, en suivant un ou quelques agriculteurs plus doués ou plus audacieux, bref, plus novateurs que les autres.

La présence dans un village de tels individus - désignés comme "le leader" s'il n'y en a qu'un, ou "le noyau dynamique" s'ils sont plusieurs - est généralement considérée, selon cette pensée, comme suffisamment explicative du niveau de dynamisme local. Une telle vision des choses a été théorisée par certains auteurs (Boisseau, 1973 ; Rogers, 1962).

En ce qui concerne la tendance à isoler l'individu décideur, les chercheurs n'ont pas attendu les études de réseaux locaux pour montrer l'insuffisance, dans l'agriculture ou ailleurs, de ce qu'on pourrait désigner comme la variante naïve de l'individualisme méthodologique [6].

---

6. Un auteur comme R. Boudon, certes individualiste méthodologique, n'hésite pas à faire entrer dans ses analyses des effets que nous qualifierions d'effets de réseau (Boudon, 1979).

Cependant, aux critiques logiques, adressées en particulier ces dernières années aux variantes économistes de l'individualisme méthodologique, les analyses de réseaux permettent d'associer des données empiriques et par là, de préciser les choses. Il faut citer d'abord, de façon assez lointaine, la recherche d'Hägerstrand, qui indique au moins une piste (Hägerstrand, 1967 ; Gregory, 1987) : il y a une relation entre le rythme d'extension d'un changement technique et la densité d'agriculteurs dans une région et cela est dû aux interactions entre agriculteurs voisins (cf. aussi Mathieu, 1972, qui établit une relation entre l'espérance de survie d'une exploitation et sa position dans l'espace habité d'une commune).

Plus précisément, le rôle du voisinage dans les choix individuels s'analyse à deux niveaux. Le premier relève de ce que Granovetter appelle "l'embeddedness", ou enchâssement. (Granovetter, 1985). Chaque agriculteur a un "patrimoine de position", dans son groupe local, à entretenir et à améliorer, patrimoine qu'il risquerait de compromettre en persistant dans des pratiques refusées par son groupe : par exemple un agriculteur renonce à une technique, non pas parce qu'elle se révèle décevante (ce n'est pas le cas), mais parce que, dit-il, son groupe local persiste à la refuser (Darré, 1989). Mais il y a plus : la position dans le réseau autorise, plus ou moins, l'initiative, et, en retour, la prise d'initiative améliore, ou peut compromettre, la position (Fraslin, 1990). Les acteurs jouent donc sur les deux tableaux : d'un côté ils exploitent leur position (forme de capital social dans le champ local) pour exercer une influence en faveur de variantes qu'ils souhaitent introduire, en particulier par suite de leurs multi-appartenances ; de l'autre côté, une initiative couronnée de succès améliore la position (Darré, *ibid.* ; Bataille *et al.*, 1986, Fraslin, *ibid.* ; Coquereau et Versiller-Coquereau, *ibid.*).

Le rôle du voisinage professionnel s'exerce aussi à un autre niveau, de façon beaucoup plus centrale à mes yeux, celui évoqué plus haut de l'élaboration des choix, c'est-à-dire celui de la production de connaissance pour l'action. Même si l'on accepte que l'individu agriculteur agit rationnellement selon son intérêt, il faut ajouter qu'il le fait selon les cadres conceptuels ou normes de pensée de son groupe social.

Dans les deux communes citées en exemple ci-dessus, tous les agriculteurs qui n'ont pas les moyens d'acheter les terres labourables, chères, souhaitent cependant survivre dans les meilleures conditions économiques possibles. Mais les uns, ceux de C disposent de possibilités de choix, conceptuellement admises dans le groupe et par eux-mêmes, dont ne disposent pas ceux de M, parce que ces possibilités ne figurent pas dans ce qu'eux-mêmes, comme leur groupe local, considèrent comme acceptables ou souhaitables.

En d'autres termes, la morphologie de certains groupes permet ou favorise la conception de possibilités de choix divers, adaptés à des situations individuelles diverses, alors que la morphologie d'autres groupes est associée à la raréfaction des moyens de réflexion et de choix. Bref, l'avenir d'un agriculteur ne dépend donc pas simplement des caractéristiques technico-économiques de l'exploitation et de ses qualités personnelles, mais aussi des possibilités de valorisation que lui offre son groupe local.

En ce qui concerne les rôles attribués, dans le sens commun du développement, aux "leaders" ou "noyaux dynamiques", l'erreur que révèlent nos recherches ne réside pas dans le fait qu'on leur attribue un rôle d'entraînement, mais dans le fait qu'on s'arrête là. En résumé, l'étude d'une cinquantaine de cas nous a permis d'établir que le groupe d'agriculteurs d'un village apparaît dynamique (capacité collective élevée d'adaptation diversifiés aux changements de situation), on *peut* éventuellement repérer une grappe et un individu dominants, relayant en particulier les thèses du développement officiel, et l'on observe *nécessairement* une morphologie du type *grappes concurrentes et ponts nombreux*. A l'inverse, on peut trouver dans d'autres villages peu dynamiques, des agriculteurs, individus ou grappes, dont rien ne permet de dire qu'ils sont très différents de ceux qui constituent ailleurs les leaders ou noyaux dynamiques, qui ne jouent pas ce rôle, et qui apparaissent souvent en outre moins inventifs, moins créateurs de variantes au sein même de la grappe, que les grappes leaders observées ailleurs.

5. CONCLUSION

L'origine de nos recherches consiste en une interrogation sur les effets des actions de développement. Les méthodes françaises, centrées sur le conseil individuel, la constitution de groupes relativement homogènes et le "ciblage" des clientèles selon un modèle marchand, tendent, à la fois, à aggraver les effets économiques de différenciation et à augmenter la dépendance des clients des organisations de développement, en les privant de certaines possibilités d'élaboration autonome de leurs choix. Ce sont là les deux effets principaux de stratégies qui reposent sur les figures mythiques et confortables du "leader" et du "noyau dynamique".

Nos recherches montrent des alternatives possibles, fondées, de façon centrale, sur le renforcement des liens de voisinage, à l'exact opposé de politiques de développement qui conduisent à leur raréfaction, et de là à un abaissement des capacités collectives d'élaboration de réponse aux situations.

En outre, et c'est là un aspect d'importance grandissante dans la situation actuelle, la force (en termes de niveau de constitution des grappes et densité des ponts) des liens entre agriculteurs, localement, est un facteur décisif de la capacité à conduire la relation d'échange et de négociation avec d'autres groupes sociaux.

JEAN-PIERRE DARRÉ
GERDAL
51 rue Dareau - 75014 PARIS

RÉFÉRENCES BIBLIOGRAPHIQUES

BATAILLE M.C., GIRARD, M.C., VERGNES, J. et YVERNEAU, I. Le cas de la lentille. Itinéraire d'un Groupe du Cantal. In Darré, J.P. et Le Guen, R. 1986.

BATESON, G. *L'écologie de l'esprit.* Paris, Le Seuil, 1981. 1ère éd. 1972.

BOISSEAU, P. Sociologie de la "tache d'huile" ; innovations et rapports sociaux dans le processus de modernisation de l'agriculture française. *Etudes et recherches*, 1973, n° 7, Montpellier INRA-ENSA, 28 p.

BOUDON, R. *La logique du social : introduction à l'analyse sociologique.* Paris, Hachette, coll. Pluriel, 1983. 1ère éd. 1979.

BOUTET, J. La qualification professionnelle entre langue et discours. *Langage*, 1989, n° 93, p. 9-22.

CERF, M. et SEBILLOTTE, M. Le concept de Modèle Général et la prise de décision dans la conduite d'une culture. *Comptes rendus de l'Académie d'Agriculture de France*, 1988, vol. 74, n° 4, p. 71-80.

COQUEREAU, J.A. et COQUEREAU-VERSILLER, F. *La "déprise" en Normandie*. Mémoire de fin d'études, ESA, GERDAL, INRA-SAD. Angers-Paris, 1990.

DARRÉ, J.P. Les dialogues entre agriculteurs. Etude comparative dans deux villages français (Bretagne et Lauragais). *Langage et société*, 1985, n° 33, p. 43-64.

DARRÉ, J.P. Le rôle des groupes de voisinage dans l'élaboration et la reproduction des normes de travail. *Bulletin Technique d'Information*, 1999, n° 442-443, Ministère de l'Agriculture, p. 353-358.

DARRÉ, J.P. et LE GUEN, R. (eds). L'élaboration des modèles de vie et de travail en agriculture. Les recherches du GERDAL. *Agriscope*, 1986, numéro spécial, Angers, ESA, 1986.

FRASLIN, J.H. *Réseaux locaux de communication, normes sociales et changement technique en agriculture, La question fourragère au pays de l'Emmental - Etudes de cas dans trois communes de Haute-Saône*. Thèse de Doctorat, Université de Paris X, 1989.

GRANOVETTER, M.S. The strength of weak ties. *American Journal of Sociology*, 1973, vol. 78, n° 6, p. 1360-1380.

GRANOVETTER, M.S. Economic action and social structure : the problem of embeddedness. *American Journal of Sociology*, 1985, vol. 91, n° 3, p. 481-510.

GREGORY, D. Suspended animation : the stasis of diffusion theory. In Gregory, D. and Urry, J. *Social relations and spatial structures*. Mac Millan, London, 1987. p. 296-336.

HÄGERSTRAND, T. *Innovation diffusion as a spatial process*. Traduit du suédois, Chicago, 1967. 1ère éd. 1953.

KNORR-CETINA, K., CICOUREL, A.V. (eds). *Advances in social theory and methodology. Toward an integration of micro and macro sociologies*. Boston, Routledge and Kegan Paul, 1981.

LAZARSFELD, P.F. *et al. The people's choice*. New-York, Free Press, 1948.

LE GUEN, R. Qualité laitière standard et organisation taylorienne de la coopération. Rapport de recherche PIRTTEM, 1990, 1ère partie.

LEMERY, B. Systèmes locaux de relations professionnelles agricoles dans les petites régions de l'Amance et de l'Apance. *Cahiers du GERDAL*, 1988, n° 13, p. 1-60.

MADELINE, Y. Diffusion de masse et prise en compte de la diversité. L'exemple de l'opération Fourrage-Mieux. *Agriscope*, 1985, n° 6, p. 89-102.

MAGET, M. *Guide d'étude directe des comportements culturels*. Paris, CNRS, 1962.

MATHIEU, N. Typologie dynamique d'exploitations agricoles des plateaux de Haute-Saône. *Approche géographique des exploitations agricoles*, 1972, Cahier n° 1, Paris, Equipe rurale du Laboratoire Associé de Géographie Humaine, p. 9-24.

MEAD, G.H. *L'esprit, le soi et la société*. Paris, PUF, 1963. 1ère éd. 1934.

MOISAN, H. *Développement Agricole et Localité*. Thèse de Doctorat, Université de Paris X, INRA-SAD Versailles-Paris, 1989.

MULLER, P. *Le paysan et le technocrate*. Paris, Editions Ouvrières et Economie et Humanisme, 1984.

MURET, J. Initiatives locales et développement agricole. Quelques enseignements et perspectives après 4 années d'expérimentation du GERDAL. *Cahiers du GERDAL*, 1990, n° 14, p. 1-28.

ODDONE, I. *et al. Redécouvrir l'expérience ouvrière*, traduit de l'italien par I. et M.L. Barsotti. Paris, Editions Sociales, 1981. Edition originale, 1977.

ROGERS, E.M. *Diffusion of innovations*. New-York, Free Press, 1962.

ROGERS, E.M. and KINCAID, D.L. *Communication networks. Toward a new paradigm for reasearch.* New-York, Free Press, 1981.

RUAULT, C. Dynamiques des pratiques agricoles et relations professionnelles locales. Etudes de cas sur l'évolution technique agricole dans deux villages des Vosges. *Etudes et Recherches sur les Systèmes Agraires*, INRA, 1991.

WATZLAVICK, P. *et al. Une logique de la communication.* Paris, Seuil, 1972. 1ère éd. 1967.

ASSOCIATIONS-RÉSEAUX ET RÉSEAUX D'ASSOCIATIONS

UNE APPROCHE FORMELLE DE L'ORGANISATION RÉTICULÉE

RÉSUMÉ : *Cette recherche sur des associations de la région Provence-Alpes-Côte d'Azur s'inscrit dans la tradition des applications de la théorie des graphes : la notion de réseau y est utilisée dans son acception la plus formelle. Le recours à la formalisation a permis la construction d'une typologie des associations d'où émerge la figure de "l'organisation réticulée". Cette nouvelle figure de l'organisation tend à renouveler la question théorique et fondatrice de l'analyse des réseaux sociaux, qui porte sur le statut sociologique et social de l'interpersonnalité.*

Cette recherche sur des associations de la région Provence-Alpes-Côte d'Azur (PACA) s'inscrit dans la tradition des applications de la théorie des graphes. Le recours à la formalisation a permis la construction d'une typologie des associations d'où émerge la figure de "l'organisation réticulée".

La demande d'étude était formulée par des responsables associatifs de la région PACA [1] à partir d'un double sentiment. D'un côté, ils constataient la vitalité du mouvement associatif, dans sa capacité à être porteur de "nouvelles solidarités" et dans l'émergence de nouvelles formes d'inter-associativité, mais de l'autre, c'est un sentiment de crise qui dominait, lié à la perte de légitimité des grandes fédérations et à la révélation, en 1987, de dysfonctionnements majeurs dans la mobilisation associative régionale, lors de la tenue d'Assises de la vie associative. Tout se passait comme si les formes dominantes des relations intra et inter-associations étaient en train de changer comme en témoignaient l'apparition de nouvelles solidarités dans les associations de base, la remise en cause du modèle fédératif, dans les modes de regroupements associatifs, enfin la perte d'efficacité des relais traditionnels de mobilisation dans le réseau associatif régional.

Par ailleurs, nombre de textes émanant des associations faisaient un usage pléthorique de la notion de "réseau", dans une définition pour le moins polysémique, voire polémique. Etre ou ne pas être "un réseau" apparaissait ainsi comme un enjeu central du débat associatif, dans lequel les "inter-associatifs", qui définissaient le réseau

1. "Associations et réseaux dans la région PACA". Octobre 1988. Etude pour le Fonds de solidarité et de promotion de la vie associative PACA, financée par le Fonds National de Développement de la Vie Associative.

par la mobilisation autour d'une action ponctuelle et par l'absence de relations de pouvoir, s'opposaient aux "réseaux fédéraux".

Le recours à une définition formelle de la notion de réseau s'est donc imposé à la fois comme outil de rupture par rapport aux catégories des acteurs, et comme outil de description des relations intra et inter- associations. Cependant, nous n'avons pas choisi pour autant de reconstruire par l'observation le réseau des relations entre les associations. Il s'agissait plutôt de dégager des critères formels qui permettraient de caractériser les systèmes de relations afin d'étayer l'hypothèse principale selon laquelle il y aurait émergence de nouvelles formes de relations.

1. APPAREIL, RÉSEAU ET COMMUNAUTÉ : APPROCHE FORMELLE

Dans les travaux du sociologue canadien Vincent Lemieux (Lemieux, 1982), la théorie des graphes est utilisée pour caractériser de façon très classique les systèmes de relations selon leur degré de connexité (cf. Glossaire). De surcroît, s'intéressant aux organisations, Lemieux établit un lien entre degré de connexité des relations et types de socialité, reprenant ainsi la distinction opérée par Paul Mus entre le sociétal et le sociable (Mus, 1958). Lemieux oppose deux types d'organisation :
- L'appareil, organisation économique en connexions (connexité quasi-forte ou hiérarchique), où dominent des liens sociétaux, une socialité liée aux positions des acteurs (Lemieux parle de socialité de cote) : les relations y sont finalisées.
- Le réseau, au contraire, se caractérise par la redondance de ses connexions (connexité forte) et repose sur des liens de sociabilité : la relation y existe pour elle-même, la personnalisation est grande, "l'autre est un nom propre et non pas une cote" (Lemieux, 1982 p. 13).

Il faut cependant préciser que les réseaux de sociabilité ne constituent qu'un cas particulier, exemplaire certes, de l'organisation dite en réseau. En effet, d'un point de vue purement formel, Lemieux montre que la capacité de prolifération des connexions qui caractérise les réseaux sociaux tient à la tendance à la transitivité des relations dans ces derniers, notamment quand celles-ci sont bilatérales (Lemieux, 1982, p. 56-58). Les relations sont d'autant plus souvent bilatérales qu'elles sont polyvalentes, autrement dit quand plusieurs types de contenus (qui peuvent être des personnes, des biens, des informations, des statuts, des contrôles ou des finalités) circulent dans une même relation (Lemieux, 1982, p. 73) [2].

Les relations interpersonnelles sont, par définition, bilatérales et assez spontanément polyvalentes, d'où leur tendance à s'organiser en réseau plutôt qu'en appareil, mais c'est bien le recours aux seules caractéristiques formelles des relations, polyvalence et tendance à la bilatéralité et à la transitivité, qui est suffisant pour expliquer que les réseaux aient une forme différente de celle des appareils. L'opposition entre les deux types d'organisation est repérable dans leur degré de connexité, mais aussi dans deux caractéristiques formelles corollaires :
- le réseau a des frontières ouvertes (tendance à la prolifération des connexions) et les acteurs tendent à être polyfonctionnels (polyvalence des relations).
- au contraire, l'appareil a généralement des frontières fermées et les acteurs y jouent des rôles spécialisés (relations finalisées).

2. Le terme de réseau sera désormais employé ici dans cette acception particulière définie par Lemieux.

En résumé Lemieux propose trois variables "de forme" pour distinguer appareil et réseau : degré de connexité, degré d'ouverture des frontières, nature des relations (finalisées ou polyvalentes).

Nous avons souhaité compléter son analyse et prendre en compte dans cette recherche la nature des liens (forts ou faibles) au sens de Granovetter (Granovetter, 1973). On sait que pour cet auteur [3], la transitivité des liens forts pousse à la fermeture du système sur lui-même: le réseau tend à devenir une clique (connexité totale), dans un langage intuitif un groupe ou une communauté. Granovetter montre que, la "force des liens faibles" réside, en revanche, dans leur aptitude à établir des "ponts", à désenclaver des univers fermés, bref à ouvrir les frontières. Comme Lemieux définit le réseau comme une structure ouverte, nous devons faire l'hypothèse qu'il se caractérise par la présence de "liens faibles".

Cette quatrième variable, la nature des liens, nous amène donc à distinguer un troisième type d'organisation que nous appellerons la communauté, caractérisé par une très forte connexité, des relations polyvalentes, mais, à la différence du réseau, par des liens forts et des frontières fermées .

En faisant jouer les quatre variables dégagées (connexité, polyvalence des rôles, ouverture des frontières, nature des relations), il se dégage une typologie dans laquelle le réseau apparait comme une forme d'organisation intermédiaire, d'un point de vue formel, entre la communauté et l'appareil.

2. LES ASSOCIATIONS : DE L'INSTITUTION À L'ORGANISATION RÉTICULÉE

Nous avons testé, sur le terrain associatif, la pertinence de ces variables dans la description et la compréhension des systèmes de relations concrets. L'enquête a porté sur un échantillon de 21 associations [4]. Auprès de chacune d'elles un entretien approfondi a été mené afin de cerner d'une part les caractéristiques formelles de leur mode d'organisation interne, d'autre part, leurs relations avec leur environnement, notamment associatif.

L'analyse de ces entretiens a consisté à repérer des indicateurs permettant de situer les associations sur nos quatre variables :

2. 1. LA CONNEXITÉ INTERNE : ON A ANALYSÉ ICI LES LIENS CONSEIL D'ADMINISTRATION-DIRECTEUR- SALARIÉS-BÉNÉVOLES

Traditionnellement, dans les associations, la régulation des liens internes oscille entre la démocratie formelle légale définie par la loi de 1901 (délégation élective économique en connexions: c'est en fait le bureau et le directeur qui décident de tout) et la convivialité associative (connexité forte du petit groupe). Un troisième type de régulation apparaît aujourd'hui avec la mise en place de structures "participatives" caractérisées par la délégation de responsabilités et la création de collectifs ponctuels sur des objectifs précis : les liens entre personnes sont alors multipliés et largement polyvalents puisqu'une même personne peut participer à plusieurs collectifs. Nous

---

3. Cf. Glossaire.
4. Cet échantillon raisonné couvrait les six départements PACA et trois secteurs associatifs (Action sociale, éducation populaire, environnement). Il a été sélectionné par les responsables associatifs régionaux, de manière à croiser trois indicateurs (dont les modalités renvoyaient à nos hypothèses sur ce qui produit de la différence : lien fédératif (fort/faible/multi-adhésion/absent) aire d'intervention de l'association (local/département/région) et professionnalisation (bénévoles/salariés).

avons classé les associations en trois groupes selon que leur fonctionnement relève de la démocratie formelle (code 0 dans le tableau en fin d'article) de la démocratie participative (code 1) ou qu'elles ne peuvent pas être classées clairement sur cet indicateur (code 01). Un codage analogue est utilisé dans le tableau, pour les indicateurs suivants.

2. 2. LA POLYVALENCE DES RÔLES DES MEMBRES ET DES SALARIÉS DE L'ASSOCIATION

Les salariés ont généralement des domaines précis d'intervention alors que les bénévoles apparaissent polyvalents, surtout pour les tâches subalternes. la polyfonctionnalité des acteurs a donc été appréciée à partir du degré de spécialisation des tâches et du degré de participation aux fonctions les plus stratégiques. On obtient ainsi l'indicateur noté b dans le tableau.

Le développement d'une telle polyfonctionnalité, quand elle existe, est l'objet d'un discours explicite et s'accompagne, paradoxalement, d'une affirmation de la "professionnalité" des salariés : ils ne sont plus seulement titulaires d'une fonction ou identifiés à un idéal militant, mais entendent être reconnus pour des compétences individuées, ils revendiquent leur autonomie d'acteur et les savoir-faire personnalisés qui y sont liés. Sur l'indicateur c nous avons opposé les associations qui introduisent cette reconnaissance de professionnalité à celles qui ne reconnaissent que le militantisme.

On constate que le développement de la polyfonctionnalité des individus s'opère dans des associations qui caractérisent leur projet associatif par la "transversalité" de leur action, par leur capacité de "synthèse" ou encore en terme "d'action globale". Certes, leur domaine d'intervention est plutôt spécialisé (par exemple dans l'environnement ou dans un type d'action sociale, ce qui s'oppose aux pratiques tous terrains des grandes associations d'éducation populaire), mais cette spécialisation est contextualisée et les amène à valoriser leur savoir-faire dans de multiples domaines connexes: un même segment de compétence devient pluri-fonctionnel (indicateur d).

2. 3. LE DEGRÉ D'OUVERTURE DES FRONTIÈRES DE L'ASSOCIATION

Deux facteurs tendent à refermer les associations sur elles-mêmes : la présence de règles formelles strictes définissant l'appartenance - indicateur e - (seuls les adhérents peuvent participer à l'AG, les élus au CA, etc.) et la recherche d'une adhésion à des valeurs communes fortes - indicateur f. On constate que les associations les plus ouvertes sont celles qui par ailleurs revendiquent leur autonomie d'action et de pensée à la fois par rapport aux règles formalisées et par rapport à toute allégeance idéologique.

Le degré d'ouverture de chaque association a été caractérisé par la diversité de son réseau, comprise comme l'ensemble des "cercles sociaux" auxquels elle participe (Degenne, 1983). Les liens des associations enquêtées avec le milieu associatif (liens fédératifs, appartenance à des collectifs, groupes de travail ponctuels, partenariats privilégiés, échanges de services), et avec leur environnement institutionnel, ont été identifiés un par un, puis synthétisés en termes de "cercles sociaux". Ainsi, lorsqu'une Maison pour tous Léo Lagrange ne travaille qu'avec des associations Léo Lagrange, lorsqu'une association Culture et Liberté n'a de contacts qu'avec des associations et des comités d'entreprise appartenant au même "mouvement", nous les avons considérés comme un seul cercle social, ou deux cercles sociaux se recoupant fortement : ces associations partagent un même système de règles, de symboles et de représentations, ou encore les mêmes "ressorts d'action" (Degenne, Duplex, 1987). En revanche, une association hébergeant des femmes battues, liée à différents collectifs féministes, aux travailleurs sociaux locaux, à deux fédérations d'action sociale, et participant à des collectifs de travail variés (justice/police/habitat alternatif), se situe à l'intersection de multiples cercles sociaux, et apparaît davantage ouverte.

L'analyse révèle aussi que le nombre de cercles sociaux d'une association augmente avec l'aire géographique de son réseau : aux réseaux locaux, souvent denses mais comportant peu de cercles, s'opposent des réseaux de cercles variés et dont l'échelle peut être régionale, voire nationale ou internationale (indicateur h).

Cette distinction entre deux types de réseaux se dégage également de l'opposition des discours : concurrentiel d'un côté ("Vous savez, chacun défend son créneau, chacun veut se garder sa petite subvention"), partenarial de l'autre (on "cultive le réseau" plutôt que sa plate-bande), (indicateur g).

2. 4. LIENS FORTS ET LIENS FAIBLES

Nous avons fait jouer cette dimension dans un sens précis : la nature des liens de l'association avec sa fédération. Elle se révèle en effet particulièrement discriminante. Les liens ont été appréhendés à partir d'indicateurs matériels (par exemple, l'adhésion à une fédération peut coûter de 500 F à 10 000 F, à budget associatif équivalent, ce qui traduit des prestations, mais aussi une "adhésion doxique", différentes), et des représentations des associations interviewées, telles qu'elles se dégagent des entretiens (indicateur f).

Lorsque le discours faisait référence à des valeurs communes, généralement militantes, le lien a été considéré comme fort. Ces associations adhèrent à des fédérations dont les règles d'affiliation sont assez strictes (fermeture des frontières), et où la structuration des connexions de contrôle demeure hiérarchique.

D'autres associations décrivent au contraire leur fédération comme des groupements associatifs qui *fédèrent, mais sans l'idée de hiérarchie*. Le maintien de l'autonomie de chaque partenaire est central dans ces relations. Nous définirons comme "faibles" ces liens qui peuvent être affectifs et donner lieu à des échanges fréquents, mais qui, à la différence des liens forts, ne se traduisent jamais par des identifications fortes, les identifications demeurent, selon l'expression de Jacques Ion, "multiples, partielles et transitoires" (Ion, 1989). De tels liens faibles s'opposent à la fois aux liens forts de types communautaires et aux liens formels institutionnalisés, tout en en mêlant les caractéristiques. En effet, les associations décrivent des liens personnalisés et non formels ; ce sont des liens "d'interconnaissance", mais pour autant l'engagement n'y porte pas sur la personne. L'engagement porte sur des prestations, dans le cadre d'actions ponctuelles : on retrouve là ce qui est pour Simmel, la condition de possibilité de l'autonomie (Simmel, 1987, p. 365-366). Cependant, on le retrouve dans un contexte où l'interconnaissance est valorisée, alors que pour Simmel l'autonomie ne pouvait se développer que dans des relations "d'inter-reconnaissance", fondées sur des signes abstraits.

Ces quatre variables, cohérentes entre elles, font système : lorsque les associations ont des modalités d'appareil ou des modalités de réseau, c'est sur l'ensemble des indicateurs (cf. Tableau). Elles clivent l'échantillon transversalement aux secteurs associatifs en trois types :
- les institutions groupales (propriétés d'appareil - dominance de la modalité 0, et de groupe : notamment liens formalisés et forts) ;

- les groupes (cliques fermées), isolés (non fédérés) : les indicateurs qui opposent appareil et réseau sont ici peu pertinents (dominance des cases vides) ;
- les réticulés (dominance des modalités 1). Ce ne sont pas des réseaux "purs", mais plutôt des institutions ou des groupes qui ont développé des caractéristiques de réseau, à partir de 1984-85, avec un second palier en 1987, en s'appuyant sur les opportunités offertes par la décentralisation [5].

Le recours à la formalisation permet ainsi de décrire , sur le terrain associatif, ce qui apparaît comme une nouvelle figure de l'organisation - l'organisation réticulée - par les traits formels suivants : multiplication des relations et développement de leur polyvalence, polyfonctionnalité et professionnalisation des acteurs, ouverture des frontières et multiplication des cercles sociaux et des ressorts d'action de référence, valorisation de liens personnalisés mais "autonomes". Le développement de la polyvalence des relations et des acteurs, et le passage de relations formelles à des relations personnalisées, favoriseraient la bilatéralité des relations, et par là, la tendance à la transitivité des connexions et à l'établissement d'une structure réticulée.

L'enquête montre également, que les transformations organisationnelles qui affectent les associations de base touchent aussi certaines fédérations et le réseau associatif régional, qui, marqué longtemps par le centralisme marseillais des fédérations d'éducation populaire, tend à devenir multipolaire : les associations-réseaux s'inscrivent dans des réseaux d'associations.

3. ORGANISATION RÉTICULÉE, INNOVATION ET INTERPERSONNALITÉ

L'organisation en appareil a fait notamment la force de l'éducation populaire dans un contexte peu concurrentiel (ressources liées à la capacité de négociation avec l'Etat-providence) où il s'agissait de produire en masse des services sociaux et culturels. Aujourd'hui l'Etat se désengage et la concurrence s'accroît avec le secteur privé, les mairies, etc. D'autre part, ce n'est plus tant la quantité, mais la qualité des services et leur capacité à répondre à des problèmes complexes qui importent. Dans ce contexte, où l'environnement est incertain et l'innovation un facteur de productivité, l'organisation réticulée apparaît plus performante :
- D'une part, ce type d'organisation résiste mieux à la panne, en cas de défaillance d'une connexion, grâce à la redondance de ses relations. Ce sont autant de capteurs qui permettent de s'adapter à un environnement changeant. Ainsi, dans notre échantillon, les associations dont le budget progresse sont des associations réticulées qui ont diversifié leurs sources de revenus. Les autres associations stagnent sur le plan budgétaire, voire s'écroulent provisoirement si leur financeur principal est remis en cause (changement de municipalité, désengagement de l'Etat).
- D'autre part, c'est chez les réticulés également que l'on trouve une offre de services nouveaux, innovants, par exemple sur les problèmes des jeunes (accès à l'emploi et au logement), ou dans le domaine de l'environnement (par exemple par l'organisation de "fêtes de la rivière clé-en-main" avec mobilisation de tous les acteurs locaux). On peut faire l'hypothèse ici, à la suite de Bouglé et Simmel, que c'est la multiplication des cercles sociaux, qui, en multipliant pour les acteurs les opportunités d'arbitrage entre

5. Trois associations ont un statut moins clairement défini (dominance des modalités 01) et sont classées dans la catégorie I'. Elles se définissent elles-mêmes comme des "mouvements".

différents ressorts d'action, développe leur autonomie et leur capacité d'initiative et d'innovation (Degenne, Duplex, 1987).

Nous conclurons sur une dernière remarque. D'ordinaire, le réseau, caractérisé par "la non manifestation du sujet central", évoque plutôt "la clandestinité, la crypte, le secret, le privé, le complot: toi et moi, ..." (Derrida, 1985). Ainsi le saut n'est pas mince du réseau de sociabilité, longtemps objet scientifique mineur parce que relevant de l'espace du privé et du particulier, à l'organisation réticulée, qui mêle de façon nouvelle le sociable et le sociétal : le réseau, qui avait déjà acquis une certaine visibilité en se faisant "matériel et logiciel et puce et protocole" (Latour, 1985), sort bel et bien de la clandestinité.

La découverte de l'existence de réseaux sociaux dans le domaine du sociétal n'en implique pas l'inexistence antérieure. Cependant, le fait que le réseau tende aujourd'hui à s'ériger en modèle d'organisation, pour les acteurs et pour les chercheurs, signifie un changement de statut de l'interpersonnalité : les relations interpersonnelles, informelles, ne sont plus reléguées dans le seul espace privé; la reconnaissance de leur efficacité productive les fait accéder au domaine public. Précisons cependant que cette interpersonnalité n'implique pas pour autant des liens forts et le partage des mêmes valeurs (ce n'est pas un retour à la "communauté") : ce serait d'abord parce qu'elles tendent à être polyvalentes et bilatérales, et ainsi à multiplier les cercles sociaux et favoriser l'autonomie des acteurs, que les relations interpersonnelles acquièrent cette efficacité nouvelle.

CATHERINE FLAMENT
LEST et CERCOM
87 chemin de la Nerthe - Château Fallet
13016 MARSEILLE

RÉFÉRENCES BIBLIOGRAPHIQUES

BERGE, C. *Théorie des graphes et ses applications.* Paris, Dunod, 1957.

DEGENNE, A. Sur les réseaux de sociabilité. *Revue Française de Sociologie*, 1983, XXIV, p. 109-118.

DEGENNE, A., DUPLEX, J. L'acteur social et son réseau. *Actes du séminaire "Un niveau intermédiaire : les réseaux sociaux".* Paris, CESOL, 1987. 16 p.

DERRIDA, J. Article "réseau". In *Epreuves d'écritures. Les immatériaux.* Paris, CCI, Centre Georges Pompidou. 1985. 263 p.

GRANOVETTER, M. The strength of weak ties. *American journal of sociology*, 1973, 78, 6, p. 1360-1380.

ION, J. Lien social, groupements volontaires et représentation. *Actes du XIIIe colloque de l'AISLF*, T. I. Genève, Université de Genève, 1989, p. 480-488.

LATOUR, B. Article "réseau". In *Epreuves d'écritures. Les immatériaux.* Paris, CCI, Centre Georges Pompidou. 1985. 263 p.

LEMIEUX, V. *Réseaux et appareils. Logique des systèmes et langage des graphes.* Paris, Maloine s.a. / Québec, Edisem Inc., 1982. 125 p.

MUS, P. Résumé des cours de 1957-1958, *Annuaire du Collège de France*, 1958, LVIII, p. 365-374.

SIMMEL, G. *Philosophie de l'argent.* Paris, PUF, coll. sociologies, 1987 (éd. française). 662 p.

TYPOLOGIE DES ASSOCIATIONS DE L'ÉCHANTILLON									
Associations	Indicateurs								Catégorie
	a	b	c	d	e	f	g	h	
E.P. n° 1	0	01	0		0	0	0	L	
E.P. n° 2	0	01	0		0	0	0	L	I
A.S. n° 1, 2	01	01	0	01	0	0	01	L	
E.P. n° 3	01	01	0	0		0	0	D, N	
Env. n° 1	01	01	01	01		0		D, N	I'
A.S. n° 3	01	0	01	01	0		01	L, D, R, N	
E.P. n° 4	01			0	0		0	f	
A.S. n° 4	01			0	0			f	
Env. n° 2	01			0	0			f	II
E.P. n° 5	01			0				f	
Env. n° 3, 4, 5	01			0				f	
E.P. n° 6	1	01	1	1	1	1	1	L, R, N, I	
A.S. n° 5	1	01	1	1	1	1	1	D, R, N, I	
A.S. n° 6	1	1	01	1	1	1	1	D, R, N	
A.S. n° 7	1	1	01	1	1	1	1	L, R, N, I	III
Env. n° 6	1	1	1	1	1	1	1	D, R, N, I	
Env. n° 7	1	1	1	1		1	1	D, R, N, I	
E.P. n° 7	1	1	01	1		1	1	D, R	

Associations

E.P. : Education populaire
A.S. : Action sociale
Env. : Environnement

Catégories

I   Institutions groupales
I'   "Mouvements"
II   Groupes
III Réticulés

Indicateurs

a : connexité interne - *démocratie formelle (0) ... participative (1)*
b : spécialisation des rôles - *spécialisation (0) ... polyvalence (1)*
c : profil des responsables - *militantisme (0) ... professionnalisme (1)*
d : objet de l'association - *spécialisé (0) ... action globale (1)*
e : formalisation - *respect des règles (0) ... "débrouillardise" (1)*
f : rattachement idéologique - *fort (0) ... autonomie revendiquée (1)*
g : discours sur relations - *concurrentiel (0) ... partenarial (1)*
h - aire géographique du réseau de l'association :
L : Local, souvent dense   f : faible
D : Départemental   R : Régional   N : National   I : International

Modalité (0) : caractéristique d'appareil
Modalité (1) : caractéristique de réseau
Modalité (01) : caractéristique mixte
Case vide : indicateur non pertinent pour l'association, ou thème absent du discours recueilli

ALAIN DEGENNE
IRÈNE FOURNIER
CATHERINE MARRY
LISE MOUNIER

LES RELATIONS SOCIALES
AU COEUR DU MARCHÉ DU TRAVAIL

RÉSUMÉ : *Trois enquêtes récentes permettent d'analyser le jeu des relations sociales sur le marché du travail. En France le cadre théorique reprend les thèses, développées par des chercheurs américains, qui mettent en relation la forme des réseaux sociaux mobilisés, le type d'emplois qu'ils permettent ou non d'obtenir et le statut social des intéressés. Il est complété par une approche qui définit les réseaux comme des "cercles sociaux", producteurs de normes qui infléchissent les stratégies des acteurs. Les enquêtes portent sur deux populations situées aux extrémités de l'échelle sociale : celle de jeunes peu ou pas qualifiés d'une part (enquête de l'INSEE, 1986), celle d'ingénieurs diplômés de différentes générations d'autre part (enquête FASFID de 1987 et enquête ad hoc du LASMAS et de l'IFRESI, 1989). Les résultats tendent à vérifier ces thèses et constituent une incitation à approfondir une réflexion sur le marché du travail qui intègre à la fois les stratégies relationnelles des individus et celles des entreprises.*

Il serait sans doute bien difficile de désigner celui qui le premier a introduit les relations sociales dans l'étude du marché du travail. De nombreuses monographies (dont certaines anciennes) ont permis de connaître des stratégies d'entreprises qui s'appuient pour leur recrutement sur les relations familiales : on embauche le fils ou le neveu d'un employé de la maison. C'est en même temps une sorte de parrainage par celui qui introduit le nouveau venu. On ne peut pas recommander n'importe qui faute de perdre son propre crédit auprès de son patron. L'employé ainsi recruté, quant à lui, est lié par le parrainage qui lui a été accordé . En somme, l'avantage est double pour le patron qui emploie cette politique de recrutement (Degenne, Duplex, 1984). On rencontre également des cas où l'employeur délègue le contrôle de la main d'oeuvre au chef traditionnel d'une communauté immigrée fortement structurée (Maurice *et al.*, 1972). C'est ce chef coutumier qui règle les entrées et les sorties de l'entreprise. Cas extrême sans doute mais révélateur de l'importance que prend le contrôle de l'incertitude aussi bien pour le patron que pour l'employé, dans les démarches de recherche d'un emploi. Mais curieusement, alors que le chômage constitue un problème social majeur, on sait peu de choses sur les moyens mis en oeuvre par les chercheurs d'emploi, sur ceux qui aboutissent ou n'aboutissent pas, et particulièrement sur les relations sociales mobilisées à cette occasion.

Nous nous proposons de présenter ici les résultats de trois enquêtes dans lesquelles on demandait aux personnes enquêtées quels moyens elles avaient employés pour trouver leur emploi. Il s'agit, d'une part, de l'enquête "Jeunes" complémentaire de l'enquête emploi de l'INSEE (1986), qui porte sur les jeunes de 16 à 26 ans et d'autre part, de deux enquêtes sur les ingénieurs diplômés. Naturellement nous ne couvrons pas tout le champ social, nous ne sommes concernés dans l'enquête "Jeunes" que par les actifs et comme, dans cette tranche d'âge, les plus qualifiés sont encore en formation, nous avons surtout des personnes peu qualifiées. Les ingénieurs, quant à eux, représentent l'autre extrémité de l'échelle des qualifications. D'autres enquêtes seront sans doute réalisées dans un proche avenir mais dans l'immédiat, ce sont les seules données de cette nature qui soient disponibles.

Nous avons souhaité inscrire notre analyse de ces résultats dans un cadre théorique limité, produit par des chercheurs américains, qui se présente comme un ensemble de thèses mettant en relation la nature des relations sociales mobilisées et leur efficacité, notamment pour trouver un emploi. Nous aborderons en conclusion l'apport de ces recherches aux différentes conceptualisations théoriques du marché du travail.

1. THÉORIE DES LIENS ET RECHERCHE D'EMPLOI

La plupart de ces thèses trouvent leur origine dans les travaux de Granovetter de 1973. Il les a lui même reprises pour en publier une synthèse (Granovetter, 1982). Nous en proposons ici une formulation simplifiée.
- Les relations sociales sont les voies par lesquelles circule l'information. Donc plus le réseau d'une personne est diversifié, plus l'information dont il peut disposer est riche.
- Plus le réseau d'une personne est grand, plus il a de chances d'être diversifié. La taille du réseau est donc un autre indicateur de la richesse potentielle. On sait par ailleurs (Fischer, 1982 ; Héran, 1988) que la taille du réseau de quelqu'un augmente avec le niveau d'instruction de cette personne.
- On dit qu'un système de relations est transitif, lorsque pour tout ensemble de trois personnes A, B, C, on observe que si A est lié à B et que B est lié à C alors A est lié à C. Cette définition est formelle. On a peu de chances d'observer dans la réalité le type pur, mais on observe très souvent des formes approchées. Plus le réseau des relations d'une personne est transitif, moins il a de liens avec l'extérieur.

On peut classer les liens interpersonnels en liens forts et liens faibles. Les critères varient quelque peu suivant les auteurs mais quatre notions sont retenues en général :
. La fréquence des contacts
. L'intensité émotionnelle
. L'importance des services rendus
. Le degré d'intimité des échanges (confidences)
Dans la grande majorité des réseaux de relations, on trouve des liens forts et des liens faibles. Plus le réseau d'un individu est composé de gens avec lesquels il a des liens forts et plus ce réseau a tendance à être transitif et à constituer un milieu clos. Les liens faibles sont ceux qui peuvent jeter des ponts entre ces isolats. C'est par eux que peuvent circuler certaines informations et que des individus appartenant à différents milieux peuvent entrer en contact. La part des liens faibles compte donc beaucoup.

C'est en 1974 que Granovetter utilise pour la première fois ces notions dans un ouvrage intitulé *Getting a job*, consacré à une enquête par questionnaires et entretiens, sur les moyens employés pour trouver du travail [1]. Cet ouvrage fait suite à un article

---

1. L'enquête a été faite dans une petite ville du Massachusetts, Newton, faubourg de Boston de 98 000 habitants. Les critères qui ont fait choisir cette ville sont très empiriques : l'auteur souhaitait

paru en 1973 et qui porte un titre évocateur et paradoxal : *The strength of weak ties* (la force des liens faibles). Dans cet article, l'auteur défend pour la première fois le point de vue selon lequel les liens faibles sont plus efficaces que les liens forts.

Dans l'enquête de Granovetter, 56 % des personnes enquêtées ont obtenu leur emploi par contact personnel. Les moyens formels [2] et les démarches directes sont utilisées par une proportion identique des sujets (19 %). Parmi les contacts, 31 % s'établissent par le biais de liens familiaux, 69 % par celui de liens professionnels. L'auteur résume de la façon suivante les résultats de son enquête : *Ceux qui obtiennent les meilleurs emplois sont ceux qui utilisent des contacts professionnels plutôt que des liens familiaux ou d'amitié, plutôt des liens faibles que des liens forts et des chaînes relationnelles courtes.*

Les entretiens montrent que les contacts familiaux ont apporté de l'information sur des emplois proches de celui qui transmet l'information plus souvent qu'ils n'ont mis en contact direct avec la personne qui contrôle l'emploi. Granovetter fait l'hypothèse que lorsqu'on mobilise ces liens qui sont des liens forts, la personne sollicitée s'oblige à proposer une solution, même si elle n'est pas en position de proposer quelque chose d'optimal. Il explique ainsi que les meilleurs emplois ne soient pas en général obtenus par cette voie. En revanche, ces contacts familiaux et amicaux entraînent plus souvent que les contacts professionnels des changements de situation profonds. Sauf cas particulier, les relations de la famille ne recouvrent pas le milieu professionnel du sujet. Les utilisateurs des liens forts sont aussi plus jeunes que ceux qui utilisent des liens faibles.

Une question importante est celle des chaînes de relations. Les chaînes les plus courtes sont, selon Granovetter, les plus efficaces. Elles permettent, en effet, de contacter quelqu'un directement, parce qu'il fait partie de nos connaissances ou, indirectement, par l'intermédiaire de quelqu'un d'autre [3]. Les chaînes longues ne sont pas en général celles qui sont utilisées dans la recherche d'un emploi. On n'a guère plus d'un ou deux intermédiaires. En revanche, plus une chaîne est longue et plus on se rapproche des moyens formels de collecte de l'information et donc de ce qui relève de

que la commune soit assez grande pour permettre le tirage d'un échantillon et que la population compte une proportion importante de personnes du secteur tertiaire. Il fallait qu'il existe une liste de recensement à jour pour permettre le sondage et il souhaitait enfin que le terrain d'enquête ne soit pas trop éloigné de son université, pour de simples raisons de coût et de commodité. L'auteur a interrogé des personnes qui avaient changé d'employeur entre les deux derniers recensements. 266 questionnaires ont ainsi été passés et les cas les plus intéressants ont été approfondis par des entretiens. La question-clé était destinée à savoir par quelle voie l'emploi avait été obtenu. Trois cas sont envisagés : les contacts personnels, les moyens formels et les démarches directes de la personne. Il est intéressant de regarder les définitions utilisées par l'auteur. Il n'est pas toujours simple en effet de cerner la nature d'une relation. Granovetter quant à lui, est assez restrictif en ce qui concerne les relations personnelles. Cela suppose l'existence d'une personne, connue du sujet et en contact personnel avec lui dans le contexte autre que celui de la recherche d'emploi, qui serve d'intermédiaire soit pour faire connaître le nouvel emploi, soit pour le recommander auprès de l'employeur.

2. Les moyens formels recouvrent surtout les annonces, les cabinets spécialisés, les agences, les associations et les services officiels qui ont une mission de placement. On pourrait considérer que ces moyens-là expriment autant la stratégie de l'employeur que celle de l'employé. Les démarches directes recouvrent les envois de lettres ou le porte à porte effectués *a priori* par le candidat, sans qu'il y ait intervention d'un intermédiaire.

3. La longueur d'une chaîne relationnelle est le nombre d'intermédiaires entre ego et la personne qu'ego cherche à contacter. Pour une chaîne de longueur L dit Granovetter, si chaque intermédiaire peut mobiliser N personnes, on peut espérer dans l'abstrait prendre contact avec $1 + N + N^2 + N^{(L + 1)} = N^{(L + 2)} - 1 / (N - 1)$ ce qui croît très rapidement. Par exemple si N = 5, on obtient 31 contacts avec L = 1, 156 avec L = 2 et 781 avec L = 3.

la théorie du marché. On retrouve ici la question du "petit monde". Rappelons qu'on parle de "petit monde" pour signifier que par l'intermédiaire d'un nombre réduit de personnes, on pense pouvoir contacter un nombre très grand et une très grande diversité de personnes (Kochen, 1989).

Des expériences un peu différentes (Lin, 1982 ; Lin et Dumin, 1986) ont confirmé ces résultats. Nan Lin a réalisé l'expérience suivante : dans l'Etat de New York, il a sélectionné dans la zone urbaine d'Albany-Schenectady-Troy, un échantillon aléatoire de ménages auxquels il a demandé de bien vouloir participer à l'expérience. Il a reçu 300 réponses positives et il note que cet échantillon sur-représente les statuts sociaux élevés et sous-représente les minorités ethniques. Chaque volontaire recevait deux paquets qu'il devait faire parvenir à leur destinataire. Quatre sortes de destinataires étaient utilisés (un homme blanc, une femme blanche, un homme noir, une femme noire). Tous habitaient la ville de Schenectady. L'ensemble était également équilibré par rapport à différentes variables telles que l'âge, l'ancienneté dans la commune, le statut matrimonial et l'investissement dans la vie civique et religieuse. Les expéditeurs ne connaissaient pas les destinataires, ils étaient contraints d'utiliser des intermédiaires pour tenter de faire parvenir leurs paquets. Environ 30 % des paquets parvinrent à leur destinataire.

Il s'avère que la barrière raciale est difficile à franchir. Les blancs n'ont pas su s'adresser à des noirs pour obtenir le résultat souhaité. On observe également plus de réussite quand l'expéditeur est un homme et le destinataire une femme que dans le cas inverse. Le niveau social joue également : il y a plus de succès quand l'expéditeur est d'un niveau social plus élevé que le destinataire.

L'auteur s'est attaché à examiner tous les intermédiaires utilisés. Il constate que les chaînes efficaces commencent plus souvent que les autres par un contact de statut social élevé. Les stratégies efficaces consistent aussi, et de façon très significative, à utiliser des liens faibles plutôt que des liens forts. Mais il faut nuancer : pour une personne de statut social élevé, la nature du lien n'a pas d'incidence sur le résultat obtenu. Les liens forts peuvent donner des résultats aussi bons que les liens faibles. En revanche les personnes de statut social non favorisé obtiennent de meilleurs résultats en utilisant des liens faibles que des liens forts.

Granovetter et Lin remarquent en outre que les groupes socio-économiquement bas, notamment dans un contexte d'insécurité économique, tendent à se replier sur les liens forts, alors même que les liens faibles, lorsqu'ils sont sources de relais (ce qui est plus rare que dans les milieux plus favorisés), conduisent à de "meilleurs" emplois.

On peut exprimer ces propositions d'une manière légèrement différente :
- Les cercles sociaux que l'on fréquente sont des lieux où se forment et s'entretiennent des normes de comportement ou des attitudes. Une personne qui est constamment en contact avec les mêmes interlocuteurs aura donc des chances d'être fortement influencée par l'état d'esprit de ce milieu unique. Au contraire, quelqu'un qui fréquente des personnes de milieux différents et qui évolue dans des cercles différents, sera plus facilement en position d'arbitrer entre les différents systèmes normatifs. Il aura donc plus d'autonomie. Cette idée que l'on trouve déjà chez Bouglé (1897) et Simmel (1982) conduit à prendre la diversification du réseau comme indicateur d'autonomie (on ne se place pas ici dans l'hypothèse d'une complexité telle du système normatif résultant qu'elle puisse conduire à la névrose).
- Les relations sociales sont des supports d'activité. On discute ou on va au restaurant ensemble, on part en vacances ensemble, on se rend des services, on va au cinéma avec

certains, au concert avec d'autres. Il y a les gens avec qui on travaille, ceux qu'on rencontre dans des associations ou en faisant du sport etc. Si, pour toute une série d'activités de ce genre, l'enquêté pense aux mêmes personnes, les relations qu'il entretient avec elles sont polyvalentes. Mais plus celles-ci sont polyvalentes et plus il y a des chances pour que le réseau soit peu diversifié. On retrouve donc là, a contrario, une mesure de l'ouverture du réseau individuel. Cette dimension est appelée la polyvalence (*multiplexity* dans les travaux américains).

2. LES JEUNES ET L'EMPLOI : FORCE ET FAIBLESSE DES LIENS FORTS

L'enquête "Jeunes" de 1986, enquête complémentaire à l'enquête annuelle sur l'emploi de l'INSEE, contient des informations originales sur les moyens grâce auxquels les jeunes actifs de 16 à 26 ans ont obtenu leur premier emploi et l'emploi qu'ils occupent à la date de l'enquête (cf. encadré). Elle autorise, nous semble-t-il, une interprétation du fonctionnement du marché du travail des jeunes en termes de "réseaux sociaux" c'est à dire une analyse du jeu des "relations" (familiales, amicales et autres) dans l'accès à un emploi. Après une présentation des principales caractéristiques de cette population de jeunes, nous mettrons à l'épreuve le paradoxe proposé par Mark Granovetter (1973, 1974, 1982) et par d'autres auteurs américains (Lin, 1982) de "la force des liens faibles".

LES JEUNES ACTIFS DE 16 À 26 ANS : UNE POPULATION PEU QUALIFIÉE

La structure des formations suivies et des emplois tenus par les 4923 jeunes de 16 à 26 ans saisis par l'enquête et occupant, ou ayant occupé, au moins un emploi de plus d'un mois est très proche de celle décrite dans de nombreux articles et dossiers traitant des "jeunes" ou de l'insertion professionnelle [4]. Une grande majorité d'entre eux n'ont pas atteint le niveau du bac (80 % des garçons, 70 % des filles).

Les emplois occupés sont nettement polarisés selon le sexe : 64 % des emplois tenus (à la date de l'enquête) par les garçons sont classés dans les catégories ouvrières et 19 % dans celle des employés, ces proportions s'inversant pour les filles (28 % et 64 %). La part des techniciens est faible (4 %) ; celle des techniciennes ainsi que des "ingénieurs et cadres" est infime (1 %). Une telle structure reflète les processus d'exclusion de l'école et du marché des emplois stables et qualifiés d'une fraction importante de la "jeunesse" [5]. Ces processus affectent toutefois inégalement ces jeunes.

Nous avons distingué trois groupes d'actifs :
- ceux dont l'emploi occupé à la date de l'enquête est le seul qu'ils aient connu ("actifs immobiles")
- ceux dont l'emploi actuel diffère du premier emploi ("actifs mobiles")
- ceux qui ont occupé au moins un premier emploi mais qui sont au chômage lors de l'enquête ("chômeurs") [6].

---

4. Cf. bibliographie (indicative) : une bibliographie plus complète est disponible dans l'ouvrage collectif sur *L'introuvable relation formation-emploi* (Tanguy (ed), 1986).
5. Même si cette structure s'écarte de celle des actifs plus âgés (25-39 ans) en sous-évaluant la part des diplômés du supérieur, encore étudiants lors de l'enquête, et celle des professions intermédiaires et supérieures alimentées à la fois par ces diplômés et par des promotions en cours de carrière (cf. enquête Formation-Qualification- Professionnelle de l'INSEE de 1985).
6. Sur les 1269 jeunes recensés dans ce groupe 62 % sont vraiment des "chômeurs" dont 54 % inscrits à l'ANPE, 8 % non-inscrits ; les autres se répartissent dans les catégories "étudiants" (12 %), "service militaire" (9 %), "au foyer" (16 %).

L'ENQUÊTE SUR LES JEUNES, COMPLÉMENTAIRE DE L'ENQUÊTE "EMPLOI" 1986

Réalisée par l'INSEE, l'enquête "Emploi"décrit la situation de l'emploi à un instant donné. Elle répond à deux objectifs :
- l'étude de la structure et de l'évolution de la population active ;
- l'analyse du chômage et du fonctionnement du marché du travail.
L'enquête "Jeunes" 1986 porte sur les ménages de l'enquête "Emploi" où se trouve au moins un jeune né entre 1960 et 1970 inclus. La population de ces ménages correspond à 19 633 individus, seules 9 717 personnes répondent aux conditions ; de plus les individus, qui dans les ménages répondent effectivement aux questions spécifiques sur les jeunes sont 9 548, c'est-à-dire 98,26 %. Parmi ceux-ci 6 487 (82 %) répondent eux-mêmes, pour 1 263 (16 %) c'est le père ou la mère qui ont répondu, pour 69 (0,9 %) leur conjoint, pour 82 (1 %) la personne qui répond a un autre lien avec l'individu concerné. Nous pouvons considérer que cette enquête offre une bonne représentation de la population des jeunes.
L'enquête "Jeunes" précise les objectifs de l'enquête principale sur la population des 16-26 ans, avec des développements sur le premier emploi et sur l'emploi actuel, le service national, la formation, les conditions de recherche d'un emploi, le logement, la dépendance résidentielle et financière par rapport aux parents et la famille, le nombre de frères et de soeurs, le rang dans la fratrie et sur la famille éventuellement fondée par le jeune (vie en couple, enfants...).
Outre les données habituelles sur les niveaux de formation et d'emploi des jeunes et sur ceux de leur père, elle fournit aussi des indicateurs de leur trajectoire professionnelle à travers des questions sur les circonstances dans lesquelles ils ont quitté (éventuellement) leur emploi et en sollicitant des appréciations plus subjectives sur la "correspondance" entre cet emploi et leur formation, sur le caractère plus ou moins formateur du (ou des) poste(s) tenu(s), et sur leurs "souhaits" (ou non) de quitter leur entreprise actuelle.
Il y a, enfin, un calendrier qui précise le 15 de chaque mois la situation de l'activité principale du jeune, et ceci pendant 14 mois (du 15-01-85 au 15-02-86) puis à la date de l'enquête principale (mars 86) et à la date de l'enquête complémentaire. C'est une enquête riche d'informations.
Nous avons dans cet article, sélectionné les jeunes **qui ont eu un premier emploi ayant duré plus d'un mois à temps plein ou à temps partiel, égal ou supérieur au mi-temps, y compris l'apprentissage,** cela correspond à 4 923 jeunes, soit à la moitié de l'ensemble des répondants, la plupart des autres poursuivant des études à temps plein non rémunérées.
Nous avons travaillé sur les effectifs non pondérés car nous nous intéressons aux relations entre variables et nous ne voulons pas faire d'estimation.

Ces groupes, qui représentent respectivement 35 %, 39 % et 26 % de l'ensemble, semblent s'ordonner selon des modalités d'insertion allant des plus "favorables" pour le premier, aux plus défavorables pour le troisième. Des trajectoires professionnelles se dessinent ainsi et nous montrerons qu'elles sont largement corrélées avec les caractéristiques d'activité (ou d'inactivité) professionnelle du père des enquêtés et avec l'efficacité du réseau familial et amical dans l'accès à l'emploi.

DES PARCOURS D'INSERTION DIFFÉRENCIÉS

On observe des différences sensibles entre les caractéristiques scolaires, sociales et d'insertion professionnelle des jeunes des trois groupes [7]. Les "chômeurs" sont plus souvent originaires que les "actifs", de familles nombreuses dans lesquelles le père et parfois la mère sont absents (inconnus, décédés...) ou exclus à des degrés divers de la vie professionnelle (chômeurs, retraités, en invalidité...). Ils se caractérisent aussi par la faiblesse de leur formation initiale - 33 % sont sortis de l'école sans aucun diplôme contre 18 % des actifs - et rencontrent plus de difficultés à sortir du chômage que les actifs "mobiles" : 60 % d'entre eux ont connu une durée totale de chômage supérieure à un an depuis leur sortie de l'école et 30 % une durée de plus de deux ans. Ces proportions sont deux fois moindres pour ceux qui ont retrouvé un emploi à la date de l'enquête.

Les "actifs mobiles" ont des niveaux de formation, d'emploi et d'origine sociale un peu inférieurs à ceux des "immobiles" mais sensiblement supérieurs à ceux des chômeurs. Les filles sont sur-représentées dans le groupe des "chômeurs" (54 %) et sous-représentées dans ceux des actifs occupés, moins cependant dans celui des immobiles (48 %) que dans celui des mobiles (45 %).

Les indicateurs de satisfaction par rapport aux emplois occupés et ceux de projets professionnels témoignent de situations professionnelles plus favorables pour les "immobiles" et particulièrement négatives pour les chômeurs. 86 % de ces "immobiles", 81 % des "mobiles" et 69 % des chômeurs disent qu'ils "ont appris quelque chose" dans leur premier emploi ; 55 % des "immobiles" estiment que leur emploi "correspond" à leur formation ; cette proportion est de 47 % pour les "mobiles" et de 33 % pour les chômeurs ; 44 % "souhaiteraient rester définitivement dans l'entreprise actuelle" (40 % des mobiles) et 8,5 % (contre 10 %) la quitter immédiatement. 18 % des chômeurs "souhaitaient" un tel départ de leur dernière entreprise et 13 % un maintien définitif mais sans doute font- ils ici de nécessité vertu.

Cette aspiration à une fixation définitive des actifs occupés s'éclaire par leurs réponses à une question sur la possibilité qu'ils auraient d'obtenir une promotion en restant dans la même entreprise ou en en changeant. En répondant majoritairement (46 %) oui au premier item, ces jeunes semblent considérer l'immobilité dans l'entreprise comme le garant de leur mobilité dans la hiérarchie des emplois. Inversement la mobilité apparaît comme plus contrainte que choisie : 48 % des actifs mobiles ont dû quitter leur premier emploi à la suite d'une fin de contrat précaire, 10 % du fait d'un licenciement ; ces causes sont encore plus fréquentes dans le groupe de

7. Les jeunes des trois groupes définis ci-dessus sont saisis à des âges et à des moments différents de leur cycle de vie ; Cette hétérogénéité limite la portée de la comparaison mais ne l'interdit pas pour autant : beaucoup des indicateurs proposés portent en effet sur le premier emploi et la prépondérance, dans les trois groupes, des plus "âgés" (23-26 ans) soit de ceux dont la destinée professionnelle et sociale est pour partie scellée (40 % dans le groupe des actifs "immobiles" et parmi les chômeurs, 60 % dans celui des actifs "mobiles") autorise une interprétation en terme de trajectoires.

ceux actuellement au chômage (68 %). En outre, si cette mobilité a pu déboucher sur un emploi stable et relativement satisfaisant pour ceux qui sont occupés lors de l'enquête, il semble qu'elle ait maintenu ceux qui sont au chômage, dans un parcours chaotique et sans avenir.

LES RÉSEAUX D'ACCÈS À L'EMPLOI : LE POIDS DE LA FAMILLE

Trois constats semblent pouvoir être dégagés de la lecture des tableaux 1 à 4 indiquant les moyens grâce auxquels les jeunes ont trouvé un emploi, le type d'emploi obtenu et les connaissances éventuelles qu'ils avaient dans leur entreprise (famille, amis...) :

La "force" des liens forts pour l'accès au premier emploi des jeunes peu titrés. La "famille" et les "relations personnelles" sont cités à part égale par près de la moitié des jeunes des trois groupes comme les moyens par lesquels ils ont trouvé leur premier emploi (tableau 1) ; le rôle de la famille s'amenuise toutefois nettement lorsque les jeunes quittent ce premier emploi -14 % des actifs "mobiles" la citent comme moyen d'obtention de leur emploi actuel alors qu'ils étaient 21 % à la mentionner pour leur premier emploi ; ce n'est pas le cas des "relations personnelles" dont la part reste stable (24 % et 23 %). De 26 à 30 % de l'ensemble des jeunes évoquent les "demandes personnelles auprès de l'entreprise". Les autres moyens dits "formels" sont beaucoup moins souvent mentionnés : ils sont, par ordre décroissant, l'ANPE, l'école, les annonces (réponses), les concours, les agences d'intérim et l'embauche à la suite d'un stage dans l'entreprise. Plusieurs réponses étaient possibles mais l'analyse des classifications montre qu'elles s'excluent le plus souvent.

TABLEAU 1 - MOYENS D'ACCÈS À L'EMPLOI SELON LA SITUATION ACTUELLE
(plusieurs réponses possibles)

| | Actifs immobiles | | Actifs mobiles | | | | Chômeurs | |
| | | | Premier emploi | | Emploi actuel | | Emploi précédent | |
	N	%	N	%	N	%	N	%
Demande personnelle auprès de l'entreprise	445	26	603	31	506	26	380	30
Famille	404	24	411	21	277	14	288	23
Relations personnelles	461	18	461	24	447	23	307	24
Concours	-	-	17	-	-	-	6	-
Agence d'intérim	-	-	83	4	-	-	37	3
Réponse à annonces	69	4	131	7	162	8	72	6
Passation d'annonces	-	-	10	-	-	-	4	-
ANPE	141	8	123	6	220	11	99	8
Suite d'une mission d'intérim ou de stage dans l'entreprise	-	-	19	1	-	-	15	1
Ecole ou organisme de formation	148	9	121	6	48	2	102	8
Effectif total de jeunes	1721		1933		1933		1269	

Source INSEE : Enquête "Jeunes" complémentaire à l'enquête Emploi, 1986

Nous interprétons ici la "famille", entendue dans un sens assez large (collatéraux, conjoints...) et les "relations personnelles" comme des liens "forts". Cette hypothèse nous paraît fondée, même si les critères retenus par les auteurs américains pour définir la force des liens ne sont pas tous et toujours remplis (fréquence des contacts, intensité émotionnelle, degré d'intimité des échanges et importance des services rendus). Le plus important, pour notre propos, est en effet que les liens familiaux sont le plus souvent structurés en un réseau de relations "polyvalentes", fermé sur lui-même, c'est-à-dire peu susceptible de "jeter des ponts" avec d'autres cercles sociaux. Cette propriété est plus fréquente lorsque les liens sont "faibles" et explique, dans l'étude de Granovetter, leur efficacité plus grande quant à l'obtention d'un "bon" emploi.

L'enquête ne permet pas de distinguer, dans les "relations personnelles" celles qui relèvent de liens forts ou faibles. Deux arguments plaident toutefois, là aussi, en faveur de leur assimilation à des liens forts, au moins dans le cas de l'accès au premier emploi. On peut supposer, en effet, que le jeune se construit son propre réseau professionnel au cours de son expérience d'emploi.

Un premier argument peut être tiré d'enquêtes quantitatives (Héran, 1988) aussi bien que qualitatives auprès de populations comparables (Agulhon, 1990 ; Le Gall, 1989) qui montrent que les "relations" des jeunes sont pour l'essentiel des relations avec des personnes de la famille (étendue) et avec un petit nombre d'amis du même "cercle social". Le croisement des réponses aux questions de l'enquête "Jeunes" sur les moyens d'accès et sur les "connaissances" dans l'entreprise fournit le second (tableau 2) : la moitié des jeunes ayant trouvé leur emploi par relations personnelles ont dit connaître une ou plusieurs personnes (amis, famille...) dans l'entreprise qui les a embauchés. Cette part est encore plus importante lorsque l'emploi a été trouvé grâce à la famille -28 % seulement des jeunes ne connaissaient personne dans leur entreprise et parmi les personnes connues le père ou la mère sont le plus souvent cités. Ces "connaissances" sont en revanche peu fréquentes pour des "demandes personnelles" et inexistantes pour les autres moyens (ANPE, annonces, école).

TABLEAU 2 - CONNAISSIEZ-VOUS QUELQU'UN QUI TRAVAILLAIT DANS CETTE ENTREPRISE
OU DANS CET ÉTABLISSEMENT ? (plusieurs réponses possibles)

| | "Immobiles" | | "Mobiles" | | | | "Chômeurs" | |
| | premier emploi | | premier emploi | | emploi actuel | | emploi précédent | |
	N	%	N	%	N	%	N	%
Grands-Parents	9	-	4	-	1	-	3	-
Beaux-Parents	6	-	5	-	15	1	3	-
Parents	269	16	212	11	188	10	133	10
Frère ou soeur	78	5	64	3	54	3	76	6
Un autre membre de votre famille	69	4	89	5	98	5	52	4
Ami, relation	294	17	390	20	412	21	295	23
Voisin	32	2	49	3	30	2	31	2
Ne connaît personne	964	56	1158	60	1165	60	717	56
Effectif total de jeunes	1721		1933		1933		1269	

Source INSEE : Enquête "Jeunes" complémentaire à l'enquête Emploi, 1986

Le "jeu" de la famille et des liens forts sur le marché du travail semble donc se manifester surtout par une activation directe du lien, c'est-à-dire par l'intervention d'une personne connue dans l'entreprise.

Une étude menée il y dix ans auprès de jeunes sortant de lycées professionnels des quartiers Nord de Marseille (Marry, 1983) relevait trois formes principales de l'intervention familiale :
- l'embauche directe dans l'entreprise paternelle (dans le cas des indépendants),
- la caution représentée par la présence d'une personne de la famille (père, mère, mais aussi frères, soeurs...) dans l'entreprise qui recrute,
- l'intervention d'une personne de la famille auprès de quelqu'un de l'entreprise qu'il connaît et qui a une influence sur l'embauche.

Cette emprise de la famille sur l'insertion professionnelle explique l'importance constatée ici, comme dans l'étude citée, du clivage père actif/père inactif pour rendre compte des moyens mobilisables et efficaces dans la recherche d'emploi : les jeunes ayant trouvé leur emploi grâce aux liens familiaux ont pour 74 % d'entre eux un père actif et pour 0,5 % seulement un père au chômage. Inversement, ceux qui ont eu recours à l'ANPE, appartiennent à des familles dans lesquelles la moitié des pères sont exclus de la vie professionnelle.

Les taux d'activité des pères sont un peu inférieurs (65 %) lorsque d'autres moyens ont été efficaces, notamment dans le cas des "demandes personnelles", équivalent dans les cas des annonces et supérieur dans celui de l'école (83 %). Ces deux moyens "formels" se distinguent ainsi fortement de l'ANPE comme le deuxième constat le confirme.

Les liens forts et plus particulièrement la famille ne garantissent pas l'accès à un "bon" emploi à la différence, semble-t-il, des annonces et de l'école. Le poids des liens forts (famille et relations) dans l'obtention du premier emploi est équivalent dans les trois groupes de jeunes, soit respectivement de 42 % pour les actifs immobiles, de 45 % pour les actifs mobiles et de 47 % pour les chômeurs (tableau 1). Mais s'ils ont offert aux premiers une insertion durable, les seconds ont dû quitter l'emploi ainsi trouvé et leur emploi actuel, plus satisfaisant, a été obtenu par un moindre recours à la famille ; quant aux troisièmes, ils sont au chômage.

Le tableau 3 montre comment se distribuent les jeunes ayant cité un moyen d'obtention de leur premier emploi, dans les différentes catégories socio-professionnelles de ce premier emploi. Les données ne permettent pas de connaître de façon précise l'importance respective des différents moyens pour l'accès à une catégorie particulière, les jeunes ayant pu citer plusieurs moyens. Elles éclairent toutefois la spécificité des emplois obtenus par les différents moyens.

Nous avons distingué garçons et filles, du fait de la forte diversité des emplois qu'ils occupent (massivement ouvriers pour les premiers, employées, pour les secondes).

Le tableau 3 se lit ainsi (exemple 1ère ligne) : pour 100 garçons ayant cité la famille comme un moyen grâce auquel ils ont trouvé leur premier emploi, 11 % sont classés dans la catégorie "agriculteurs", 4 % dans celle des artisans et commerçants, etc...

Pour les garçons la famille est quasiment le seul moyen d'accéder aux emplois d'indépendants et plus particulièrement d'agriculteurs. Cela résulte du premier mode d'intervention (paternelle) noté plus haut, à savoir l'embauche ou le maintien dans l'entreprise familiale. Ce rôle protecteur de la famille en période de fort chômage, notamment en milieu rural, a été noté dans d'autres études (Dutay, 1987). On trouve ainsi deux fois plus d'enfants d'agriculteurs parmi les jeunes actifs que parmi les "chômeurs" (11 % contre 6 %).

Les ouvriers et ouvrières non-qualifiés sont sur-représentés parmi ceux qui ont trouvé leur premier emploi par la famille (36 % des garçons, 22 % des filles) alors que les emplois qualifiés des "professions intermédiaires" (instituteurs, techniciens...) et de cadres sont peu pourvus par les liens familiaux, aussi bien pour les filles que pour les garçons (8 % et 5 %).

TABLEAU 3 - MOYENS CITÉS D'OBTENTION DU PREMIER EMPLOI :
DISTRIBUTION PAR CATÉGORIE SOCIO-PROFESSIONNELLE (EN %)

1. Hommes

	Agriculteurs	Artisans Commerçants	Profession interm. et sup.	Employés	OQ	ONQ	Ensemble %	N
Famille	11	4	8	12	29	36	100	636
Demandes personnelles	1	2	14	17	31	35	100	654
Relations	-	2	16	19	34	29	100	489
ANPE	-	-	18	16	26	37	100	142
Annonces	-	-	21	20	30	29	100	117
Ecole	1	1	22	10	33	33	100	177
Ensemble	4	2	15	16	30	33	100	2366

2. Femmes

	Agriculteurs	Artisans Commerçants	Professions interm. et sup.	Employés	OQ	ONQ	Ensemble %	N
Famille	3	2	5	64	4	22	100	357
Demandes personnelles	-	2	17	62	3	16	100	665
Relations	1	2	11	70	2	14	100	502
ANPE	-	2	7	70	6	15	100	205
Annonces	-	1	16	73	2	7	100	128
Ecole	1	1	25	57	5	11	100	157
Ensemble	2	2	15	64	3	14	100	2138

Source INSEE : Enquête "Jeunes" complémentaire à l'enquête Emploi, 1986

Quant aux relations, elles semblent conduire, au moins pour les garçons, à des emplois salariés d'un statut sensiblement plus élevé que ceux obtenus par la famille mais aussi par les "demandes personnelles" : parmi ceux qui les citent on ne dénombre que 29 % d'ouvriers non-qualifiés et 16 % de "cadres" (intermédiaires). Il semblerait que ces liens que nous avons classés comme "forts", mais qui présentent peut-être un moindre degré de "clôture" que la famille offrent de meilleures opportunités d'emplois que cette dernière qui apparaît avant tout comme un rempart contre l'exclusion et le chômage.

Les annonces et l'école sont plus efficaces pour la fraction la plus diplômée des jeunes et conduisent plus souvent que les autres moyens aux emplois les plus élevés ; les annonces sont plus favorables aux garçons, l'école aux filles. Parmi les garçons citant les annonces, 21 % sont classés dans les professions intermédiaires et supérieures ; parmi ceux mentionnant l'école, on en compte 22 %. 15 % des filles ayant trouvé leur emploi par annonces appartiennent à ces catégories, cette part étant plus élevée lorsqu'elles ont été placées par l'école (25 %).

L'ANPE conduit de façon prépondérante à des emplois d'ouvriers et d'ouvrières non-qualifiés mais aussi, pour les garçons, à des emplois des professions intermédiaires et notamment de techniciens (10 %).

L'analyse de la "correspondance" entre emploi et formation selon le moyen d'obtention de l'emploi confirme à peu près cette "hiérarchie" des moyens quant à la "qualité" des emplois trouvés : la réponse est positive pour une proportion équivalente de jeunes (52 %), qu'ils aient trouvé leur premier emploi par la famille, par les relations ou par des démarches personnelles ; cette part s'avère un peu plus faible lorsqu'ils ont été placés par l'ANPE (47 %), un peu plus élevée pour ceux qui ont répondu à des annonces (58 %) et très supérieure pour ceux qui ont eu le soutien de leur école (74 %).

L'examen de l'accès à l'emploi actuel pour les actifs "mobiles" fait même apparaître la famille comme un moyen de "rattrapage" ou de dernier recours : lorsqu'ils ont obtenu leur emploi actuel (différent du premier) par la famille, ils sont les moins nombreux à le déclarer en correspondance avec leur formation : 35 % contre 45 % de ceux qui l'ont trouvé par des démarches personnelles, ou 50 % de ceux qui ont utilisé les relations, ou encore 54 % de ceux qui l'ont obtenu par l'ANPE, ou enfin 61 % dans le cas des annonces et 83 % dans celui de l'école.

Le troisième constat est celui d'une différence dans l'efficacité des réseaux (entendue comme l'accès à un emploi quel qu'il soit) selon le sexe : la famille est plus souvent citée par les garçons que par les filles comme moyen d'obtention de l'emploi ; celles-ci sont relativement plus nombreuses, en revanche, à mentionner les "demandes personnelles" et l'ANPE (tableau 4).

Ces différences renvoient peut-être aux caractéristiques du réseau de sociabilité des jeunes filles dont Didier Le Gall (1989) montre qu'il se différencie de celui des garçons par sa plus grande ouverture (plus d'interlocuteurs, plus de personnes peu connues et une plus grande variété des sujets, l'emploi étant une préoccupation plus présente encore que pour les garçons) ; cette ouverture peut constituer un facteur favorable à leur accès à l'emploi par les "demandes personnelles". Le centrage du réseau sur la famille, plus prononcé que pour les garçons, qu'il constate par ailleurs, ne semble pas en revanche constituer un atout pour elles sur le marché du travail. On peut proposer les hypothèses suivantes à cette "panne" de la famille :

- d'une part l'aide éventuelle de la mère est moins disponible (45 % seulement d'entre elles occupent un emploi)

- d'autre part les filles ne bénéficient pas des mêmes possibilités d'intervention paternelle que les fils, que le père soit indépendant ou salarié. Les entreprises qui recrutent les premières pour les emplois où elles sont concentrées, à savoir ceux d'employées administratives, de commerce et des services font sans doute moins appel aux réseaux familiaux. Il est vraisemblable, en outre, que les pères sont moins directement impliqués dans ces univers professionnels.

TABLEAU 4 - MOYENS D'ACCÈS AU PREMIER EMPLOI SELON LE SEXE
(plusieurs réponses possibles)

	Hommes		Femmes		Ensemble	
	N	%	N	%	N	%
Demande personnelle auprès de l'entreprise	695	27	733	31	1428	29
Famille	682	27	421	18	1103	22
Relations personnelles	522	21	561	22	1083	22
Concours	65	3	77	3	142	3
Agences d'intérim	84	3	48	2	132	3
Réponse à annonces	127	5	145	6	279	5
Passation d'annonces	6	-	13	-	19	-
ANPE	146	6	217	9	363	7
Suite d'une mission d'intérim ou de stage dans l'entreprise	27	-	43	-	70	1
Ecole ou organisme de formation	196	8	175	7	371	7
Effectif total de jeunes	2535		2388		4923	

Source INSEE : Enquête "Jeunes" complémentaire à l'enquête Emploi, 1986

Des monographies centrées sur les pratiques de recrutement d'entreprises (Stoeckel, Duplex, Marry, 1983 ; Centi, 1982) montrent en effet à la fois l'importance du réseau familial et sa relative spécificité selon les types d'entreprises, de secteurs d'activité et d'emplois : il est mobilisé surtout par des entreprises industrielles d'implantation ancienne et pour les catégories ouvrières, aussi bien non qualifiées que qualifiées. Les entreprises du "tertiaire" (commerces, services...), qui gèrent une main d'oeuvre constituée majoritairement par des femmes des catégories "employés" et dont le *turn over* est fort, adoptent plus souvent des pratiques de recrutement "déterritorialisées" et moins personnalisées.

Cette analyse des moyens d'accès des jeunes aux premiers emplois conforte pour partie la thèse de Granovetter et de Lin : nous constatons comme eux que les jeunes peu qualifiés ont souvent recours aux liens forts. Ces derniers, et tout particulièrement la famille, ne garantissent pas l'accès à un emploi stable, qualifié et correspondant à la formation suivie.

La difficulté de repérage des liens faibles dans l'enquête "Jeunes" de l'INSEE, rend difficilement validable l' hypothèse de leur efficacité plus grande pour l'accès aux "bons" emplois. On peut supposer toutefois que les "relations" mobilisées par ceux qui ont changé d'emploi et qui s'avèrent conduire à des emplois plus "satisfaisants" que ceux obtenus par la famille, émanent pour partie du réseau professionnel que les jeunes construisent au fil du temps, c'est-à-dire de leurs liens "faibles".

En revanche les enquêtes réalisées par Granovetter et par Lin, sans doute parce qu'elles concernent pour l'essentiel les couches salariées moyennes et supérieures, sous-estiment un clivage qui nous paraît essentiel ici, à savoir celui qui sépare les jeunes qui ont un père (et souvent une mère) "actif(s)" de ceux dont le père (et souvent la mère et les autres membres de la famille) sont exclus de la vie professionnelle. Dans le contexte de crise et de concurrence accrue entre les jeunes qui est celui des années 80, cette intégration professionnelle et sociale de la famille des jeunes semble une condition particulièrement nécessaire à leur insertion. Seuls des titres scolaires élevés et prisés sur le marché du travail - ceux d'ingénieurs en étant l'archétype - permettent aux jeunes de s'affranchir de ce "poids d'Anchise", pour reprendre l'expression de Claude Thélot (1981).

Plus généralement nous faisons une interprétation un peu différente du "jeu" de la famille sur le marché du travail : contrairement à ce que constate Granovetter, ce jeu passe par l'intervention d'une personne connue dans l'entreprise , celle-ci étant souvent le père (ou la mère) du jeune. Les liens forts seraient ainsi le vecteur privilégié de la reproduction sociale plutôt qu'un moyen autorisant des changements de situation profonds.

Enfin ces travaux sur les réseaux, centrés par définition sur l'étude des relations, permettent mal de comprendre le rôle des moyens formels, dont certains, tels que les annonces et l'école (mais pas l'ANPE...) semblent être ceux qui autorisent l'accès aux "meilleurs" emplois.

3. LES INGÉNIEURS DIPLÔMÉS : UN MARCHÉ CONTRÔLÉ

Pour aborder le problème du côté des catégories professionnelles supérieures, nous disposons de peu de données, sauf pour une catégorie, celle des ingénieurs diplômés. Ce groupe professionnel est en effet très soucieux de connaître à chaque instant la valeur du titre d'ingénieur sur le marché du travail. Il agit même pour entretenir une relative pénurie qui est la meilleure garantie d'un haut niveau d'offre d'emploi aux titulaires de ces diplômes (Grelon, 1987). Ainsi la Fédération des Associations et Sociétés Françaises d'Ingénieurs Diplômés (FASFID) réalise-t-elle régulièrement, tous les quatre ans, une enquête qui porte sur les postes occupés et les salaires perçus par les ingénieurs. L'avant-dernière enquête de cette série (la neuvième), réalisée en 1987 innova en posant une question sur le mode d'accès aux emplois (voir annexe 1 en fin d'article). Elle est intéressante par l'importance de son échantillon : 14905 hommes et 941 femmes y ont répondu.

Nous ne nous intéresserons guère aux petites annonces car on ne sait pas si l'ingénieur a fait passer une petite annonce ou s'il a répondu aux annonces. S'il passe une annonce, cela s'apparente à une candidature spontanée mais s'il répond à une annonce, cela peut-être assimilé au recrutement par un cabinet professionnel spécialisé car ce sont souvent ces derniers qui passent les annonces pour le compte des entreprises. Dans ce cas ce n'est plus la stratégie de l'ingénieur qui est en cause mais celle de l'entreprise.

D'une manière générale, les chiffres que nous présentons ci-dessous nous donnent plus d'éléments pour conforter la thèse de l'intervention des entreprises dans la structuration du marché que pour vérifier les propositions classiques de Granovetter et Lin. Il faut en effet remarquer que la population des ingénieurs diplômés français est très particulière du point de vue de l'emploi et que les entreprises mettent en oeuvre des moyens très élaborés pour s'attacher des cadres dont ils estiment qu'ils leur donnent les meilleures garanties de répondre à leur attente. Ceci ne signifie pas que les stratégies des entreprises soient inexistantes ou inefficaces pour les populations moins qualifiées - des monographies portant sur des politiques de recrutement d'ouvriers témoignent du contraire (cf. *supra*), mais qu'elles entrent plus vivement en concurrence dans ce cas avec les autres moyens d'accès à l'emploi.

Les résultats font apparaître un effet d'âge (c'est-à-dire d'expérience professionnelle) très net sur plusieurs moyens (au moins en ce qui concerne les hommes) [8]. Les deux premiers moyens (candidature spontanée et APEC) n'impliquent pas, au moins de façon évidente et première, le jeu des "relations". Ils sont à la disposition de ceux qui n'en ont pas d'autre. Encore faut-il remarquer que l'Association pour l'emploi des cadres collecte des demandes mais surtout des offres d'emplois d'ingénieurs et de cadres émanant des entreprises, et les diffuse par voie de presse. Ce moyen d'obtention d'un emploi s'apparente donc à celui des réponses à des annonces. Leur importance décroît avec l'âge, ce qui peut paraître conforme à l'idée que le réseau des relations auquel on peut avoir recours augmente en taille et en richesse avec l'ancienneté dans la profession. L'item "contacté par l'employeur" correspond particulièrement à l'insertion professionnelle. Mais il exprime aussi le double jeu de l'employeur et de l'employé. L'entrepreneur contacte quelqu'un sur qui il a de bons renseignements, souvent avant qu'il soit sur le marché du travail, pendant qu'il est encore employé dans une autre entreprise. Le fait d'être contacté par l'employeur est donc le signe d'une relation entre l'ingénieur et l'employeur ou au moins d'une réputation, ce qui sous-entend l'existence d'un réseau professionnel efficace.

Nous devons ici faire une remarque : tous les travaux et en particulier l'enquête "Contacts entre les personnes" de l'INSEE, montrent que la taille du réseau ne croît pas avec l'âge (Héran, 1988). En ce qui concerne les relations de sociabilité, le nombre des amis avec lesquels on parle décroît avec l'âge. Il en va de même pour les relations de travail au delà de 30 ans. Il semble donc que ces enquêtes n'offrent pas d'indicateurs pertinents pour mesurer l'efficacité du réseau professionnel et que nous devons faire l'hypothèse que la notoriété professionnelle s'appuie sur des mécanismes qui ne sont pas directement liés à la taille du réseau de sociabilité et moins encore à la fréquence de ces contacts.

TABLEAU 5 - MOYENS D'ACCÈS AU NOUVEL EMPLOI : HOMMES
(une seule réponse possible) - (en %)

Age \ Moyen	≤ 29	30-34	35-39	40-49	50-59	60 et +
Candidature spontanée	34	24	23	19	20	21
APEC *	7	5	3	2	1	1
Contacté par l'employeur	15	18	21	25	28	29
Autres	9	10	12	17	20	25
Effectif total	1316	2220	2156	3929	2721	2561

Source : Enquête FASFID, 1987

*APEC : Association pour l'emploi des cadres.

8.   Il s'agit de l'âge des ingénieurs à la date de l'enquête et non de leur âge au moment du changement d'employeur, ce qui implique une certaine approximation dans cet "effet âge".

Reste la catégorie "autres". Elle est bien sûr difficilement interprétable. Mais l'enquête ne prévoyait pas les relations amicales ou familiales. Les personnes qui ont obtenu leur emploi par l'un de ces moyens se sont donc classées là. Elles s'y trouvent mélangées à d'autres. L'effet de l'âge est aussi très net sur cette catégorie.

Pour les ingénieurs, il semble donc bien que le jeu de l'entreprise soit très important dans la structuration du marché du travail et il serait souhaitable de l'étudier pour lui même.

Les résultats sont tout aussi clairs pour les femmes (Tableau 6) du moins pour les trois premières tranches d'âge.

TABLEAU 6 - MOYENS D'ACCÈS AU NOUVEL EMPLOI : FEMMES
(une seule réponse possible) - (en %)

Moyens \ Age	≤ 29	30-34	35-39	40 ans et +
Candidature spontanée	35	33	31	33
APEC	5	5	0	1
Contacté par l'employeur	14	18	21	19
Autres	11	13	18	16
Effectif total	300	290	123	228

Source : Enquête FASFID, 1987

Nous trouvons une seconde source d'information dans les enquêtes que nous avons nous-mêmes réalisées auprès des ingénieurs issus des 18 écoles d'ingénieurs de la région Nord-Pas de Calais. Deux enquêtes ont été menées conjointement en 1989. La première a été conduite par entretiens auprès de 50 ingénieurs. La seconde se présentait sous forme d'un questionnaire accessible par Minitel. Après une campagne de sensibilisation orchestrée par les associations d'anciens élèves, 1382 ingénieurs se sont connectés et ont rempli notre questionnaire. Les personnes sollicitées appartenaient à quatre catégories de promotions correspondant en gros à 30 ans, 20 ans, 10 ans et 5 ans d'ancienneté professionnelle (à partir de la date de sortie de l'école). C'est cette enquête que nous utiliserons [9].

Contrairement à ce qui se passe dans l'enquête FASFID, on explore ici les moyens mis en oeuvre et plusieurs pouvaient être cités. Les ingénieurs étaient de plus invités à dire lequel des moyens employés avait, selon eux, été efficace, c'est-à-dire leur avait donné accès à l'emploi. Nous savons également si ces ingénieurs ont changé d'emploi au moins une fois au cours de leur carrière et le questionnement permet de connaître quels moyens ont été utilisés pour l'accès au dernier emploi ou au premier emploi (voir annexe 2 en fin d'article).

9. Le programme de cette enquête par Minitel a été rédigé et mis en oeuvre par Jean-Marie Duprez, Maître de Conférences à l'université de Lille 1. Cette expérience a bénéficié d'un soutien de France-Télécom. L'équipe qui a réalisé la recherche se compose de Françoise Chamozzi, Alain Degenne, Jean-Marie Duprez, André Grelon, Lise Mounier et Catherine Marry. Cette recherche a bénéficié d'une part d'un contrat du PIRTTEM (CNRS) agissant conjointement avec l'ANPE, d'autre part d'un contrat de la région Nord-Pas de Calais.

On obtient bien sûr des résultats attendus : les ingénieurs des promotions les plus anciennes (sortis de l'école il y a 20 ou 30 ans) ne pouvaient pas avoir recours à l'APEC ou l'ANPE pour trouver leur premier emploi car ces organismes n'existaient pas à l'époque. Les cabinets de recrutement étaient par ailleurs très rares.

La situation qui nous paraît le mieux correspondre aux travaux antérieurs est celle de la recherche de l'emploi actuel par les ingénieurs ayant été amenés à changer. Ils sont 780 dont 48 femmes et 732 hommes.

L'indicateur "contacté par l'employeur" donne des résultats convergents avec ceux de l'enquête FASFID (Tableau 7).

TABLEAU 7 - RÉPARTITION DES PERSONNES AYANT ÉTÉ CONTACTÉES PAR L'EMPLOYEUR - PAR PROMOTION

		Ont été contactés par un employeur		Ont été contactés par l'employeur qui les a recrutés	
Ancienneté	N	N	%	N	%
30 ans	93	25	27	14	23
20 ans	173	42	24	33	24
10 ans	222	46	21	34	20
5 ans	292	61	21	38	17

Source : Enquête LASMAS-IFRESI, 1989

Dans notre échantillon il n'y a que trois femmes dans les générations 30 et 20 (aucune des trois n'a d'ailleurs été contactée par son employeur). Il nous faut donc comparer l'échantillon des femmes à celui des seuls hommes jeunes. 15 % des femmes ont ainsi été contactées contre 21 % des hommes ; par ailleurs 18 % des hommes et 13 % des femmes ont été embauchés après un tel contact. Ces résultats semblent témoigner d'une moindre efficacité du réseau professionnel pour les femmes [10]. Les différences sont assez faibles mais il faut se rappeler que ce sont les ingénieurs des promotions les plus âgées qui sont surtout contactés par l'employeur alors qu'ici nous sommes contraints de travailler sur les plus jeunes.

Pour examiner l'utilisation des autres moyens, nous avons constitué trois sous-populations :
- les hommes des promotions ayant 30 et 20 ans d'ancienneté,
- les hommes des promotions ayant 10 et 5 ans d'ancienneté,
- les femmes des deux dernières promotions.

Il existait quelques autres modalités de réponses telles que stages, concours, candidature spontanée, qui n'ont pas réuni d'effectifs appréciables. Une catégorie "autres" a recueilli 73 réponses. Très peu de personnes n'ont énoncé aucun des moyens ci-dessous (Tableau 8).

Le fait de répondre aux annonces est une pratique répandue. Elle se combine en fait avec toutes les autres. Mise à part cette remarque, il est difficile d'analyser les réponses des femmes compte tenu des très faibles effectifs. Tout au plus peut-on noter l'importance relative des relations amicales.

10. Cf. C. Marry (1989).

En ce qui concerne les hommes, les jeunes utilisent plus volontiers les moyens formels que leurs aînés. Une analyse détaillée de la combinatoire des moyens utilisés montre qu'ils les combinent aussi plus souvent que ne le font les ingénieurs plus âgés. Les autres moyens, axés sur les relations ne sont que très peu combinés entre eux. Ils sont un peu plus fréquemment utilisés par les promotions les plus anciennes que par les jeunes.

TABLEAU 8 - PARMI LES MOYENS QUE VOUS VENEZ DE CITER (AFFICHAGE DES MOYENS CHOISIS),
QUEL EST CELUI QUI A ABOUTI EN DÉFINITIVE À VOTRE EMPLOI ?
(réponses multiples)

	Hommes ancienneté 30 et 20 ans		Hommes ancienneté 10 et 5 ans		Femmes ancienneté 10 et 5 ans	
	N	%	N	%	N	%
Contacté par l'employeur	67	25	100	21	7	15
Annonces passées	41	15	46	10	1	2
Recommandations	18	7	39	8	2	4
Relations amicales	38	14	36	8	9	19
Relations familiales	11	4	14	3	3	6
Cabinet	34	13	76	16	4	8
Réponses aux annonces	82	31	22	46	20	41
Ecole, AAE *	32	12	72	15	3	6
Annuaires	16	6	55	12	13	27
APEC, ANPE	23	9	84	18	7	15

Source : Enquête LASMAS-IFRESI, 1989.

* AEE : Association d'anciens élèves.

Tous ces résultats vont donc dans le même sens [11]. Ils nous incitent à faire l'hypothèse que pour les ingénieurs, il se constitue avec le temps ce que l'on pourrait appeler un capital de relations connu des entreprises et exploité par elles.

CONCLUSION

Chaque fois que nos données nous ont permis de les mettre à l'épreuve, les thèses classiques liant la forme des réseaux au résultat obtenu en fonction du statut social des intéressés se sont trouvés vérifiées, même si parfois les variations étaient faibles.

En ce qui concerne les personnes les moins qualifiées, l'enquête "Jeunes" de l'INSEE met d'abord en évidence l'importance de l'insertion, prise au sens le plus global, c'est-à-dire l'ensemble des différents cercles sociaux auxquels l'individu

11. Nous cherchons ici surtout à formuler des hypothèses. Ce qui nous importe est de trouver des régularités, même si celles-ci sont mises en évidence par de faibles différences dans les chiffres. C'est la convergence qui nous paraît convaincante. Pour cette raison et aussi parce que dans ces enquêtes on ne contrôle pas la représentativité de l'échantillon, nous ne calculons aucune statistique de type chi 2.

concerné a accès. C'est ce que montre l'importance considérable de la variable père actif/père chômeur ou inactif.

Pour ces jeunes, l'efficacité des liens forts - au sens de l'accès à un emploi quel qu'il soit - est claire. Les données confirment aussi la faible sélectivité professionnelle des plus forts des liens forts, c'est-à-dire de la famille, quant aux emplois qu'ils permettent d'obtenir par rapport à ceux trouvés par d'autres voies.

Les enquêtes sur les ingénieurs apportent un autre type d'information. Elles confirment l'intérêt d'une théorie qui prend en compte les stratégies combinées des entrepreneurs et des employés. L'effet de l'expérience professionnelle sur des indicateurs tels que "avoir été contacté par l'employeur" ou "recruté par un cabinet" le montre bien.

Toutes ces enquêtes révèlent par ailleurs un effet "réseau" différent selon le sexe : moindre efficacité de la famille pour les jeunes filles peu diplômées, défaillance relative du réseau professionnel pour les femmes-ingénieurs.

Ces résultats nous indiquent ainsi une voie à suivre : en ce qui concerne le marché du travail, les thèses classiques de Granovetter sont des incitations à poursuivre et à approfondir le problème plutôt qu'un corps théorique à mettre à l'épreuve. Il y a lieu de développer la réflexion sur la mise en relation des stratégies des entreprises et des stratégies individuelles.

Nous ne sommes pas incités non plus à nous rallier à la position affirmée par Héran (1988) qui considère que la corrélation entre les indicateurs de richesse du réseau de sociabilité et des indicateurs plus classiques comme le niveau d'instruction est telle que les premiers n'apportent guère de supplément d'explication par rapport aux derniers. Cette corrélation est réelle, mais nos résultats montrent que le réseau efficace pour l'accès aux emplois n'est pas celui qu'on repère lorsqu'on enquête sur la sociabilité. La famille y occupe une place particulière et le jeu des entreprises, directement ou à travers les cabinets de recrutement apparaît très important.

Comment ces résultats se relient-ils aux théories du marché du travail ?

Pour les sociologues et les économistes qui s'intéressent à cette question, l'enjeu est de connaître, de comprendre et de modéliser les comportements des acteurs.

Le plus souvent les éléments d'information que l'on introduit dans le modèle sont considérés comme des attributs du chercheur d'emploi. Celui-ci est au centre d'un réseau de relations qu'il utilise pour obtenir certains résultats (information sur les emplois disponibles, recommandations en vue d'une embauche etc.). C'est alors la forme de ces relations qui devient explicative des résultats obtenus (Granovetter, 1973 ; Lin, 1982). Parfois ce réseau de relations est conçu comme le cadre normatif dans lequel s'élabore une stratégie d'action. Le système des relations est toujours attaché à l'individu mais il est conçu comme l'ensemble des cercles sociaux dans lesquels évolue l'acteur (Degenne, 1986), chacun de ces cercles étant porteur d'un certain système de normes. Cette problématique permet d'émettre des hypothèses non seulement sur les moyens mis en oeuvre pour trouver un emploi mais aussi sur le type d'emploi recherché et l'adéquation entre les deux. On rejoint en l'exprimant en termes de réseaux les théories du capital social (Bourdieu, 1980 ; Coleman, 1990). Il semble qu'elle puisse permettre de poser des jalons pour une nouvelle théorie du marché du travail qui intégrerait mieux le comportement des acteurs.

Un autre point de vue fait aujourd'hui l'objet d'un important investissement chez les économistes. Il s'oppose aussi bien au modèle du marché néoclassique (ou walrasien) qu'au modèle que Favereau (1985) appelle le système inégalitaire. Le premier considère le chercheur d'emploi comme parfaitement informé et mobile. Il décide seul du choix de son emploi de façon à maximiser son utilité. L'état du marché en général est la conséquence de l'agrégation des différents comportements individuels. Dans le second, on interprète les comportements individuels comme induits par les appartenances de classes déterminées par l'origine sociale des personnes. On cherche à expliquer comment prend corps une convention entre un employeur et un employé [12]. Il n'y a plus un acteur, l'employé, intervenant sur un marché amorphe mais deux acteurs, l'employeur et l'employé qui mettent en oeuvre leurs stratégies. Il ne s'agit pas seulement de comprendre comment se forme un prix mais comment s'élabore un système de règles. L'un comme l'autre utilisent leurs relations. L'un et l'autre agissent en fonction d'une certaine rationalité et celles-ci peuvent être analysées à partir des caractéristiques de l'environnement qui les produit et qu'ils contribuent eux-mêmes à produire.

Nos résultats confortent cette dernière manière de voir les choses, surtout en ce qui concerne les ingénieurs. Ils montrent en effet l'importance de l'entreprise dans les négociations (implicites ou explicites) préalables à cette convention entre l'employeur et l'employé. Même si l'enquête "Jeunes" donne une image moins tranchée, il faut s'interroger sur la signification du poids de la famille comme intermédiaire. Il serait sans doute très instructif de réaliser une enquête représentative sur les stratégies relationnelles des entreprises et les réponses des chercheurs d'emploi à ces stratégies.

ALAIN DEGENNE
IRÈNE FOURNIER
CATHERINE MARRY
LISE MOUNIER
LASMAS, IRESCO, CNRS
59 rue Pouchet - 75849 PARIS CEDEX 17

12. Les difficultés auxquelles se sont heurtées les approches du marché du travail et du salaire visant à relâcher le cadre Walrasien sans abandonner le postulat de la rationalité individuelle, ont conduit certains économistes à élaborer des concepts étrangers au cadre néoclassique. Il en va ainsi du courant *conventionnaliste* (*Revue économique*, 1989, vol. 40) qui place au coeur de son analyse la question du lien ou de la relation de travail, appréhendée comme un compromis entre des intérêts contradictoires - intérêts du travailleur pour un salaire, intérêts de l'employeur pour un produit - ou sur ce que Salais (1989) appelle deux principes d'équivalence de natures différentes et décalés dans le temps - l'un marchand entre temps de travail et salaire, l'autre non marchand entre temps et produit futur du travail. Le paradigme qui est proposé aujourd'hui par les économistes met donc en avant la notion de lien. Etablir une relation d'emploi c'est créer un lien entre l'employeur et l'employé. La nature de ce lien est variable. Elle englobe en effet tous les systèmes de normes qui règlent les relations professionnelles entre les partenaires, qu'il s'agisse des conventions collectives explicitement négociées ou des règles de conduite qui sont partie intégrante d'un consensus social beaucoup plus large. Garnier (1986) utilise l'image de "la poignée de main invisible" pour signifier que l'état du marché que l'on observe à un moment donné est le produit d'une multitude d'accords négociés par des employeurs et des employés, à chaque fois sur une base particulière ... *l'employeur ne veut pas acheter du simple temps de travail, il veut aussi acquérir un pouvoir d'autorité sur la mise en oeuvre de ce temps de travail. De même l'employé ne veut pas seulement vendre son temps de travail mais il veut aussi obtenir une sécurité sur la rémunération de ce temps de travail. Or c'est du consentement de son propre employé, et non du marché, que dépend l'autorité de l'employeur, et c'est du consentement de son propre employeur et non du marché que dépend la sécurité de l'employé. Aussi, plutôt que de s'en remettre à l'intermédiation anonyme et indifférenciée de la "Main invisible", les deux partenaires ont-ils intérêt à instituer une "Poignée de main invisible" : ils ne vont plus négocier avec l'ensemble du marché, mais de façon bilatérale et exclusive: D'où la signature d'un "contrat implicite", qui peut être défini comme un ensemble d'engagements réciproques permettant de réaliser des transactions dans des termes différents de ceux prévalant sur le marché (p. 324).*

RÉFÉRENCES BIBLIOGRAPHIQUES

AGULHON, C. Des jeunes face au lycée professionnel ou à l'emploi. Rapport pour la DEP (Direction de l'Evaluation et de la Prospective), avril 1990. 72 p.

BERKOWITZ, S.D. Markets and market-areas : some preliminary formulations. In WELLMAN, B. and BERKOWITZ S.D. (eds). *Social structures : a network approach.* Cambridge, Cambridge University Press.

BOUGLÉ, C. Qu'est-ce que la sociologie ? *Revue de Paris*, 1er août 1897.

BOURDIEU, P. Le capital social. *Actes de la Recherche en Sciences sociales*, 1980, vol. 31, p. 2-3.

CAMPBELL, K.E., MARSDEN, P. V. and HURLBERT, J.S. Social resources and socioeconomic status. *Social Networks*, 1986, vol. 8, n° 1, p. 97-116.

CENTI, C. De l'embauche à la mobilisation salariale. CERS, Université d'Aix-Marseille II, novembre 1982. (ronéo).

COLEMAN, J. *Foundations of social theory.* The Belknap Press of Harvard University Press, 1986, p. 300-324.

DEGENNE, A. *Un langage pour l'étude des réseaux sociaux. L'esprit des lieux.* Paris, Editions du CNRS, 1986.

DEGENNE, A., DUPLEX, J. Une qualification industrielle actuelle : les OHQ de Port-de-Bouc. *Terrain*, 1984, n° 2, p. 51-61.

DUTAY, L. Cinq millions de jeunes ruraux. *Revue Française des Affaires Sociales*, décembre 1987, p. 117-123.

ECONOMIE ET STATISTIQUE. Dossier : l'entrée des jeunes dans la vie active, décembre 1988, n 216.

FAVEREAU, O. Evolution récente des modèles et des représentations théoriques du fonctionnement du marché du travail. Communication aux journées d'étude des 3 et 4 octobre 1985, Ministère du travail, Ministère du plan. 34 p.

FISCHER, C.S. *To dwell among friends. Personal networks in town and city.* Chicago, Chicago University Press, 1982.

GARNIER, O. La théorie néoclassique face au contrat de travail : de la main invisible à la poignée de main invisible. In SALAIS, R., THEVENOT, L. (eds). *Le travail : marchés, règles, conventions.* Paris, Economica, 1986.

GRANOVETTER, M.S. The strength of weak ties. *American Journal of Sociology*, 1973, p. 1361-1380.

GRANOVETTER, M.S. *Getting a job.* Cambridge, Harvard University Press, 1974.

GRANOVETTER, M.S. The strength of weak ties : a network theory revisited. In MARSDEN, P. V. and LIN, N. *Social structure and network analysis.* Beverly Hills, Sage Publishers, 1982, p. 105-130.

GRELON, A. La question des besoins en ingénieurs de l'économie française. Essai de repérage historique. Aix, Université de Provence. *Technologie-Idéologies-Pratiques*, 1987, vol. VI(4) et VII(1), p. 3-23.

HERAN, F. La sociabilité, une pratique culturelle. *Economie et Statistique*, 1988, n° 216, p. 3-22.

KOCHEN, M. *The small world.* Ablex Publishing Corporation, Norwood N.J., 1988.

LE GALL, D. Insertion sociale, mode d'insertion et sociabilité. Rapport pour l'Ecole des parents et des éducateurs du Calvados, Université de Caen, Centre de recherche sur le travail social, septembre 1989. 45 p.

LIN, N. Social resource and instrumental action. In MARSDEN, P. V. & LIN, N. *Social structure and network analysis*. Beverley Hills, Sage, 1982.

LIN, N. and DUMIN, M. Access to occupations through social ties. *Social Networks*, 1986, vol. 8, n° 4, p. 365-386.

MARC, G. Les jeunes de 15 à 24 ans. *Contours et caractères*, INSEE, 1989, 76 p.

MARRY, C. Origine sociale et réseaux d'insertion des jeunes ouvriers. *Formation-Emploi*, 1983, n° 4, p. 3-15.

MARRY, C. Femmes-ingénieurs : une (ir)résistible ascension ? *Information sur les Sciences Sociales*, 1989, vol. 28, n 2, p. 291-344

MAURICE, M. *et al.* Travail, modes de vie et espaces sociaux. Aix-en Provence, CNRS-LEST, 1972. Rapport de recherche (3 volumes).

REVUE FRANCAISE DES AFFAIRES SOCIALES. Numéro hors-série sur "les 15-24 ans", décembre 1987.

SALAIS, R. L'analyse économique des conventions de travail. *Revue économique*, 1989, vol. 40, n° 2, p. 199-240.

SIMMEL, G. *Sociologie et épistémologie*. Paris, PUF, 1982.

STOECKEL, F., DUPLEX, J. & MARRY, C. Crise et recomposition de la main d'œuvre. Un quartier industriel de Marseille. Séminaire d'économie et de sociologie du travail et de la santé. Aix, LEST-CNRS, 1983.

TANGUY, L. (sous la direction de). *L'introuvable relation formation-emploi. Un état des recherches en France*. Paris, La Documentation Française, 1986.

THELOT, C. Le poids d'Anchise. La mobilité sociale en France. INSEE, Direction Régionale de Nantes, sept 1980. Repris dans *Tel père, tel fils*. Paris, Dunod, 1982.

WHITE, H.C. Varieties of markets. In WELLMAN, B. and BERKOWITZ, S.D. (eds). *Social structures : a network approach*. Cambridge, Cambridge University press, 1988.

ANNEXES

ANNEXE 1 : EXTRAIT DU QUESTIONNAIRE DE L'ENQUÊTE FASFID 1987

Seuls ceux qui avaient changé au moins une fois d'employeur dans leur carrière devaient répondre. La question était formulée ainsi :

Comment avez-vous trouvé un nouvel emploi ? (une seule réponse)

1- Par petites annonces
2- Par candidature spontanée
3- Par votre association
4- Vous avez été contacté par votre employeur actuel
5- Par un cabinet professionnel spécialisé
6- Par l'APEC
7- Par un autre moyen (à préciser)

Remarquons que seul le moyen efficace est retenu. il est donc logique de demander une seule réponse.

ANNEXE 2 : EXTRAIT DU QUESTIONNAIRE DE L'ENQUÊTE PAR MINITEL (LASMAS-IFRESI, 1989)

Comment avez-vous cherché votre (premier) emploi ? (5 réponses possibles)

1 - Par petites annonces
<En cas de réponse positive, on proposait le sous-écran suivant >

Vous avez cherché votre emploi par petites annonces. S'agissait-il de
 - réponses à des annonces
 - passation d'annonces

2 - Par un cabinet professionnel spécialisé
3 - Par une candidature spontanée
 <En cas de réponse positive, on proposait le sous-écran suivant>

Vous avez cherché votre emploi par candidature spontanée. Etait-ce :
- à partir d'annuaires professionnels
- à partir de recommandations
- autre

4 - Par votre école
 <En cas de réponse positive, on proposait le sous-écran suivant>

Vous avez cherché votre emploi par [nom de l'école]. S'agissait-il de :
- l'école elle-même
- l'association des anciens élèves de votre école

5 - Par relations familiales ou amicales
<En cas de réponse positive, on proposait le sous-écran suivant >

Vous avez cherché votre emploi par relations. S'agissait-il de :
- relations de votre père
- relations de votre mère
- relations d'autres personnes de votre famille
- relations amicales

6 - Par l'ANPE, l'APEC

7 - A la suite d'un stage

8 - Par un concours de la fonction publique (enseignement, recherche, administration)

9 - J'ai été contacté(e) par mon futur employeur

10- Autre
<En cas de réponse positive, on proposait le sous-écran suivant >

Pourriez-vous préciser en quelques mots les moyens que vous avez mis en oeuvre pour chercher votre (premier) emploi.

IMPACT DU CHÔMAGE SUR LA SANTÉ MENTALE
PREMIERS RÉSULTATS D'UNE ANALYSE DE RÉSEAUX

RÉSUMÉ : *On présente ici les premiers résultats d'une étude socio-épidémiologique concernant l'impact du chômage sur la santé. Une tentative est faite pour passer des relations statistiques à l'intelligibilité sociologique. La même enquête et les mêmes traitements statistiques ont été faits sur un échantillon de 100 sujets ayant vécu le stress du licenciement dans une petite entreprise et sur un groupe témoin composé d'un nombre égal de salariés d'une entreprise nationalisée. Malgré l'absence d'un modèle normatif dérivé des études de réseaux, les différences repérées entre les deux échantillons permettent d'identifier plusieurs facteurs potentiels de risque ou de protection pour la santé mentale.*

INTRODUCTION

Cet article présente les résultats d'une première analyse des données de notre enquête socio-épidémiologique consacrée à l'étude du rôle que peuvent jouer les relations sociales d'une personne en situation critique, sur sa santé.

Une entreprise qui procédait à un important licenciement collectif a servi de support principal à notre observation. Une autre entreprise où l'emploi n'était pas menacé a permis de constituer un échantillon témoin. Dans ces deux entreprises, nous avons mis en oeuvre un protocole d'observation qui a permis de confronter des indicateurs descriptifs du réseau de relations de chaque personne enquêtée avec des indicateurs permettant d'apprécier son état de santé physique et mentale.

Une première phase de l'enquête s'est déroulée avant le licenciement intervenu dans la première entreprise, une seconde phase, après ce licenciement.

Nous présenterons et discuterons tout d'abord les thèses existantes et les résultats des travaux antérieurs consacrés à ce qu'il est convenu d'appeler le soutien relationnel. Nous exposerons ensuite nos procédures d'observation. Nous discuterons enfin une partie des résultats obtenus. Un aspect important de ce travail est de contribuer à une définition du risque pour la santé mentale, en l'absence d'un modèle normatif de sociabilité dérivé de l'analyse des réseaux sociaux.

1. LE SOUTIEN RELATIONNEL

Le soutien qu'une personne peut attendre de son environnement est-il principalement déterminé par les individus qui composent son réseau, par la forme des relations, ou par les caractéristiques du système que forment ces relations ?

Si le concept de réseau social a une histoire déjà ancienne (les premières études ayant fait de cette notion le centre de leur approche méthodologique et théorique datent des années 50 (Barnes, 1954 ; Bott, 1957), celui de soutien relationnel (*social support*) ne fait, en revanche, son apparition que vers le milieu des années 70 dans les articles des épidémiologues John Cassel (1974, 1976), Stanley Cobb (1976) et du psychiatre social Gerald Caplan (1964, 1974). Initialement concerné par l'impact de l'environnement psychosocial sur la santé, J. Cassel a soutenu l'idée que parmi les personnes confrontées à un niveau élevé de désintégration sociale, celles qui reçoivent des signaux confus ou insuffisants de la part de leur milieu social sont les plus susceptibles de développer diverses formes de pathologie physique ou mentale.

G. Caplan a utilisé de manière similaire la notion de rétroaction sociale (*social feedback*) - à savoir la confirmation que les actions entreprises mènent aux conséquences prévues, ou du moins prévisibles - dans son action de promotion des "systèmes" informels de soutien relationnel pour la réussite d'une politique cohérente de santé mentale dans la communauté. Enfin, le groupe de Cobb et Kasl, de l'Université de Yale (USA) a été l'un des premiers à opérationnaliser le rôle de l'environnement psychosocial dans l'étiologie des maladies susceptibles d'être associées avec certains événements représentant une "transition psychosociale" (divorce, deuil, ou, comme dans le cas qui nous occupe ici, le licenciement et le chômage), en termes de soutien relationnel.

Peu à peu , cette notion de soutien relationnel s'est donc imposée comme une famille de variables jugées indispensables dans la plupart des modèles explicatifs des relations entre événements ou situations stressants et état de santé (modèles appelés couramment "stress-vulnérabilité" (Gore, 1981 ; Wheaton, 1985 ; Lin, Ensel, 1989).

En termes cognitifs le soutien relationnel a pu être défini comme représentant un ensemble de perceptions conduisant une personne à croire qu'elle est (1) sympathique aux autres, ou aimée (2); estimée ou appréciée, et (3) qu'elle fait partie d'un réseau de communications et obligations mutuelles (Cobb, 1976 ; Turner *et al.*, 1983) [1]. Dans l'acception de ces auteurs, il s'agit d'une notion difficile à traduire par une variable quantitative et qui représente plutôt une sorte d'information, ou de signal reçu par le sujet, lui permettant d'adopter un comportement social moins dépendant des autres. L'un des auteurs les plus importants de ce domaine de recherche, Barry Wellman qui par sa formation et son approche sociologique, se situe d'un point de vue théorique à l'opposé de la conception "perceptuelle" de Cobb, considère "qu'il n'existe pas un type particulier de relations sociales - qu'on pourrait appeler soutien relationnel - mais plutôt plusieurs types de ressources supportives qui circulent à travers des réseaux informels" (Wellman, Wortley, 1990). Il adopte cependant en dernière instance, par son mode d'opérationnalisation des variables, une position proche de celle de Cobb. L'important pour lui est de savoir si une relation apporte ou non de l'aide (terme qu'il utilise - avec

---

1.   Pour illustrer sa définition du soutien relationnel, Cobb donne l'exemple des diverses activités de soins mises en place dans un service hospitalier autour d'un patient souffrant d'une fracture de la jambe. Il souligne le fait que les divers services apportés par le personnel soignant au patient ne recouvrent pas ce que l'on doit entendre par soutien relationnel.

celui de ressource - à la place de celui, générique dans son acception, de soutien relationnel), et non pas la quantité ou l'adéquation de l'aide apportée.

Si la quantité (de soutien relationnel, dans un cas, d'aide "relationnelle" dans l'autre) est donc considérée comme non-significative dans les deux conceptions, la signification (*meaning*) psychosociologique de l'échange n'est prise en considération de manière explicite que dans la définition de Cobb. Mais alors que, pour cet auteur, le soutien relationnel apparaît plutôt comme un "plus" désintéressé apporté par certaines relations (malgré l'existence d'une "norme de réciprocité", postulée par Gouldner, 1960) la définition de Wellman souligne surtout l'ancrage de la production du soutien relationnel à l'intérieur d'un réseau social dont Ego serait le principal bénéficiaire. Parmi les premiers à avoir considéré le soutien relationnel comme une propriété (soit fonctionnelle, soit de contenu relationnel) des réseaux sociaux, Wellman (1981) écrivait ceci : "L'analyse de réseaux peut faciliter ce changement de paradigme (d'une analyse catégorielle à une analyse relationnelle et structurale dans les sciences sociales) en mettant l'accent sur la nature asymétrique et multiple des liens sociaux et sur l'importance des modèles structuraux. En considérant le contenu des liens comme des flux de ressources, elle construit l'étude du soutien relationnel comme une étude des ressources susceptibles de représenter un soutien et relie l'allocation de ces ressources à des phénomènes macro-sociaux".

Kaplan, Cassel et Gore avaient proposé en 1977 une définition du soutien relationnel qui se rapproche de celle apportée, quelques années plus tard, par des sociologues comme Wellman et Fischer. Selon eux, bénéficier de soutien relationnel signifierait avoir atteint un certain degré de satisfaction des besoins sociaux fondamentaux, à travers ses interactions avec certains membres de son réseau. Les besoins sociaux fondamentaux, au nombre de cinq seraient les suivants : affection, estime ou approbation, sens de l'appartenance, identité et sécurité. Ils peuvent être satisfaits soit sous la forme d'une aide socio-émotionnelle, soit sous celle d'une aide instrumentale (matérielle ou informationnelle). Le "système de soutien relationnel" est défini comme le sous-ensemble des membres du réseau d'une personne sur qui celle-ci peut s'appuyer pour obtenir cette aide socio-émotionnelle ou instrumentale. On peut également noter à l'actif de la compatibilité de cette définition avec une approche en termes de réseaux sociaux, qu'elle ne postulait pas la réciprocité des relations supportives.

Nous pensons qu'une discussion cohérente de la problématique du soutien relationnel en tant que propriété fonctionnelle des réseaux, doit franchir un pas supplémentaire en soulignant davantage la spécificité de l'approche structurale par rapport à celles qui considèrent le support comme un produit soit des attributs individuels des sujets eux-mêmes, soit de ceux de leurs relations.

Dans ce sens, notre propre position (formulée comme hypothèse de travail qui oriente toute notre analyse) est que la validité de cette approche structurale pour l'étude du soutien relationnel, par rapport à une approche en termes d'interactions, peut être testée de manière indirecte. Pour ce faire, nous comparerons l'effet de variables exprimant des caractéristiques structurelles du réseau et celui de variables de soutien relationnel sur des variables considérées comme dépendantes, du type état de santé ou bien-être psychosocial. Ces deux sortes de variables explicatives sont en fait mesurées au même moment mais demeurent indépendantes d'un point de vue méthodologique. L'idée sous-jacente étant que si, par exemple, les variables de soutien relationnel retenues pour l'analyse présentaient un coefficient de corrélation plus élevé avec les variables dépendantes, que les variables de réseau, ceci signifierait qu'une approche interactionnelle du soutien social est plus à même de rendre compte de la spécificité de ces processus sociaux qu'une approche structurale [2].

2. PRÉSENTATION DE LA RECHERCHE

2. 1. LES ÉCHANTILLONS

L'étude a débuté au mois de février 1985, avec le recueil des données dans l'échantillon principal (100 sujets, dont 41 femmes et 59 hommes). Cet échantillon a été constitué parmi le personnel d'une importante usine de composants électroniques située à une trentaine de kilomètres environ de Paris, dont nous avons appris, par la presse, qu'elle allait procéder bientôt à un licenciement collectif. Il faut préciser aussi que l'entreprise en question avait déjà licencié une importante partie de son personnel au cours des années précédentes. Ainsi, de 4100 salariés qu'elle comptait en 1978 elle est arrivée à un effectif de 1600 personnes au début de l'année 1985, quand la direction a annoncé 1000 licenciements supplémentaires au cours de la même année.

Des données concernant le soutien relationnel, aussi bien que d'autres propriétés des réseaux sociaux des sujets inclus dans l'échantillon, de même que leur état de santé mentale et physique, ont été recueillies entre février et avril 1985, donc quelques mois **avant l'événement majeur du licenciement collectif** qui a eu lieu le 31 juillet 1985. La deuxième phase de l'étude s'est déroulée entre janvier et avril 1986 (taux de participation : 86 %). 42 sujets (21 hommes et 21 femmes) étaient effectivement au chômage à ce moment-là, 37 sujets avaient conservé un emploi dans la même entreprise (ayant néanmoins changé, pour la plupart, le profil du poste de travail, à la suite d'une restructuration radicale de la production et de l'organisation de l'entreprise, commencée bien avant l'annonce des licenciements) et enfin 21 personnes avaient déjà trouvé un autre emploi (17 à la suite d'une démarche personnelle, et 4 par mutation).

2. 1. 1. L'ÉCHANTILLON PRINCIPAL

La moyenne d'âge lors de la première phase était de 38 ans pour les hommes et de 41 ans pour les femmes. 35 sujets avaient une ancienneté de 10 à 19 ans et 33 de 20 à 30 ans. Selon le niveau d'instruction, l'échantillon peut être divisé en trois groupes : 40 sujets avaient le niveau V (selon la classification de l'INSEE), 31 sujets le niveau VI, et 29 le niveau II, III ou IV. 66 sujets étaient mariés, 18 étaient divorcés, séparés ou veufs, 16 n'avaient jamais été mariés. 79 sujets avaient de 1 à 4 enfants, dont 33 un enfant et 35 deux enfants.

---

2. Si l'on adopte un parti contraire au nôtre et que l'on veut tester directement l'impact de diverses propriétés des réseaux (structurales ou interactionnelles) sur la mobilisation du soutien relationnel, il devient indispensable (parmi d'autres conditions d'ordre méthodologique) d'utiliser un procédé d'identification des membres du réseau qui soit basé sur des critères autres que le soutien relationnel. Fischer (1982) avait clairement souligné le biais méthodologique consistant à conclure à l'existence d'une corrélation entre la densité des réseaux et le soutien relationnel perçu par les sujets, alors que le même procédé est utilisé pour identifier les membres du réseau (sur lequel on fonde ensuite le calcul de la densité) et pour mesurer le soutien relationnel.

2. 1. 2. L'ÉCHANTILLON-TÉMOIN

Nous avons constitué également un échantillon-témoin (ou groupe de contrôle, dans le langage de l'épidémiologie) d'une centaine de sujets, salariés d'une grande entreprise nationalisée, donc exempts de la menace du chômage, en juin-juillet 1986. La distribution des sujets dans l'échantillon-témoin selon le sexe, l'âge, le niveau d'instruction, la catégorie socio-professionnelle, ainsi que l'ancienneté dans l'entreprise est très proche de celle des sujets de l'échantillon principal. Sur cet échantillon, nous avons suivi aussi un plan de recueil de données similaire à celui de l'échantillon principal. Ainsi, 12 mois plus tard nous avons procédé à la deuxième phase pour l'échantillon-témoin (été 1987).

•

2. 2. LES INSTRUMENTS.

Lors de la deuxième phase ont été utilisés les mêmes instruments que lors de la première (questionnaires remplis par l'enquêteur et questionnaires auto-administrés). Pour l'identification des membres de chaque réseau nous avons utilisé un questionnaire élaboré pour étudier séparément le soutien relationnel de type émotionnel, tangible et informationnel. A l'aide du même questionnaire nous avons obtenu aussi des données relatives à la participation à diverses associations ou groupes informels, ainsi qu'à la fréquentation des églises ou autres lieux de culte [3].

L'évaluation de l'état de santé mentale a été faite à l'aide de la HSCL (*Hopkins Symptom Check List*), qui est une liste de 58 symptômes proposée aux sujets par le chercheur, sur un mode d'autoévaluation. Les réponses des sujets permettent d'établir un score en cinq dimensions : somatisation (12 symptômes), obsessionnalité-compulsivité (8 symptômes), sensibilité interpersonnelle (7 symptômes), anxiété (7 symptômes) et dépression (11 symptômes). Cet instrument est généralement considéré comme un outil fiable et valide pour "inventorier" des symptômes du type névrotique (Derogatis *et al.*, 1974).

La HSCL et d'autres instruments du type "self-report" ont été initialement mis au point pour la recherche avec des patients psychiatriques (et quelquefois des patients en médecine générale), mais ont été ensuite utilisés avec succès auprès de la population générale (par exemple dans l'étude menée par Ilfeld, à Chicago en 1978).

L'état de santé physique a été apprécié à partir d'un autre questionnaire d'autoévaluation, qui est la version française de l'instrument créé pour le *Survey of Health and Ways of Living*, étude réalisée par le Laboratoire de population humaine du Département de Santé Publique de l'Etat de Californie (USA), en 1965. Les questions couvraient une assez large variété d'états chroniques, de symptômes somatiques spécifiques, ainsi que certains types d'incapacité fonctionnelle. Les sujets ont pu ainsi être classés en fonction de leur problème de santé le plus sérieux. Une confrontation des données recueillies par le questionnaire avec le contenu des dossiers médicaux a permis de confirmer la fiabilité et la validité de cet instrument.

---

3. Nous avons également recueilli des données sur les événements de vie autres que le chômage et sur des aspects qualitatifs de la dynamique des réseaux. Pour ces enquêtes, des instruments du type guide d'interviews ont été préférés au questionnaire.

2. 3. CONSTRUCTION DES VARIABLES

Pour le choix des variables de réseau et de soutien relationnel, nous nous sommes fondés à la fois sur les résultats obtenus à l'issue de la première phase de notre étude, ainsi que, dans une perspective plus large de recherche comparative (inter-culturelle), sur certains résultats de l'étude menée par l'équipe de Wellman, dans le quartier East York de Toronto (Wellman *et al.*, 1988).

Nous avons ainsi défini d'une part des variables décrivant les propriétés du réseau, d'autre part des variables décrivant les modalités du soutien relationnel.

2. 3. 1. VARIABLES DÉCRIVANT LE RÉSEAU

Le degré d'inscription macro-structurale (*embeddedness*, dans l'étude canadienne), est une mesure du degré auquel les relations entre le sujet, ou Ego, et les membres de son réseau, existent plutôt du fait de l'initiative des deux personnes qu'elles relient ou plutôt comme conséquence du contexte "macro-structural" où s'inscrivent les deux acteurs sociaux, par exemple celui des ouvriers d'un même atelier, ou celui des voisins habitant un même pâté de maisons. Wellman *et al.* ont trouvé qu'à East York 81 % des relations entre les sujets et les membres de leurs réseaux existaient du fait de leur inscription macro-structurale. Cette proportion était de 93 % pour les liens avec des voisins ou des relations de travail côtoyées quotidiennement, et de 73 % pour les relations plus volontaires avec des personnes considérées néanmoins comme des intimes.

Le contexte micro-structural primaire (*dyadpoly* en anglais), évalue, dans chaque réseau, si les interactions ont lieu plutôt entre des personnes seules, ou plutôt entre couples, ou encore, en groupe. Concernant cette variable, Wellman *et al.* (1988) avaient trouvé que 23 % des liens "significatifs" étaient des relations entre couples mariés, et que cette proportion passait à 30 % si l'on élargissait la définition du couple à toutes les paires de sujets se présentant comme telles dans une interaction. Ces auteurs ont aussi trouvé que dans 76 % des réseaux étudiés, une majorité des membres entretenaient des relations avec Ego soit en tant que personnes seules en présence d'un couple, soit en tant que couples. A partir de ces résultats on a pu considérer également cette variable comme une approximation d'une autre propriété structurale, la densité du réseau.

LES INTERACTIONS

Quatre autres indicateurs ont été retenus pour caractériser chaque réseau :
- la fréquence des interactions entre Ego et les membres de son réseau,
- la durée des relations entre Ego et les personnes qui font partie de son réseau,
- le degré d'intimité (de proximité affective) des relations reliant Ego aux membres de son réseau,
- le statut actuel ou latent des relations entre Ego et les membres de son réseau.

Ces quatre mesures sont appréhendées globalement par les médianes des distributions des valeurs entre les membres du réseau.

Le choix de ces quatre variables d'interaction a été déterminé, entre autres, par un souci de vérifier, dans le contexte français, les conclusions du chapitre consacré à la structure des réseaux étudiés au Canada par Wellman *et al.* (1988). Ces auteurs écrivaient : "Les résultats concernant la nature des réseaux des habitants de East York peuvent contribuer à résoudre le paradoxe concernant les liens communautaires, visibles dans les enquêtes et les interviews mais invisibles à l'oeil nu. Ces liens existent certainement et sont bien structurés. Mais ils se manifestent dans des petits groupes, à travers des rencontres dans les appartements et par téléphone, et non pas en tant que groupes nombreux s'agglomérant dans des lieux publics, des cafés, ou autres foyers de rencontre. Le caractère *intime* de leur fonctionnement peut aider à expliquer la *stabilité* de ces réseaux : il est bien difficile en effet, pour les habitants de East York, de rencontrer beaucoup de nouvelles personnes, s'ils ne déménagent pas, ne changent pas d'emploi ou d'époux/épouse".

2. 3. 2. LES VARIABLES DE SOUTIEN RELATIONNEL

Notre choix des variables de soutien relationnel a été guidé par la littérature, ainsi que par les résultats obtenus à l'issue de la première phase de notre étude. Schaefer *et al.* (1981) ont remarqué que malgré un souhait souvent exprimé de ne privilégier aucune composante du concept de soutien relationnel, une majorité de chercheurs met en oeuvre empiriquement ce concept (dans l'étude des conséquences sur le plan de la santé ou du fonctionnement psychologique), en partant du principe que le soutien émotionnel est plus important que le soutien matériel (en termes de services, dépannage, aide financière, etc.). Leur étude a été une des premières à accorder une importance théorique égale à ces deux types de soutien, ainsi qu'au soutien informationnel. Ils avaient trouvé que le soutien matériel était négativement corrélé de manière plus significative que le soutien émotionnel avec les items regroupés sous la dimension "dépression" (mesurés avec le même instrument que le nôtre), alors que le soutien informationnel ne jouait apparemment aucun rôle par rapport aux symptômes de dépression.

En ce qui nous concerne, à l'issue de la première phase de notre enquête (c'est-à-dire avant le licenciement), nous avons également observé une corrélation négative (statistiquement significative) entre le soutien matériel global, (c'est-à-dire sans distinguer entre les différents types de "supporters"), et le score de dépression, mais uniquement pour les femmes.

Pour les hommes, par contre, seul le score de réseau social était négativement corrélé avec le score de dépression, alors que le soutien matériel des amis était positivement corrélé avec la note de dépression. Ceci pourrait signifier que pour les hommes, à la différence des femmes, ce type de soutien relationnel serait plutôt un facteur de risque.

Nos variables de soutien relationnel sont les suivantes :

LE SOUTIEN MATÉRIEL :

(1) Le soutien apporté par Ego aux membres de son réseau dans les démarches administratives auprès de l'Agence Nationale pour l'Emploi, de la Sécurité Sociale, etc.
(2) Le même type de soutien relationnel, mais cette fois apporté au sujet par les membres de son réseau, c'est-à-dire la réciproque de (1),
(3) Le soutien apporté par Ego aux membres de son réseau par des prêts d'outils, ou d'autres objets nécessaires dans la vie de tous les jours,
(4) La réciproque de (3).

LE SOUTIEN INFORMATIONNEL :

(5) Le soutien informationnel autour des problèmes de la vie familiale, concernant l'éducation des enfants, etc. apporté par Ego aux membres de son réseau,
(6) La réciproque de (5),
(7) Le soutien informationnel apporté par Ego aux autres à propos de la recherche d'emploi, de diverses possibilités d'embauche, etc.
(8) Le même type de soutien que (7) mais reçu par Ego de la part de son réseau.

LE SOUTIEN ÉMOTIONNEL :

(9) Le soutien émotionnel "mineur", c'est-à-dire reçu par le sujet dans des situations courantes de la part des membres de son réseau,
(10) Le soutien émotionnel "mineur", apporté par le sujet aux autres,
(11) Le soutien émotionnel "majeur", reçu par le sujet à l'occasion d'une situation d'urgence, ou d'une "crise", ou en cas de difficulté persistante qui préoccupe le sujet depuis au moins deux ans,
(12) Le soutien émotionnel "majeur" apporté par le sujet à des membres de son réseau [4].

Tous ces types de soutien ont été appréhendés par la valeur médiane de la distribution entre les membres du réseau.

2. 4. HYPOTHÈSES DE L'ÉTUDE

Nous avions comme objectif initial d'étudier le rôle du soutien relationnel dans l'apparition et le cours des éventuelles conséquences du chômage sur la santé physique et mentale d'un groupe de salariés concernés par ce problème.
Plusieurs études, dont celle de Schaefer, Coyne et Lazarus (1981), ont montré que dans certains contextes particulièrement stressants (catégorie dans laquelle nous incluons la perte d'emploi et le chômage), le soutien relationnel perçu par les sujets est l'indicateur le plus puissant des ressources de protection dont disposent ces sujets. Pour vérifier cette hypothèse sur nos données, nous avons d'une part évalué les différents types de soutien relationnel perçus et d'autre part calculé une note mesurant l'importance du réseau de la personne enquêtée (note calculée au moyen du *Social Network Index* de Berkman et Syme, 1979).
Les corrélations entre les cinq dimensions du score de santé mentale et les indicateurs du soutien relationnel se sont révélées systématiquement plus élevées que

---

4.   Dans une première phase de l'analyse, nous avons montré, sur l'échantillon principal, que les mêmes types de soutien relationnel peuvent être apportés par des membres du réseau différents. Ce résultat infirme la thèse de la spécialisation des membres du réseau par rapport aux types de soutien, thèse soutenue en particulier par Wellman et Fischer. Wellman et Wortley (1990), s'étaient en effet donné pour question : quel type de soutien relationnel est procuré par chaque type de lien? En classant notre population par groupes selon le sexe et la situation par rapport à l'emploi, nous avons également constaté qu'un même type de soutien relationnel, apporté par des membres différents du réseau, avait sur la santé mentale un impact variable. Des variations étant appréhendées aussi bien entre les groupes qu'au sein des groupes. Comment expliquer cette situation ? Notre réponse s'appuie sur des considérations de structure, c'est-à-dire qu'elle est formulée en termes de propriétés des réseaux considérés dans leur globalité, et non pas en termes d'attributs individuels ou de propriétés des relations interpersonnelles.

celles de ces mêmes dimensions du score de santé mentale avec la note caractérisant l'importance du réseau.

A partir de la deuxième phase, nous avons opté pour une perspective théorique plus proche de l'analyse de réseaux telle qu'elle a été exposée par Barry Wellman (1983, 1988), pour la mesure des relations entre des variables telles que le soutien relationnel ou les événements stressants, et des variables décrivant l'état de santé des sujets, dans une perspective longitudinale.

Alors que dans notre projet initial nous nous étions situés dans une perspective cognitiviste, concernant les potentialités individuelles de résistance au stress, basées essentiellement sur une réévaluation subjective de la situation, nous avons essayé, en adoptant cette nouvelle perspective théorique, d'élargir non seulement la sphère des variables de réseau prises en considération, mais également de ne choisir, pour la comparaison avec les variables de soutien relationnel, que les variables de réseau pour lesquelles on pouvait trouver un degré satisfaisant d'indépendance méthodologique par rapport aux premières.

DIFFICULTÉS POUR DÉFINIR LE RISQUE EN TERMES DE PROPRIÉTÉS DE RÉSEAU, DUES À L'ABSENCE D'UN MODÈLE NORMATIF DE RÉFÉRENCE

Pour les variables de soutien relationnel, ainsi que pour les variables interactionnelles de réseau, le fait de trouver un coefficient de corrélation de signe positif et statistiquement significatif entre ces variables et certaines variables de santé mentale, peut être considéré comme une indication permettant d'identifier un facteur de risque. Ceci dans la mesure où une note plus élevée pour un item de santé mentale correspond à un état moins satisfaisant, alors qu'une note plus élevée pour les variables de soutien ou interactionnelles correspond, au contraire, à une situation d'autant plus proche de ce qui est supposé comme socialement désirable. Recevoir plus de soutien est considéré généralement comme préférable à en recevoir moins, avoir un réseau principalement composé de relations "intimes" est considéré préférable à un réseau composé surtout de simples "connaissances", etc.

Inversement, un coefficient de signe négatif serait jugé comme étant l'expression d'un facteur probable de protection. Une note moins élevée pour un symptôme donné correspondrait en effet, dans ce cas, à une configuration de variables décrivant un environnement psycho-social plus "désirable".

Les problèmes commencent quand le degré de désirabilité sociale de tel ou tel niveau (degré, note) d'une variable de réseau ne peut plus être considéré comme une évidence. Ainsi, sans chercher le paradoxe à tout prix, nous pouvons rappeler certains résultats, largement admis, obtenus dans des études de réseau menées auprès de populations ayant des caractéristiques particulières (par rapport à la population "générale", terme désignant dans le langage des épidémiologues des échantillons plus ou moins représentatifs de la population globale d'une unité territoriale et administrative donnée), ou "pathologiques", ou qui, dans un langage plus proche de celui de la sociologie, ne correspondent que très approximativement à un quelconque modèle normatif de sociabilité.

Quelquefois des relations moins intimes avec des parents très proches peuvent empêcher une rechute voire même une réhospitalisation, pour des personnes diagnostiquées schizophrènes et vivant dans leur famille. Pour d'autres personnes, plus proches de la normalité celles-là, une rencontre, même fortuite, avec une "connaissance" (qui peut être une relation considérée comme amicale, ou une ancienne relation de travail, etc.) est parfois à l'origine d'un nouvel emploi, de manière plus directe (c'est-à-dire en passant par moins d'intermédiaires) et plus satisfaisante subjectivement (car elle susciterait moins de doutes sur le caractère désintéressé de l'intervention en sa faveur), que des contacts routiniers (et souvent fortement hiérarchisés) ayant lieu dans le milieu de travail ou de vie habituels de ces personnes.

Comment établir le degré de désirabilité sociale des différentes valeurs des deux variables structurales de réseau décrites ci-dessus : le degré d'inscription macro-structurale et le contexte micro-structural primaire ?

3. PRÉSENTATION DES RÉSULTATS

Dans les pages suivantes nous ébaucherons un début de réponse à cette question, en discutant les résultats des analyses de corrélation entre les variables de réseau ou de soutien relationnel, d'une part, et les items de santé mentale d'autre part. Nous ne prenons en considération que les seuls coefficients de corrélation significatifs.

Nous avons travaillé sur trois populations :
- les seuls membres des réseaux considérés comme "amis",
- les "relations de travail".
- la totalité des membres des réseaux, qui contient donc les deux sous-échantillons précédents.

Pour chaque traitement, nous avons distingué les sujets masculins et les sujets féminins. Nous avons des résultats pour la première phase de l'enquête avant licenciement et des résultats pour la seconde phase. Les mêmes corrélations ont été calculées pour l'échantillon principal et pour l'échantillon-témoin. Cette combinatoire engendre donc 24 situations. Dans chaque situation ont été observées les corrélations des douze variables de soutien social et des six variables de réseau avec tous les symptômes de notre liste (cf. 2.2.). Ceci fait un nombre considérable de résultats chiffrés dont nous allons tenter la synthèse.

3. 1. EFFET DU CONTEXTE MICRO-STRUCTURAL PRIMAIRE

Parmi les analyses de corrélation réalisées à l'issue de la première phase, nous avons finalement retenu pour cet article les résultats concernant les différences (statistiquement significatives) entre sexes, quant à la probabilité d'un effet protecteur de plusieurs types de soutien relationnel, ainsi que, dans une moindre mesure, de l'unique variable de réseau prise en considération. Ainsi le "support informationnel" de la part des parents est apparu comme un facteur potentiel de risque pour les femmes, mais, par contre, comme un facteur de protection pour les hommes, alors que le "support émotionnel" de la part des amis est apparu comme un facteur de protection pour les femmes, et un possible facteur de risque pour les hommes [5].

En commençant par l'échantillon principal, si l'on considère le tableau créé pour les relations de travail, on observe que la seule variable de réseau corrélée avec un nombre relativement important de symptômes est "le contexte micro-structural

---

5. Nous n'avons pas encore effectué les mêmes analyses sur les données recueillies auprès de l'échantillon-témoin à la première phase. Ceci limite la portée de nos résultats, car c'est précisément par le biais de la comparaison des résultats des mêmes analyses de corrélation effectuées dans les deux échantillons, que nous nous efforcerons de justifier le passage de la significativité statistique à celle proprement sociologique.

primaire". Ceci est valable seulement pour les sujets de sexe masculin, et surtout pour la première phase. Les coefficients de corrélation sont positifs (et concernent 6 symptômes à la première phase et 3 à la deuxième). On pourrait donc considérer en suivant le raisonnement indiqué précédemment, qu'il s'agit là d'une indication concernant la présence d'un facteur de risque pour les hommes de l'échantillon principal ; celui-ci consisterait dans le fait d'avoir des interactions surtout en groupe avec les relations de travail. Si nous considérons ensuite le tableau prenant en compte tous les membres des réseaux des sujets de l'échantillon principal, on constate que le même contexte micro-structural apparaît de nouveau comme la variable de réseau corrélée positivement avec le plus grand nombre de symptômes, cette fois-ci seulement à la deuxième phase, mais aussi bien pour les hommes que pour les femmes (5 symptômes pour les hommes, et 5 pour les femmes). Il est peut-être intéressant de rappeler que la deuxième phase a eu lieu de 6 à 9 mois après l'événement du licenciement collectif. Le fait d'interagir surtout en groupe - après cet événement - est donc associé au fait de présenter des niveaux plus élevés pour certains symptômes, cette fois pour les hommes et pour les femmes, à condition de calculer des corrélations sur la totalité des membres des réseaux, et pas seulement les relations de travail.

REPRÉSENTATION SYNTHÉTIQUE DES RÉSULTATS POUR LA VARIABLE
"CONTEXTE MICRO-STRUCTURAL"

Echantillon principal		Première phase (Avant licenciement)		Deuxième phase (Après licenciement)	
		Hommes	Femmes	Hommes	Femmes
Agir en groupe	Corrélations positives (risque)	Relations de travail		Ensemble et relations de travail	Ensemble
	Corrélations négatives (protection)	Amis	*Amis*		
Echantillon témoin		Première phase (Avant licenciement)		Deuxième phase (Après licenciement)	
		Hommes	Femmes	Hommes	Femmes
Agir en groupe	Corrélations positives (risque)				
	Corrélations négatives (protection)	Ensemble et amis		Ensemble et amis	

Si nous nous tournons maintenant vers l'échantillon-témoin, nous remarquons une situation strictement opposée concernant la même variable structurale de réseau. Que l'on se réfère au tableau créé pour tous les membres des réseaux, ou à celui qui ne prend en considération que les "amis", "le contexte micro-structural primaire" apparaît comme la variable corrélée négativement avec le plus grand nombre de symptômes, cette fois encore seulement pour les hommes, mais pour les deux phases de l'étude et avec la même force.

On pourrait donc formuler l'hypothèse que cette variable intervient pour les sujets de sexe masculin de l'échantillon-témoin, en tant que facteur de protection. Par ailleurs cette hypothèse semble renforcée par le fait suivant : une autre variable de réseau, le degré d'intimité des relations reliant Ego aux membres de son réseau, apparaît dans les deux mêmes tableaux pour l'échantillon-témoin comme la variable corrélée positivement avec le plus grand nombre de symptômes. Pour cette variable l'effet est également présent surtout pour les hommes. Sur l'échantillon des "amis" on compte 18 symptômes corrélés positivement avec cette variable (aux deux phases), alors que sur l'ensemble des membres des réseaux on en compte 23, mais seulement à la première phase.

Cette variable interactionnelle interviendrait donc comme un facteur de risque dans le sens où avoir des relations avec des "intimes" (selon la définition de Wellman il s'agit de personnes dont Ego se sent proche et qu'il rencontre relativement souvent) irait de pair avec une note plus élevée pour de nombreux symptômes de santé mentale, et ceci resterait valable pour le cas où l'on prendrait en considération soit uniquement les "amis" intimes, soit toutes les personnes considérées comme intimes par le sujet, même si elles ne sont pas considérées également comme "amis".

Il semblerait ainsi que les effets de ces deux variables de réseau (une structurale et l'autre interactionnelle) se complètent pour les sujets de sexe masculin de l'échantillon-témoin, dans la mesure où l'obtention d'un bénéfice (pour la santé mentale) du fait d'interagir surtout en groupe pourrait bien être cohérente (du point de vue psychologique) avec un vécu des relations intimes avec certains membres de leurs réseaux comme représentant une menace potentielle.

Dans le sous-échantillon des "amis" de l'échantillon principal, nous avons aussi trouvé (pour la première phase seulement) une série de corrélations négatives entre "le contexte micro-structural primaire" et plusieurs items de santé mentale (surtout pour les femmes). On pourrait faire de nouveau l'hypothèse d'un effet protecteur de cette variable, mais cette fois pour l'échantillon principal. Par ailleurs, on observe dans ce même échantillon des amis (à la différence de ce que l'on trouve pour tous les membres ou pour les seules relations de travail) qu'aucune variable de réseau n'apparaît comme facteur de risque potentiel pour les hommes, situation qui est presque identique à celle des femmes (à l'exception de 2 symptômes corrélés positivement avec la variable structurale en question, et 3 autres corrélés de la même manière avec la seule variable interactionnelle citée jusqu'à maintenant).

Si l'on se souvient que faire l'hypothèse d'un effet protecteur du soutien micro-structural primaire reviendrait à dire, dans le cas présent, que les femmes dont les interactions avec leurs ami(e)s se passent surtout en groupe auront des notes moins élevées pour les symptômes concernés, que celles dont les interactions se passent de manière binaire, triangulaire ou "quadripartite", nous faisons le pari d'avancer l'idée que l'existence de ces corrélations représente plutôt l'indication d'une distorsion des types de sociabilité chez les sujets de l'échantillon principal, par rapport à un certain type-idéal, ou modèle normatif de sociabilité, que l'indication d'un facteur de protection. Selon ce modèle de sociabilité, les femmes, à la différence des hommes, privilégieraient les relations dyadiques aux dépens des interactions en groupe. Pour ne citer qu'un seul exemple, Stokes et Levin (1986) écrivaient : "...Comme conséquence du fait que l'amitié masculine est orientée vers le groupe et centrée sur des intérêts et des activités partagées, nous avons fait l'hypothèse que les amis des sujets hommes auront une probabilité plus grande d'être amis entre eux ; autrement dit que les réseaux des sujets hommes seront plus denses que ceux des sujets femmes. De surcroît, dans la mesure où le fait de faire partie d'un groupe ou d'une "bande" est important pour alléger les sentiments de solitude pour les hommes, la relation entre la densité du réseau et le sentiment de solitude devrait être plus forte pour les hommes que pour les femmes."

Dans ce sens le groupe-témoin semble nettement plus proche du modèle normatif proposé, de manière le plus souvent implicite, dans certaines études de réseau menées dans la population "générale". En effet - comme nous l'avons déjà indiqué - les sujets hommes de ce groupe semblent à la fois mieux protégés que les femmes par une sociabilité "de groupe", et plus menacés par une trop grande intimité dans leurs relations.

Pour l'échantillon principal par contre, formé de sujets ayant connu aussi bien le stress de la menace continuelle du licenciement (ceci est vrai même pour les sujets épargnés par le licenciement collectif de juillet 1985), que celui du chômage proprement dit, conclure à l'existence de certains facteurs de risque ou de protection, à partir du seul signe des corrélations statistiquement significatives entre variables de réseau et items de santé mentale, nous semble extrêmement problématique.

REMARQUE

On peut ajouter une dernière remarque, plus globale, à propos de la difficulté de transcrire en termes sociologiques les résultats d'analyses de corrélation telles que celles-ci. Pour l'échantillon-témoin le *pattern* des variables de réseau pouvant jouer un rôle protecteur, ou au contraire de facteur de risque, est quasi-identique si l'on prend en considération la totalité des membres des réseaux, ou seulement les "amis".

En revanche, si l'on compare les deux séries de corrélations ("amis" *vs* tous membres) pour l'échantillon principal, on observe une situation polarisée ; sur les corrélations calculées pour les seuls "amis", "le contexte micro-structural primaire" apparaît comme facteur de protection (pour les deux sexes, mais surtout pour les femmes), seulement à la première phase, alors que cette variable apparaît comme facteur de risque (pour les deux sexes), à la deuxième phase seulement, quand on prend en considération tous les membres des réseaux.

Une explication possible de cette polarisation pourrait être que suite au licenciement collectif, la composition des groupes où se passaient une partie importante des interactions des sujets de l'échantillon principal a changé, soit qu'un nombre plus important de parents ait remplacé des membres des réseaux considérés comme "amis", soit que plusieurs parmi ces derniers n'aient plus été considérés comme des "amis", mais uniquement comme des relations de travail. En conséquence, le signe des coefficients de corrélation entre "le contexte micro-structural primaire" et certains items de santé s'est inversé.

A l'appui de ces explications nous pouvons citer certains résultats de notre étude [6], concernant les relations entre les divers changements intervenus dans la composition des réseaux des sujets de l'échantillon principal entre les deux premières phases et l'évolution de l'état de santé mentale des sujets du même groupe.

Ainsi avons-nous trouvé pour les deux sous-groupes de sujets "à risque" mis en évidence à la suite de calculs concernant la taille des réseaux ainsi que l'évolution du nombre de "liens actifs" (à savoir les femmes en chômage effectif à la deuxième phase et qui avaient des réseaux de taille inférieure à 15 personnes, et les hommes qui avaient conservé leur emploi et avaient des réseaux de taille supérieure à 15 personnes), une

---

6. Voir la "Note de recherche préliminaire au rapport final de l'étude", adressée à la MIRE, mai 1989.

augmentation globale du nombre de relations de travail citées uniquement à la deuxième phase par rapport aux relations de travail citées uniquement à la première phase. Le premier sous-groupe (n=9) est passé de 4 relations de travail citées à la première phase à 12 nouvelles relations de travail après le licenciement, alors que les hommes ayant conservé un emploi dans la même entreprise (n=9), sont passés de 6 relations de travail citées à la première phase à 21 nouvelles relations de travail à la deuxième phase.

3. 2. EFFETS DU SOUTIEN RELATIONNEL

Si nous portons maintenant notre attention sur les corrélations entre les variables de soutien relationnel et les indicateurs de santé mentale, calculées sans distinguer à l'intérieur de l'échantillon principal de sous-groupes selon la situation par rapport à l'emploi, on observe les résultats suivants : sur l'échantillon des "amis", il y a deux séries de corrélations négatives dont les coefficients sont significatifs. Elles concernent toutes les deux des femmes, et il s'agit des deux formes de soutien émotionnel prises en compte, le soutien émotionnel majeur et le soutien émotionnel mineur apportés au sujet par les divers membres de son réseau. Les deux séries de coefficients n'apparaissent comme significatifs que lors de la première phase.

Pour ce qui est, par contre, des corrélations positives, elles sont relativement nombreuses, mais présentes surtout pour les hommes, et seulement quand les "amis" sont pris en compte.

Le fait de recevoir du soutien relationnel de type tangible (lors du prêt d'un outil ou d'un autre objet recherché par le sujet) est corrélé positivement avec huit symptômes (dont cinq relèvent de la dimension obsessionnalité-compulsivité), mais seulement à la première phase. En revanche, le fait de donner des avis, des conseils à propos de problèmes familiaux, est corrélé positivement avec six autres symptômes (dont trois relèvent de la même dimension obsessionnalité-compulsivité) à la deuxième phase.

3. 3. DISCUSSION : LA SITUATION D'UN GROUPE PAR RAPPORT À L'EMPLOI SUFFIT- ELLE POUR LE DÉFINIR COMME REPRÉSENTATIF D'UN SUPPOSÉ MODÈLE NORMATIF DE SOCIABILITÉ ?

Nous avons calculé les corrélations entre les mêmes variables de réseau et de soutien relationnel et les variables de santé mentale, pour les sous-groupes de l'échantillon principal suivant qu'ils étaient chômeurs ou pas lors de la deuxième phase de l'étude. Etant donné le nombre relativement réduit de corrélations significatives entre les variables de soutien relationnel et les items de santé, nous avons voulu tester également une autre hypothèse adoptée dans plusieurs études de réseau menées dans la population générale, à la recherche, explicite ou implicite, d'un modèle normatif de sociabilité. Selon cette hypothèse, les variables de soutien relationnel seraient des facteurs de prédiction de l'état de santé mentale (ou d'autres variables dépendantes, comme le sentiment de solitude, etc.) plus adéquats pour les femmes que les variables de réseau, alors que l'inverse serait vrai pour les hommes.

Pour les hommes de notre échantillon principal, la seule variable de réseau qui soit corrélée de manière statistiquement significative avec un nombre important de symptômes est "le contexte micro-structural primaire", mais seulement pour les sujets qui ont conservé un emploi dans la même entreprise. Ces corrélations sont toutes positives et elles apparaissent aussi bien quand tous les membres des réseaux sont pris en compte, que dans le cas où l'on ne considère que les relations de travail. Par contre, si l'on ne considère que les "amis" cette variable structurale n'est plus corrélée avec les items de santé.

D'autre part, pour les femmes restées dans l'entreprise, "le contexte micro-structural primaire" est également corrélé positivement avec plusieurs symptômes (dont la plupart sont les mêmes que pour les hommes), ainsi que les variables interactionnelles qui désignent le degré d'intimité des relations, et respectivement la durée des relations entre Ego et les membres de son réseau. Pour ces trois variables de réseau les corrélations sont statistiquement significatives seulement si l'on prend en considération tous les membres de réseaux.

Le fait que l'on trouve des caractéristiques de réseau intervenant comme facteurs potentiels de risque, après le licenciement collectif, chez les personnes ayant conservé leur emploi, aussi bien pour les hommes que pour les femmes, semble infirmer l'hypothèse énoncée, mais en même temps permet de s'interroger sur la "conformité" du sous-groupe de sujets ayant conservé leur emploi, par rapport à un modèle de sociabilité comme celui qui nous a semblé opérant pour l'échantillon-témoin.

On trouve de nouveau des corrélations négatives entre les variables de soutien relationnel et les items de santé mentale, pour chaque sous-groupe de l'échantillon principal, selon la situation par rapport à l'emploi à la deuxième phase, et ce pour les deux mêmes types de soutien que précédemment (soutien émotionnel majeur et mineur), mais cette fois uniquement pour les femmes ayant conservé leur emploi. Par rapport aux corrélations calculées précédemment, on trouve de plus cette fois-ci une série de coefficients négatifs pour les hommes, mais seulement pour le soutien émotionnel mineur. Toutes ces corrélations ne sont présentes qu'à la première phase.

Il apparaît donc pour les sujets restés dans l'entreprise des coefficients de corrélation négatifs, statistiquement significatifs, aussi bien pour les hommes que pour les femmes, mais seulement lors de la première phase. Il s'agit d'un facteur potentiel de protection, le soutien émotionnel apporté par les "amis", et qui intervient pour les sujets qui allaient rester dans l'entreprise, sans que les intéressés soient forcément au courant de leur destinée proche. Il nous faut néanmoins nuancer ces propos par le fait que parmi les personnes qui allaient conserver leur emploi quelques mois plus tard, une certaine proportion de sujets pensaient pouvoir rester dans l'entreprise à cause de leur niveau de qualification, ou d'une situation familiale ou sociale délicate.

Ceux qui se sont retrouvés au chômage font apparaître, en revanche, une série de corrélations positives, dont certaines sont présentes uniquement pour les hommes (pour le type de soutien relationnel qui consiste dans le fait de donner aux "amis", ou de recevoir de leur part des informations concernant les éventuels emplois disponibles, et en général tout ce qui a trait à la recherche d'un nouvel emploi), et d'autres concernent à-peu-près les mêmes symptômes pour les deux sexes (pour le type de soutien relationnel apporté par le sujet aux autres lors de conseils sur des aspects de la vie de couple, à propos de l'éducation des enfants, etc.).

Il est peut-être intéressant, du point de vue psychopathologique mais aussi sociologique, de souligner le fait que ce dernier type de soutien relationnel est corrélé positivement, aussi bien pour les hommes que pour les femmes au chômage, avec huit symptômes (dont trois relèvent de la dimension obsessionnalité-compulsivité), alors que pour les hommes de l'échantillon principal, indépendamment de leur situation par rapport à l'emploi, les seules corrélations des variables de soutien relationnel avec un nombre relativement important de symptômes sont également positives, et elles concernent dans la moitié des cas cette même dimension psychopathologique.

CONCLUSION

Nous voulons attirer l'attention sur le rôle de facteur potentiel de protection des deux types de soutien émotionnel reçus par le sujet de la part de ses "amis", que l'on considère toutes les femmes de l'échantillon principal, à la première phase, ou seulement les femmes ayant conservé leur emploi, mais toujours à partir des observations de la seule première phase. D'autre part, les hommes qui allaient conserver leur emploi semblent également "protégés" par ces deux types de soutien relationnel, lors de la première phase.

Il est important d'insister sur le fait qu'à la deuxième phase les sujets restés dans l'entreprise ne semblent plus bénéficier de la même protection de la part des divers types de soutien relationnel, y compris les deux types de soutien émotionnel.

Par ailleurs, le nombre réduit de symptômes pour lesquels on a trouvé des coefficients de corrélation significatifs avec les variables de soutien relationnel - pour les sujets qui allaient être effectivement licenciés (à la différence de ceux qui devaient conserver leur emploi) - et ceci aux deux phases de l'étude, constitue à nos yeux un argument pour formuler une nouvelle hypothèse (à vérifier dans un futur proche) concernant la capacité différentielle des sujets vivant une situation collective stressante, à mobiliser un soutien émotionnel de la part de leurs "amis", et donc de garder une sociabilité proche de celle présentée comme un modèle normatif, en s'appuyant sur un certain type d'attente d'événements personnels positifs (par exemple, penser pouvoir conserver son emploi au lieu d'être licencié comme les "autres").

Pour répondre enfin à la question formulée dans le titre du paragraphe 3.3., nous rappellerons (1) que la comparaison de l'échantillon principal et de l'échantillon témoin, pour ce qui est des corrélations entre variables de réseau et items de santé, nous a permis de conclure à l'existence d'un degré de conformité plus élevé de l'échantillon-témoin avec un supposé modèle normatif de sociabilité, et (2) que la comparaison des sous-groupes de l'échantillon principal, définis par la situation par rapport à l'emploi lors de la deuxième phase, semble indiquer qu'une mobilisation du soutien relationnel de type émotionnel (à la première phase) est plus bénéfique aux sujets (sans distinction de sexe) qui devaient par la suite conserver leur emploi, et donc aussi une certaine concordance avec une sociabilité "idéale". Par contre, si l'on prend en considération la spécificité selon le sexe des processus de mobilisation du soutien relationnel, le fait qu'une variable de soutien relationnel (le soutien émotionnel mineur) semble jouer un rôle protecteur seulement pour les hommes qui allaient rester dans l'entreprise, alors que les deux types de soutien émotionnel semblent protéger les femmes, indépendamment de leur avenir quant à l'emploi, pourrait indiquer une plus grande indépendance des femmes à l'égard d'un supposé modèle normatif de sociabilité.

SÉBASTIEN REICHMANN
C.H.S. Sainte-Anne, C.M.M.E.
100 rue de la Santé - 75674 PARIS CEDEX 14

RÉFÉRENCES BIBLIOGRAPHIQUES

BARNES, J.A. Class and committees in a norwegian island community. *Human Relations*, 1954, vol. 7, p. 39-58.

BERKMAN, L.F., SYME, S.L. Social networks, host resistance and mortality: a nine-year follow-up study of Alameda County residents. *American Journal of Epidemiology*, 1979, vol. 109, p. 186-204.

BOTT, E. *Family and social networks*. London, Tavistock, 1957.

CAPLAN, G. *Principles of preventive psychiatry*. New York, Basic Books, 1964.

CAPLAN, G. *Support systems and community mental health*. New York, Basic Books, 1974.

COBB, S. Social support as a moderator of life stress. *Psychosomatic Medicine*, 1976, vol.38, p. 300-314.

CASSEL, J. The contribution of the social environment to host resistance. *American Journal of Epidemiology*, 1976, p. 107-123.

DEROGATIS, L.R., LIPMAN, R.S., COVI, L. *et al.* Dimensions of outpatient neurotic pathology: comparison of a clinical versus an empirical assessment. *Journal of Consulting Psychology*, 1970, vol. 34, p. 164-171.

FISCHER, C.S. *To dwell among friends*. Chicago, University of Chicago Press, 1982.

GORE, S. Stress-buffering functions of social supports: an appraisal and clarification of research models. In DOHRENWEND,B.S. and DOHRENWEND, B.P. *Stressful life events and their contexts*. Rutgers University Press, New Brunswick, New Jersey, 1981.

GOULDNER, A.W. The norm of reciprocity. *American Sociological Review*. 1960, vol. 25, p. 161-178.

ILFELD, F.W.Jr. Psychological status of community residents along major demographic dimensions. *Archives of General Psychiatry*, 1978, vol. 35, p. 716-724

KAPLAN,B.H.,CASSEL,J.,GORE,S. Social support and health. *Medical Care*, 1977, vol.15, n° 5, p 47-58.

LIN, N. and ENSEL,W. Life stress and health: Stressors and resources. *American Sociological Review*, 1989, vol. 54, June, p. 382-399.

REICHMANN,S. From social support to social networks and back : relationships between structural and interactional analyses. Communication présentée au Centre for Urban and Community Studies, Université de Toronto, Canada, juin 1988.

REICHMANN,S. Etude "Support social et conséquences du chômage sur la santé" - Note de recherche préliminaire au rapport final de l'étude. Paris, Mission Recherche Expérimentation, Ministère des Affaires Sociales et de l'Emploi, mai 1989.

SCHAEFER, C., COYNE,J.C., LAZARUS,R.S. The health-related functions of social support. *Journal of behavioral medicine*, 1981, n° 4, p.381-405.

STOKES, J. and LEVIN,I. Gender differences in predicting loneliness from social network characteristics. *Journal of Personality and Social Psychology*, 1986, vol. 51, n° 5, p. 1069-1074.

TURNER, R.J., FRANKEL, B.G., LEVIN, D.M. Social support : conceptualization, measurement, and implications for mental health. In GREENLEY, J.R. *Research in community and mental health : a research annual*. Greenwich, CT : Jai Press, 1983, p. 67-112.

WELLMAN,B. Applying network analysis to the study of support. In GOTTLIEB, B.H. (ed) *Social Networks and Social Support*. Sage Studies in Community Mental Health, Sage, 1981, p.171-200.

WELLMAN,B. Structural analysis: from method and metaphor to theory and substance. In WELLMAN, B. and BERKOWITZ, S.D. (eds). *Social Structures : a network approach*. Cambridge, Cambridge University Press, 1988, p. 19-62.

WELLMAN B., CARRINGTON, P.J., HALL, A. Networks as personal communities. In WELLMAN, B. and BERKOWITZ, S.D. (eds). *Social structures: a network approach.* Cambridge, Cambridge University Press, 1988, p.130-184.

WELLMAN, B. and WORTLEY, S. Different strokes from different folks : community ties and social support. *American Journal of Sociology*, 1990, vol. 96, n° 3, p. 558-588.

WHEATON, B. Models for stress-buffering functions of coping resources. *Journal of Health and Social Behavior*, 1985, vol. 26, n° 4.

L'auteur de cet article tient à remercier toutes les personnes (chercheurs, chargés de mission, techniciens, etc.) et les institutions qui l'ont aidé, depuis 1985, dans sa tâche difficile de mener à bien cette étude, sans bénéficier d'un rattachement institutionnel statutaire. Plus spécialement, Lucien Brams, chef de la MIRE (Mission Recherche Expérimentation du Ministère des Affaires Sociales et de l'Emploi), Alain Degenne, Directeur du LASMAS (Laboratoire d'Analyse Secondaire et de Méthodes Appliquées en Sociologie du CNRS), ainsi que Sanda Rosescu, ingénieur - qui l'a efficacement aidé lors de la codification et la saisie informatique des données.

RELÉGATION TERRITORIALE ET ASPIRATION À LA MOBILITÉ RÉSIDENTIELLE

RÉSUMÉ : *Une commune a-t-elle des échanges d'habitants avec d'autres communes de son agglomération ? La mobilité résidentielle d'agglomération modifie la répartition spatiale des populations. Dans une agglomération, certaines communes ont un parc de logements plus valorisé que d'autres. Elles attirent les habitants des communes voisines. L'analyse de réseaux permet d'identifier les communes les plus attractives d'un marché local du logement. Cet article applique l'analyse de réseaux aux familles demandant un logement social et n'en obtenant pas. En Juillet 1989, la demande longue durée vers le parc locatif social de l'agglomération dunkerquoise concernait 1 512 familles. Les communes ayant une demande de logements sociaux longue durée sont identifiées en relation avec les communes vers lesquelles se porte l'aspiration à la mobilité des ménages. Cette analyse du réseau de 18 communes dégage la forme stratifiée et segmentée du secteur locatif social de cette agglomération.*

La mobilité de certaines familles et l'absence de mobilité d'autres familles concourent à la recomposition sociale des territoires urbains. Les enquêtes Emploi de l'INSEE montrent que les locataires ont une mobilité qui tend à augmenter entre 1982 et 1988 (Louvot, Renaudat 1990). Dans un contexte global de croissance de la mobilité résidentielle des locataires il est intéressant de s'interroger sur la situation sociale, l'implantation communale et l'aspiration à la mobilité des ménages qui n'obtiennent pas de logement.

L'agglomération est le niveau territorial pertinent pour saisir les interrelations entre les politiques locales, les logiques institutionnelles et les logiques familiales. Au niveau d'une agglomération, l'accès différé au logement social est l'un des indicateurs permettant de connaître les dépendances communales mutuelles. Le nombre de familles en attente d'un logement révèle les tensions affectant les différents parcs locatifs communaux. Il témoigne d'une incapacité institutionnelle et communale à satisfaire la demande de certaines catégories de familles.

La demande longue durée d'agglomération (ou plus généralement la mobilité résidentielle d'agglomération) est un objet appréhendable par l'approche structurale des réseaux sociaux si elle tire sa structure propre des relations entre les communes. Une relation n'est pas une qualité intrinsèque d'une commune prise isolément, mais c'est une propriété émergeant du système de connexion entre les communes (Knoke, Kuklinski, 1982). Cette hypothèse de travail est applicable à la demande longue durée

DÉFINITIONS

LA DEMANDE EN INSTANCE. La demande en instance regroupe les ménages demandant un logement social.

LA DEMANDE LONGUE DURÉE. La demande longue durée regroupe les ménages qui n'ont pas obtenu de logement après 6 mois ou plus de dépôt de dossier.

LA DEMANDE LONGUE DURÉE COMMUNALE. La demande communale longue durée correspond aux demandeurs longue durée qui demandent un logement dans leur commune de résidence.

LA DEMANDE LONGUE DURÉE INTRA-URBAINE. La demande longue durée intra-urbaine correspond aux demandeurs longue durée qui demandent un changement de domicile dans l'agglomération et un changement de commune de résidence.

LA DEMANDE LONGUE DURÉE D'AGGLOMÉRATION. La demande longue durée d'agglomération est la somme de la demande longue durée communale et de la demande longue durée intra-urbaine.

UNE AIRE INTERCOMMUNALE DE DEMANDE DE MOBILITÉ NON SATISFAITE. Une aire de demande longue durée intercommunale segmente une agglomération. Elle regroupe les communes qui ont des échanges réciproques de demandeurs longue durée.

LA CONNEXITÉ. La connexité traite des choix résidentiels des demandeurs longue durée d'une commune qui se dirigent vers les autres communes du système.

LE PRESTIGE. Le prestige mesure les choix résidentiels émanant des demandeurs longue durée des autres communes qui se dirigent vers une commune.

LA PRÉÉMINENCE. La prééminence désigne une position dominante dans le système. La position de prééminence d'une commune consiste à attirer davantage de demandeurs longue durée résidant déjà dans les communes attractives.

d'agglomération (ou à la mobilité résidentielle d'agglomération) si certaines familles demandant un logement dans leur agglomération manifestent également l'intention de changer de commune de résidence. Par contre si les habitants limitent leur choix à leur commune de résidence, les communes ne sont pas choisies par les habitants des autres communes, et donc l'analyse est inutile. La connexion intercommunale de la demande longue durée n'existe pas.

Cet article traite de la demande de logement non satisfaite vers le parc locatif social dunkerquois. Les acteurs ou unités d'observation sont les 18 communes de la Communauté urbaine de Dunkerque. La répartition des "demandeurs longue durée" (les familles n'ayant pas obtenu de logement après 6 mois d'attente) de logements sociaux, selon la commune de résidence et la commune demandée est la relation prise en compte pour étudier ce réseau intercommunal. L'objet de la recherche est de vérifier si la hiérarchie des communes, calculée à partir du choix communal des familles, indique une réaction des ménages aux politiques urbaines locales. La politique publique de revalorisation du parc de logements d'une commune redonne-t-elle à celle-ci une position attractive dans un marché d'agglomération ? La hiérarchie ainsi obtenue ne correspondrait donc pas au classement des communes selon le chiffre de leur population.

La demande longue durée qui se dirige vers le secteur locatif social permet d'identifier les communes qui ont le plus de familles n'obtenant pas de logement et les communes les plus attractives (pour ce type de population). Quelle est la position occupée par Dunkerque et par les trois principales communes de banlieue : Grande-Synthe, Saint-Pol-sur-Mer, Coudekerque-Branche ?

Nous examinerons d'abord l'urbanisation de l'agglomération dunkerquoise (partie 1) et les caractéristiques sociales de la demande longue durée (partie 2). Ensuite à partir du point de vue des familles nous chercherons à déterminer la hiérarchie (partie 3 et 4) et le cloisonnement territorial des parcs sociaux communaux (partie 5).

1. UNE URBANISATION RÉCENTE QUI REPOSE SUR LE SECTEUR LOCATIF SOCIAL

L'agglomération dunkerquoise longe le littoral de la mer du Nord. L'occupation sociale de l'espace et la ségrégation urbaine ne respectent pas le modèle Burgessien de différentiation des métropoles en aires concentriques (Burgess, 1925). Les zones de peuplement et d'activité se répartissent en bandes s'étalant du front de mer vers l'arrière pays. Les localisations industrielles ont recherché la proximité des activités portuaires. La centralité urbaine de Dunkerque reste limitée aux artères reconstruites sur les ruines des quartiers détruits durant la seconde guerre mondiale. Le noyau d'habitat ancien dégradé n'est pas l'objet d'une reconquête par les activités tertiaires et les nouvelles couches moyennes. En 1982, la part des ouvriers dans la population de Dunkerque et des communes de sa banlieue restait élevée.

Dans cette agglomération, les identités collectives communales restent très fortes. Mais l'extension et la gestion des installations portuaires (vente du littoral de Saint-Pol à Dunkerque), l'implantation d'un complexe sidérurgique, suivie d'une urbanisation rapide et massive, et les fusions communales ont transformé les territoires communaux.

L'installation d'Usinor dans le dunkerquois en 1959 a provoqué une urbanisation accélérée dans les années soixante. Pour répondre à la pénurie de logements, conséquence de la croissance rapide des emplois, la Zone à urbaniser en priorité (ZUP) des Grandes Synthes est créée par le Conseil Général [1]. L'un des quartiers de cette ZUP (Albeck) appartient à Dunkerque. Les autres quartiers sont construits sur la commune de Grande-Synthe. Pendant les années 1960-1970, la politique de l'emploi et du logement d'Usinor impose à l'espace dunkerquois une réorganisation profonde. La politique du logement d'Usinor est différenciée selon les types de main d'oeuvre : la réservation de logements sociaux dans les immeubles collectifs, composés de barres et de tours de la ZUP, et les aides financières offertes aux fractions ouvrières plus qualifiées pour l'accession à la propriété. L'espace urbain devient fortement ségrégé (Campagnac, Coing, 1976).

A la suite des restructurations de la sidérurgie, la politique de croissance d'emplois d'Usinor s'inverse au milieu des années 70. Les prévisions de 1969 concernant une seconde extension du complexe sidérurgique, avec la création de 12 000 emplois pour 1975, ne seront pas atteintes. Au début des années 80 les effectifs commenceront à

---

1. La Communauté urbaine de Dunkerque (CUD) sera créée en 1969. Elle élabore la politique d'aménagement urbain des communes qui la composent. Elle décide de la localisation et de la programmation des Zones d'Aménagement Concerté, des constructions collectives, des programmes d'accession à la propriété.

Les immeubles de **Dunkerque** datent d'avant 1944 et de la période de la reconstruction. 22 % du parc de logements est composé de HLM.
Coudekerque est doté d'un patrimoine d'immeubles unifamiliaux. La moitié de son patrimoine date de la période 1915-1961. Les logements sociaux représentent 26 % du parc communal. Parmi les 2 600 logements sociaux 1 300 sont des maisons.
95 % du parc de **Grande-Synthe** date de la période 1962-1974, 63 % des logements sont des logements HLM.
Saint-Pol-sur-Mer a eu des logements reconstruits après la guerre et cette ville fut dotée après 1978 de programmes locatifs sociaux construits dans une ZAC communautaire. 36 % des logements de Saint-Pol sont des logements HLM. Le parc social de Saint-Pol est plus récent que celui de Grande-Synthe et de Coudekerque

	% de ménages ouvriers dans l'ensemble des ménages	% de logements sociaux / résidences principales	% de logement locatif social dans le parc locatif
Dunkerque	31 %	22 %	42 %
Coudekerque-Branche	39 %	26 %	61 %
Grande-Synthe	56 %	63 %	88 %
Saint-Pol-sur Mer	45 %	36 %	68 %

DUREE D'ATTENTE

	Extérieur CUD		CUD		Total	
1 mois à 2 mois	54	9 %	220	10 %	274	10 %
2 mois à 6 mois	136	23 %	464	21 %	600	21 %
Plus de 6 mois	401	68 %	1512	69 %	1913	69 %
Total	591	100 %	2196	100 %	2787	100 %

Source : Fichier demande de logement CUD au 30-06-1989

DEMANDE LONGUE DUREE SELON LA COMMUNE DU DEMANDEUR (petites communes exclues)

	Part de la demande longue durée	% de demandeurs de plus de 6 mois dans la demande communale	N demandeurs
Bourbourg	75 %	71 %	94
Bray-Dunes	56 %	70 %	23
Cappelle	63 %	70 %	96
Coudekerque-Branche	71 %	71 %	312
Dunkerque	76 %	69 %	518
Fort-Mardyck	55 %	73 %	37
Grande-Synthe	67 %	63 %	393
Grand-Fort-Philippe	37 %	73 %	26
Gravelines	92 %	90 %	125
Leffrinckoucke	33 %	58 %	36
Loon - Plage	84 %	53 %	120
Saint-Pol-sur-Mer	56 %	71 %	386

Source : Fichier demande de logement CUD au 30-06-89

	Demande en instance	Demande longue durée	% demande longue durée / HLM communales
Dunkerque	518 familles	358 familles	4,6 %
Grande-Synthe	393 familles	249 familles	4,9 %
Saint-Pol-sur-Mer	386 familles	276 familles	6,5 %
Coudekerque-Branche	312 familles	221 familles	8,6 %
Gravelines	125 familles	112 familles	8,2 %

décroître. Ils se stabiliseront autour des 7 000 emplois. L'entreprise limitera son aide à l'accession à la propriété et elle réduira ses réservations de logements sociaux.

L'évolution de cette agglomération, qui a dû faire face au désengagement de la sidérurgie, montre combien les enjeux urbains changent en relation avec les usages successifs affectés à un espace local. La politique urbaine de Grande-Synthe s'est modifiée afin de répondre à ces changements. Après la période de construction massive et de manque chronique de logements, la réduction par Usinor des réservations de logements provoque une forte vacance dans le parc locatif social (Bondue, 1986). Les populations ouvrières traditionnelles continuent à être attirées par les programmes d'accession à la propriété. Par contre, les familles plus modestes et parmi celles-ci les familles nombreuses se trouvent reléguées sur les fractions dévalorisées du parc social. Le désengagement d'Usinor est un facteur de crise urbaine à Grande-Synthe et plus particulièrement sur la ZUP. L'aménagement de cette ZUP dépendait d'une double compétence communale (Grande-Synthe et Dunkerque). Les organismes de logements sociaux y relogent les familles n'obtenant pas de logement dans les autres quartiers de Dunkerque ou dans les autres villes de l'agglomération. En 1980, afin de lever les obstacles issus de la gestion intercommunale et de reprendre le contrôle de l'aménagement et des organismes sociaux, la municipalité de Grande-Synthe obtient le rattachement de l'ensemble de la ZUP (quartier Albeck) à son territoire communal. Elle décide, en 1982, des opérations de développement social de quartier. Ces opérations devaient réduire la vacance et freiner la dévalorisation du parc de logements de Grande-Synthe [2]. Les actions publiques engagées à Grande-Synthe ont-elles rendu une position attractive à l'habitat de cette commune, ou au contraire cet habitat maintient-il sa position marginale dans le fonctionnement de ce marché d'agglomération ?

2. LA DEMANDE DE LOGEMENT DIRIGÉE VERS LE SECTEUR LOCATIF SOCIAL

Dans l'agglomération dunkerquoise, le secteur locatif public (HLM : 27 % des résidences principales) est plus important que le secteur locatif privé (22 % des résidences principales). 45 % des résidences principales sont habitées par leur propriétaire (INSEE, 1982). Malgré le développement de l'accession à la propriété, la demande de logements locatifs se renouvelle. Ces logements sont, pour certaines familles, telles que les jeunes ménages, les femmes avec enfants, les familles nombreuses, les seuls logements virtuellement accessibles (Ballain, Darris *et al.*, 1990). La demande locative dunkerquoise reste soutenue, mais elle se trouve fortement modifiée, par rapport aux années 60-75, par la dégradation de la solvabilité des familles.

Selon le fichier des demandes de logements sociaux de la Communauté urbaine de Dunkerque, la demande en instance (le nombre de familles en attente d'un logement) fluctue aux environs de 1 500 à 1 600 familles, entre avril 1989 et novembre 1989 (cette agglomération comptait en 1982 64 900 ménages) [3]. Les demandes motivées par des aspirations qualitatives en matière d'habitat sont moins nombreuses que les demandes

---

2. Un observatoire du logement existe à Grande-Synthe depuis 1988. Il assure le suivi de la vacance, des attributions, des impayés.

3. Notre analyse, faite à partir du fichier central de la demande de logements de la Communauté urbaine de Dunkerque, est une analyse secondaire des résultats issus de l'exploitation réalisée par le Laboratoire Logement. Pour l'accès à ce fichier nous avons bénéficié de la collaboration de J. Lemaitte de la CUD, et de Y. Gorrichon, M. Bouazzaoui du Laboratoire Logement.

liées à une situation d'urgence. Les familles occupant un logement en très mauvais état, un logement inadapté aux handicapés, les familles en situation d'expulsion, de fin de bail, de cohabitation, ou les familles connaissant des problèmes financiers sont une composante importante de la demande. Ces situations d'urgence regroupent 55 % de la demande en instance, soit plus d'une demande sur deux.

La demande en instance vers le secteur locatif social de l'agglomération dunkerquoise regroupe des familles ayant des revenus salariaux et un montant global de ressources faible. 24 % de l'ensemble des ménages ont des ressources inférieures à 3 000 F. Quant aux salariés, ils occupent des emplois précaires ou partiels : les revenus salariaux mensuels des ménages sont pour 32 % d'entre eux inférieurs à 4 000 F.

De nombreuses familles n'obtiennent pas de logement après plusieurs mois ou plusieurs années de dépôt de dossier. 7 demandeurs sur 10 après 6 mois d'attente n'ont pas obtenu l'attribution d'un logement social. Le chômage intervient moins que la taille de la famille (trois enfants ou plus) comme facteur de non aboutissement de la demande. Les aides au loyer rendent solvables certains ménages sans salarié, mais le manque de logements de 4 pièces (et plus) est un obstacle à l'attribution d'un logement aux familles de 3 enfants (et plus). Les ménages résidant déjà dans l'agglomération connaissent une attente comparable à celle des ménages n'y habitant pas. La plus forte demande en instance (nombre de dossiers de demandeurs) et la plus forte demande longue durée (demande non satisfaite après 6 mois d'attente) proviennent de la commune de Dunkerque. La commune de Grande-Synthe est en seconde position pour la demande en instance et Saint-Pol arrive en seconde position pour le volume de la demande longue durée.

L'inégalité d'accès au logement est facteur de ségrégation sociale. Les situations d'urgence et l'ampleur de la demande longue durée non satisfaite montrent les limites des dispositifs publics. Un tel diagnostic, confirmant l'actualité du problème de l'accès au logement, n'est pas spécifique à la Communauté urbaine de Dunkerque. Il est également confirmé par les résultats d'une étude du CREDOC réalisée sur trois départements de l'est parisien (Bauer, Dubechot, Legros, 1990). Les organismes gestionnaires, déjà en difficulté avec une frange de leurs locataires, écartent de leur politique d'attribution certains types de familles (familles nombreuses, femmes avec enfants).

3. QUANTIFIER DES VOLUMES OU ANALYSER DES RELATIONS ET DES POSITIONS ?

Deux modèles de chaînes de logements vers le secteur locatif social ont été identifiés dans le valenciennois (Ruiz, 1981) : un modèle "classe moyenne" où un logement libéré par un ménage couche moyenne est remplacé par un ménage de cette catégorie sociale et un modèle "promotionnel" où les ouvriers viennent occuper les logements libérés par les ménages de la classe moyenne. Cette approche des trajectoires résidentielles par la libération des logements repose sur un principe d'ascension résidentielle. Elle oublie le phénomène de la relégation territoriale qui concerne des résidences et des quartiers dévalorisés de certaines communes.

La demande longue durée qui se dirige vers le logement social est le plus souvent calculée commune par commune ou pour l'agglomération traitée en bloc. L'analyse de réseaux dépasse ce traitement traditionnel en s'intéressant aux communes d'une agglomération considérée comme structure d'échange et de dépendance. Elle postule que la dévalorisation ou l'attractivité d'un parc social communal résulte de la position occupée par chaque commune dans le système représenté par l'agglomération.

La demande longue durée est connue pour chaque commune. Le pourcentage de demandeurs longue durée d'une commune sur le nombre total de demandeurs indique la pression de la demande longue durée par rapport à la demande communale. Cette pression est forte à Gravelines. La demande longue durée y représente 90 % de la demande communale en instance. D'autre part, on y dénombre une demande longue durée intra-communale élevée : 92 % des demandeurs longue durée demandant cette commune y résident déjà. En revanche à Saint-Pol la demande longue durée intra-communale est plutôt faible (56 %). Ce qui signifie que beaucoup de demandeurs longue durée, résidant à Saint-Pol, demandent une autre commune [4].

La plupart des communes de cette agglomération connaissent une demande longue durée de logements sociaux, cependant certaines communes en concentrent un plus grand nombre que d'autres (Dunkerque, Saint-Pol, Grande-Synthe). Le volume de la demande longue durée montre que la politique d'attribution des organismes de logements sociaux (affectation des entrants dans le parc et gestion des mouvements internes au parc), ainsi que leur programmation des logements neufs, ne sont pas adaptées au profil social des demandeurs de logement. En effet, il existe des logements vacants et la programmation des logements familiaux (4 pièces et plus) a diminué (Lefebvre, Vervaeke, 1991).

Les résultats par commune permettent de repérer les communes dont la demande longue durée est la plus élevée. Mais pour connaître la situation des communes les unes par rapport aux autres, il faut dépasser l'approche en pourcentage pour s'intéresser au lien entre commune de résidence et commune demandée.

Le réseau étudié regroupe non pas des individus mais les 18 communes de la communauté urbaine. Cette communauté urbaine regroupe :
- une ville centre de 73000 habitants : Dunkerque,
- trois communes de banlieue d'urbanisation récente de 23 900 habitants à 26 000 habitants : Coudekerque-Branche, Grande-Synthe, Saint-Pol,
- neuf communes de 4 000 à 11 000 habitants,
- cinq petites communes de moins de 2 500 habitants [5].

Il y a 1 512 ménages demandant un logement social depuis plus de 6 mois (chiffres juillet 1989). Les données sur la répartition des demandeurs longue durée selon la commune de résidence et la commune demandée ont été transformées en pourcentages. La matrice initiale se compose des pourcentages de ménages demandant un logement social habitant la commune I et demandant la commune J qui n'en ont pas obtenu après 6 mois de dépôt de dossier, sur l'ensemble des ménages habitant cette communauté urbaine et y demandant un logement social depuis plus de 6 mois. L'ensemble des 1 512 ménages de cette communauté urbaine demandant un logement social depuis plus de 6 mois correspond donc à la valeur 100. Deux programmes informatiques, Structure et Concor ont été utilisés pour réorganiser les données de la matrice. Onze indices (programme Structure, indices de Burt) décrivent la position de chaque commune dans

---

4. Sur 358 demandeurs longue durée de Dunkerque, 85 ne demandent pas Dunkerque. Sur 249 demandeurs longue durée de Grande-Synthe, 82 ne demandent pas Grande-Synthe. Sur 276 demandeurs longue durée de Saint-Pol, 122 ne demandent pas Saint-Pol. Les habitants de Saint-Pol, demandeurs longue durée, alimentent une forte demande pour Dunkerque (58 familles).

5. Les communes de 4000 à 11000 habitants sont Bourbourg ; Bray-Dunes, Cappelle ; Fort-Mardyck ; Grand-Fort-Philippe ; Gravelines ; Leffrinckoucke ; Loon-Plage ; Téteghem. Les communes de moins de 2 500 habitants sont Armbouts-Cappel ; Coudekerque-Village ; Craywick ; Saint Georges ; Zuydcoote.

le réseau. Le calcul de l'équivalence de position permet de construire la stratification communale (programme Structure) et le cloisonnement interne au parc locatif social de cette agglomération (programme Concor).

4. QUAND LES INDICES DE PRESTIGE DEVIENNENT DES INDICES DE CRISE URBAINE

Dans les analyses sociométriques, les acteurs sont classés selon divers indices calculant leur connexité, leur position de prestige et de prééminence (cf. définitions du glossaire). Les acteurs les plus fréquemment choisis ont une position de prestige et de prééminence plus élevée que celle des autres acteurs (Burt, 1982). Dans le cas étudié, la connexité comptabilise pour une commune le nombre de communes vers lesquelles

TABLEAU 1 - LES DEMANDEURS DE LOGEMENTS SOCIAUX DE PLUS DE SIX MOIS SELON LA COMMUNE DE RÉSIDENCE ET LA COMMUNE DEMANDÉE (Algorithme de classification Concor)

TABLEAU DES DONNÉES RÉORGANISÉES																		
*	1	16	4	5	8	13	3	18	2	7	11	12	15	17	6	10	9	14
1		0,07	0,07		0,13											0,60		0,07
16	0,07	10,19	0,40	1,26	3,84	0,13		0,07	0,06			0,33				1,59	0,20	0,13
4		0,26	2,78	0,60	0,73											0,07		
5		0,53	0,33	10,45	2,51	0,07						0,26				0,33		0,13
8		1,19	0,13	2,58	18,06	0,40						0,07				1,06	0,13	0,06
13		0,07		0,13	0,33	0,79			0,07									
3		0,07	0,06	0,13	0,13	0,06	0,60											
18					0,07		0,07	0,20										
2		0,13		0,13	0,13				3,31			0,39				0,07		0,26
7				0,07					0,13									
11											0,46	0,75				0,07		
12		0,06		0,06	0,20						0,07	6,81				0,07		0,13
15																		
17																		
6																0,07		
10		0,86		0,60	1,65	0,07			0,26		0,20	0,33				11,04	0,46	0,99
9		0,07		0,13	0,07											0,53	0,99	
14		0,12			0,20				0,07			0,13				0,13		3,57

* commune de résidence \ commune demandée

01 Armbouts-Cappel
04 Cappelle
16 Saint-Pol-sur-Mer
05 Coudekerque
08 Dunkerque
13 Leffrinckoucke

02 Bourbourg
03 Bray-Dunes
07 Craywick
12 Gravelines
11 Grand-Fort-Philippe
18 Zuydcoote
15 Saint-Georges
17 Téteghem

06 Coudekerque-Village
09 Fort-Mardyck
10 Grande- Synthe
14 Loon-Plage

Exemples de lecture :
Lecture ligne : 1,19 % des demandeurs longue durée de la communauté urbaine de Dunkerque habitant Dunkerque demande un logement à Saint-Pol.
Lecture colonne : la commune de Dunkerque est demandée par 3,84 % de demandeurs longue durée de la communauté urbaine habitant Saint-Pol.

ses demandeurs longue durée dirigent leur aspiration à la mobilité résidentielle. Le prestige d'une commune mesure les choix résidentiels émanant des demandeurs longue durée des autres communes qui se dirigent vers elle. La prééminence désigne une position dominante dans le système. La position de prééminence est ici élevée pour les communes attirant davantage de demandeurs longue durée résidant déjà dans les communes attractives.

Dans cet article, les indices de l'approche structurale des réseaux sociaux s'appliquent aux communes choisies par des familles dont la demande n'est pas satisfaite. La politique de gestion du parc et de programmation de la construction neuve des organismes de logements sociaux et des collectivités locales ne répond pas à la demande de logements émanant de ces familles. Dans une telle perspective, les indices de prestige peuvent être considérés comme des indicateurs de la demande non satisfaite et du degré d'implication des communes d'une agglomération dans la crise urbaine qui affecte le parc locatif social.

Les dénombrements les plus simples montrent que les choix des "demandeurs longue durée" se répartissent sur beaucoup de communes. Saint-Pol-sur-Mer émet des choix vers 12 communes, Grande-Synthe vers 10, Dunkerque vers 9, Coudekerque-Branche vers 8. En revanche Grand-Fort Philippe et Zuydcoote n'en choisissent que 3 et Craywick, Coudekerque-Village 2. L'éventail des choix reçus par certaines communes est également très large. Dunkerque est choisi par des habitants de 12 communes, Grande-Synthe et Saint-Pol de 11, Coudekerque-Branche de 10. Mais Coudekerque-Village et Craywick ne reçoivent aucun choix et Armbouts-Cappel, Bray-Dunes, Zuydcoote n'en comptabilisent qu'un seul. Ces dernières communes sont donc faiblement concernées par la mobilité résidentielle non satisfaite vers le secteur locatif social. Le parc locatif social de ces communes est peu important.

Les communes qui émettent des choix vers les autres communes ou qui en reçoivent sont Dunkerque, Saint-Pol, Grande-Synthe et Coudekerque-Branche mais aussi Gravelines, Leffrinckoucke et Loon-plage. Elles obtiennent des scores appréciables sur ces deux indices appelés "étendue du réseau" pour les choix émis et "score d'attraction" pour le nombre de choix reçus. (cf. Tableau 1 ci-contre). Les liens entre ces communes vérifient qu'il existe une aspiration à la mobilité d'agglomération.

Le volume des liens étant plus important entre Dunkerque, Saint-Pol, Coudekerque-Branche et Grande-Synthe, pour la clarté de l'exposé et de la représentation graphique, notre analyse va maintenant se focaliser sur ces quatre communes. Le graphe[6] représentant les scores d'étendue et d'attraction montre que les quatre principales communes de cette agglomération (cf. Graphe 1) sont choisies par des familles habitant 8 à 12 communes sur les 18 communes du système. Saint-Pol se distingue de Dunkerque et des deux autres communes de banlieue Grande-Synthe et Coudekerque. Saint-Pol est la seule des quatre à être choisie par un plus petit nombre de communes qu'elle n'en choisit elle-même. Mais les différences sont faibles et il faut pousser l'analyse pour confirmer ou infirmer cette tendance.

L'analyse des liens directs (cf. Tableau 1) montre une relation équilibrée entre Dunkerque et Coudekerque-Branche. Dunkerque émet autant de demandes vers Couderque-Branche que Coudekerque-Branche en émet vers Dunkerque. Grande-Synthe émet plus de demandes vers Dunkerque qu'elle n'en reçoit, mais son

---

6. La représentation graphique et cartographique a été réalisée par M.O. Lebeaux et P.O. Flavigny du LASMAS.

déséquilibre avec Dunkerque est plus faible que celui enregistré entre Saint-Pol et Dunkerque. Le déséquilibre des demandes en faveur de Coudekerque-Branche par rapport à Saint-Pol et Grande-Synthe est plus intense en ce qui concerne la relation Coudekerque-Branche Saint-Pol que la relation Coudekerque-Branche Grande-Synthe.

Une première manière d'aller plus loin consiste à dire qu'une commune qui est demandée par des habitants de communes elles-mêmes très demandées a une position "prééminente". L'indice de prééminence (cf. Tableau 2) place en premier Dunkerque, suivi de Coudekerque-Branche, Grande-Synthe et enfin Saint-Pol.

Si nous regardons les indices définis par Burt (1982) et mis à notre disposition par son programme "Structure", il apparaît que Saint-Pol se distingue sur trois indices pour lesquels il atteint la plus forte valeur. Il s'agit de l'hétérophilie, de la dissociation et de l'extraversion. De plus l'indice d'intraversion prend une valeur relativement faible pour Saint-Pol, plus faible en tout cas que pour Dunkerque, Coudekerque-Branche et Grande-Synthe.

TABLEAU 2 - INDICES DE BURT

	Etendue	Densité Hétérophilie	Dissociation	Score d'attractivité	Force d'attraction	Contribution aux échanges	Prééminence	Prééminence réciproque	Intraversion	Extraversion
Armbouts-Cappel	6	0,463	0,059	1,883	1	0,005	0,015	0,001	0,000	0,004	0,059
Bourbourg	7	0,545	0,106	3,225	5	0,039	0,055	0,003	0,000	0,035	0,102
Bray-Dunes	6	0,531	0,070	1,026	1	0,005	0,017	0,000	0,000	0,004	0,070
Cappelle	5	1,026	0,256	-1,127	5	0;066	0,086	0,018	0,000	0,049	0,239
Coudekerque-Branche	8	0,449	0,233	2,343	10	0,379	0,320	0,311	0,006	0,291	0,145
Coudekerque-Village	2	0,035	0,009	1,000	0	0,000	0,002	0,000	0,000	0,000	0,009
Craywick	3	0,055	0,015	1,955	0	0,000	0,007	0,000	0,000	0,000	0,015
DUNKERQUE	9	0,371	0,267	5,820	12	0,666	0,508	1.000	0,033	0,488	0,089
Fort-Mardyck	5	0,979	0,104	0,337	3	0,053	0,052	0,013	0,000	0,047	0,98
Grande-Synthe	10	0,298	0,390	5,651	11	0,270	0,308	0,164	0,002	0,165	0,285
Grand-Fort-Philippe	3	0,245	0,033	1,736	2	0,018	0,035	0,002	0,000	0,017	0,032
Gravelines	7	0,535	0,071	3,352	7	0,149	0,092	0,020	0,000	0,139	0,061
Leffrinckoucke	5	0,678	0,111	-0,915	5	0,049	0,043	0,024	0,000	0,043	0,105
Loon-PLage	6	0,484	0,077	2,480	7	0,118	0,079	0,018	0,000	0,109	0,068
Saint-Pol-sur-Mer	12	0,219	0,446	7,058	11	0,229	0,374	0,158	0,003	0,127	0,344
Zuydcoote	3	0,045	0,018	1,935	1	0,005	0,007	0,001	0,000	0,005	0,018

Cette forte valeur de l'hétérophilie signifie ici que les habitants de Saint-Pol ont (plus que ceux des autres communes) tendance à diriger leur demande vers des communes dont les habitants font des choix différents des leurs. La dissociation exprime une idée voisine : le fait que cet indice soit fort indique que les communes qui ont une part importante dans le réseau de Saint-Pol sont peu liées entre elles. Enfin les deux scores d'intraversion et d'extraversion complètent le profil. On part pour les définir d'une mesure de distance entre les communes : la distance est faible entre deux communes si leurs habitants émettent des choix vers les mêmes communes. Le fait que l'indice d'extraversion prenne une valeur élevée pour Saint-Pol et l'indice d'intraversion une valeur faible signifie que d'une part les choix émis par ses habitants (ceux-ci étant non satisfait de leur logement) se portent vers les communes les plus éloignées de Saint-Pol du point de vue de l'indice de distance défini ci-dessus et que d'autre part, les communes qui sont proches d'elle ne la choisissent pas. A un moindre degré Grande-Synthe connaît une situation comparable à celle de Saint-Pol. Le graphique qui présente les valeurs des différents indices en prenant comme classement de référence les valeurs de Saint-Pol dessine des positions respectives de Saint-Pol et de Grande-Synthe une image assez claire (cf. Graphique 2). Ce sont des communes que beaucoup de familles voudraient quitter sans y parvenir, mais ce sont aussi des communes fortement demandées. Les familles qui demandent à partir de Saint-Pol et de Grande-Synthe veulent changer de type de commune. Si l'on revient au tableau 1 on constate que les résidents de Saint-Pol et de Grande-Synthe sont les seuls à attendre des logements à Bourbourg, Grand-Fort-Philippe, Gravelines et Fort-Mardyck. Ceci explique leur différence.

Remarquons d'ailleurs que la classification ascendante hiérarchique exécutée par Structure (cf. Graphique 3) sur la base des distances entre communes a comme principal résultat nouveau de faire ressortir le groupe Bourbourg, Grand-Fort-Philippe, Gravelines.

L'ensemble de cette analyse montre que parmi les trois communes populaires de banlieue ce n'est pas Grande-Synthe, la commune urbanisée dans les années soixante et ayant connu le plus intensément les conséquences de la crise de la sidérurgie qui occupe la position la plus marginale par rapport au réseau intercommunal de la demande longue durée. Les mesures de prééminence (indice de prééminence et indice de prééminence réciproque) ainsi que l'indice de force d'attraction distinguent une position attractive plus forte pour Coudekerque et pour Grande-Synthe (à un moindre degré) que pour Saint-Pol. A Grande-Synthe et à Coudekerque les familles rencontrent des difficultés pour l'accès au logement vers un parc communal relativement plus attractif que celui de Saint-Pol. Ces résultats semblent indiquer un déplacement de la dévalorisation du parc de Grande-Synthe vers Saint-Pol (score d'extraversion fort pour Saint-Pol).

5. LA DEMANDE LONGUE DURÉE ET LA SEGMENTATION DU PARC LOCATIF SOCIAL D'AGGLOMÉRATION

La recherche de l'équivalence de position, selon la procédure des "blocs modèles", issue du traitement fait avec Concor réorganise les données initiales de la matrice. Cette approche classe et regroupe les communes du système considéré en blocs de communes ayant des relations réciproques d'échange. Elle est particulièrement intéressante pour nos données car elle différencie dans la demande longue durée d'agglomération les ménages qui aspirent à une mobilité communale de ceux qui veulent réaliser une mobilité intra-urbaine.

LA DIMENSION COMMUNALE DE LA DEMANDE LONGUE DURÉE

Une famille demande souvent un logement dans sa commune de résidence. Tous les demandeurs qui correspondent à la diagonale de la matrice (cf. tableau 1) sont des demandeurs longue durée qui désirent obtenir un logement dans leur commune de résidence. Sur 100 demandeurs longue durée habitant l'une des communes de la

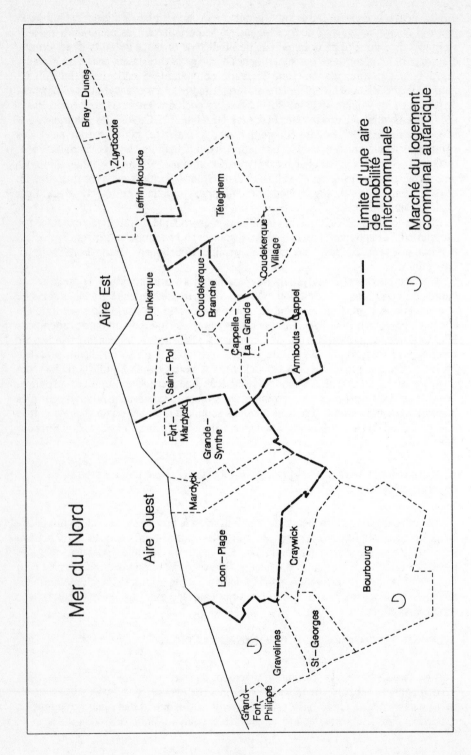

Communauté urbaine de Dunkerque, 70 demandent un logement dans leur commune de résidence.

LA DIMENSION INTRA-URBAINE DE LA DEMANDE LONGUE DURÉE

La demande longue durée intra-urbaine regroupe les familles demandant un logement social depuis plus de 6 mois qui veulent changer de commune de résidence. La demande longue durée intra-urbaine regroupe 30 % de la demande longue durée d'agglomération. Sur la matrice (cf. Tableau 1), ils correspondent aux chiffres qui ne sont pas situés sur la diagonale. Ce sont les familles qui veulent changer de commune.

La demande longue durée communale (70 % de la demande longue durée) est plus importante que la demande longue durée intra-urbaine (30 % de la demande longue durée). Ce résultat confirment donc l'importance du niveau communal dans la mobilité non satisfaite d'agglomération. De plus, le classement des communes, issu du traitement par Concor de la demande longue durée, fait apparaître une segmentation du parc locatif social de cette agglomération, caractérisée par une coupure Est/Ouest et par une fermeture de certains parcs locatifs communaux.

La segmentation Est/Ouest divise le parc locatif social d'agglomération en deux aires intercommunales de mobilité non satisfaite : l'aire Est et l'aire Ouest. Une aire inter-communale de mobilité non satisfaite regroupe des communes qui ont des relations réciproques de demandeurs longue durée.

- L'aire Est est organisée autour de Dunkerque. Elle regroupe Armbouts-Cappel, Cappelle, Saint-Pol, Coudekerque-Branche, Leffrinckoucke, Dunkerque.
- L'aire Ouest est organisée autour de Grande-Synthe. Elle regroupe Fort-Mardyck, Grande-Synthe, Loon-Plage.

A la division entre l'Est et l'Ouest s'ajoute un fonctionnement autarcique de certains parcs locatifs sociaux communaux : Gravelines, Bourbourg. Les demandeurs longue durée habitant Bourbourg et Gravelines souhaitent un autre logement dans la même commune.

La matrice obtenue montre :

a) L'exclusion de certaines communes du système de la demande longue durée d'agglomération. Ces communes, Saint-Georges et Téteghem, n'émettent pas de demandeurs de plus de 6 mois et elles ne sont pas choisies par des habitants d'autres communes. Ces communes sont des petits bourgs ruraux. Elles ont été exclues du traitement fait avec le programme Structure.

b) Le caractère complexe de la relation entre la ville-centre et les villes de banlieue. La ville centre ne polarise pas la globalité de la demande longue durée intra-urbaine. Dunkerque ne rassemble qu'un tiers de la demande longue durée intra-urbaine.

c) La proportion de la demande longue durée communale et de la demande longue durée intra-urbaine. Tous les demandeurs habitant une commune X ne demandent pas un logement dans cette commune.

Le parc locatif social de cette agglomération est segmenté en aires intercommunales de mobilité non satisfaite, l'une autour de Dunkerque (Aire Est) et l'autre autour de Grande-Synthe (Aire Ouest). Ce cloisonnement est complété par la fermeture du parc locatif social de certaines communes. Ici encore le critère de la taille de la commune n'est pas pertinent pour comprendre les cloisonnements communaux et inter-communaux.

Pour l'agglomération considérée (cf. carte ci-contre), les aires intercommunales de mobilité non satisfaite ne différencient pas ces segments urbains selon leur position attractive. Les indices de position attractive (les indices de prestige et de prééminence de Burt) montraient une position plus favorable pour Grande-Synthe que pour Saint-Pol. Une aire intercommunale telle que l'aire Est possède des parcs sociaux communaux valorisés (Coudekerque) et des parc sociaux communaux dévalorisés (Saint-Pol).

6. PERSPECTIVES

Les familles écartées par les commissions d'attribution des organismes de logements sociaux sont reléguées sur certains sites urbains. La demande longue durée vers le secteur locatif social a été traitée comme formant un système de relations au niveau d'une agglomération. L'approche structurale des réseaux sociaux appliquée à la demande longue durée a classé les communes en fonction des aspirations des familles. Elle peut être utilisée afin d'éclairer la ségrégation sociale dans une agglomération. Elle ouvre une autre perspective aux recherches sur la mobilité résidentielle en dépassant les approches traditionnelles qui se limitent aux mobiles (raison du déménagement). Les classements obtenus montrent que les hiérarchies locales font intervenir les spécificités communales. Pour analyser un parc locatif social d'agglomération, la taille des communes, le nombre de logements neufs ou la polarité ville-centre, villes de banlieue sont des critères simplificateurs.

Ainsi les résultats montrent clairement la disparité de position des parcs sociaux locatifs des trois communes de banlieue étudiées. Parmi ces trois communes populaires la commune de Saint-Pol qui est le maillon faible dans la connexion de la demande longue durée a pourtant bénéficié d'une construction récente de logements sociaux en grand nombre. Saint-Pol devient une "cité dortoir" qui ne retient pas sa population résidente. Grande-Synthe, la "cité champignon" de la sidérurgie des années soixante, a réhabilité son parc social. Le contrôle de la vacance et des relogements par un observatoire communal a rendu cette commune plus attractive pour ses propres résidents et même pour certains habitants des communes voisines. Quant au parc locatif social de Coudekerque-Branche, c'est le plus attractif des trois car il s'insère assez bien dans un habitat pavillonnaire ouvrier.

Pour l'étude des marchés locaux du logement, d'autres applications de l'approche structurale des réseaux sociaux sont envisageables. A partir d'autres données ce dispositif méthodologique pourrait éclairer la mobilité potentielle ou effective des ménages d'un parc de logements vers d'autres parcs, la mobilité des ménages à l'intérieur d'un parc de logements selon les résidences plus ou moins attractives, la mobilité des ménages dans une zone urbaine. Selon la recherche, cette zone urbaine pourrait être un quartier, une commune ou une région, etc.

MONIQUE VERVAEKE
LASMAS, IRESCO, CNRS
59 rue Pouchet - 75849 PARIS CEDEX 17

RÉFÉRENCES BIBLIOGRAPHIQUES

BALLAIN, R., DARRIS, G. *et al. Sites urbains en mutation.* Paris, L'Harmattan, 1990.
BAUER, D., DUBECHOT, P., LEGROS, M. Le logement, un des chemins de la précarité. *Consommation et mode de vie*, avril 1990.

BONDUE, J.P. Vacance du logement et différenciations sociales : l'exemple de Grande-Synthe dans l'agglomération Dunkerquoise. *Espaces, populations, Sociétés*, 1986.

BURGESS, E.W. La croissance de la ville. In *L'école de Chicago*. Paris, Editions du Champs Urbain, 1979. 1ère éd. 1925.

BURT, R.S. *Toward a structural theory of action*. New-york, Academic Press, 1982.

BURT, R.S. Structure. Technical Report, Center for Social Sciences, New York, Columbia University, 1986.

CAMPAGNAC, E., COING, H. Marché du travail et urbanisation. *La vie urbaine*, 1976, n° 2, p. 35-46.

CURCI, G. Les HLM : une vocation sociale qui s'accentue. *Economie et Statistique*, 1988, n° 206.

DEGENNE, A. La construction et l'analyse des réseaux sociaux. L'*Année sociologique*, 1978, n° 29, p. 283-310.

KNOKE, D., KUKLINSKI, J.H. *Network Analysis*, Beverly Hills, Sage Publications, 1982.

LEFEBVRE, B., VERVAEKE, M. L'accès au logement : un enjeu de politique locale. Lille, Colloque IFRESI, 1991.

LOUVOT, C., RENAUDAT, J.P. *Le parc de logements et son occupation*. Paris, INSEE, 1990.

RUIZ, H.N. *Les chaînes de logements dans le valenciennois*. Villeneuve d'Ascq, IDN, 1981.

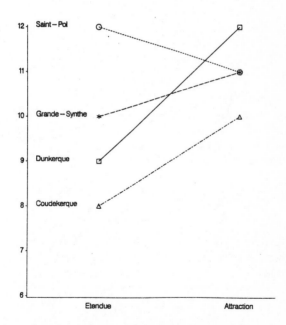

GRAPHE 1 - INDICE D'ÉTENDUE ET SCORE D'ATTRACTIVITÉ
(Nombre de commune choisies)

Exemple de lecture :
Les demandeurs longue durée habitant Dunkerque veulent déménager vers 9 communes de cette agglomération.
Les demandeurs longue durée de 12 communes de cette agglomération veulent venir habiter Dunkerque.

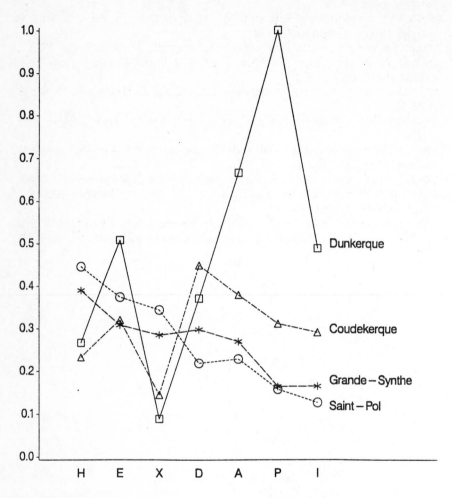

H : Hétérophilie
E : Contribution aux échanges
X : Extraversion
D : Densité

A : Force d'attraction
P : Prééminence
I : Intraversion

GRAPHE 2 - INDICATEURS DE POSITION DE 4 COMMUNES

Les valeurs indicielles des quatre communes sont reliées par une courbe afin de visualiser les positions respectives occupées par les communes pour chaque indice.

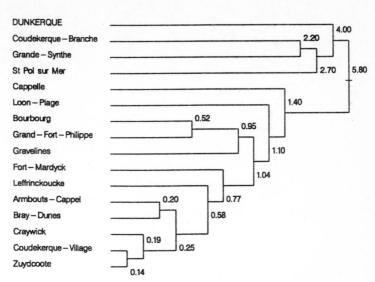

GRAPHE 3 - ÉQUIVALENCE DE POSITION (Burt, 1986, Version 3.0)
Les demandeurs de logements sociaux de plus de 6 mois selon la commune demandée
(% - Source, Fichier CUD, Juillet 1989)

VALEURS DE QUELQUES INDICES (En fonction des regroupements de communes définies par la procédure Concor)			
Villes	RMI sur population communale (% *)	Ménages percevant une aide au logement sur HLM communales (% **)	N HLM Communales (***)
01 Armbouts-Cappel	0,20	53	95
04 Cappelle	0,63	55	968
16 Saint-Pol-sur-Mer	1,41	49	4227
05 Coudekerque-Branche	0,79	47	2541
08 Dunkerque	0,87	27	7742
13 Leffrinckoucke	0,57	47	417
06 Coudekerque-Village	0,32	00	00
09 Fort-Mardyck	0,57	63	205
10 Grande-Synthe	0,84	45	5080
14 Loon-Plage	0,88	46	661
02 Bourbourg	0,92	61	460
03 Bray-Dunes	0,61	92	63
07 Craywick	0,22	67	45
12 Gravelines	1,02	53	1367
11 Grand-Fort-Philippe	1,16	59	610
18 Zuydcoote	0,15	36	92
15 Saint-Georges	0,48	87	15
17 Téteghem	0,40	07	548

* % de la population touchant un revenu minimum d'insertion (novembre 1989) sur population communale (INSEE 1982).
** % des ménages percevant une aide au logement sur HLM communales (exploitation CAF, AGUR, Laboratoire-Logement 1989)
*** Nombre d'habitations à loyers modérés communales (enquête AGUR : 01-01-89)

GLOSSAIRE

Ce glossaire a pour objet de définir les termes qui apparaissent dans des articles de cette revue. Pour les termes qui désignent des concepts importants, nous donnons l'équivalent en anglais. Certains indices particuliers, qui sont définis ici parce qu'ils apparaissent dans un des articles, n'ont pas d'équivalent.

◆ **APPAREIL.** Forme particulière de relation qui peut se représenter par un graphe quasi-fortement connexe. Lemieux (1982) oppose l'appareil au réseau qu'il assimile à un graphe fortement connexe. Dans son acception, l'appareil est hiérarchisé alors que le réseau ne l'est pas. (Voir connexité).

◆ **ATTRACTIVITÉ** [*Attractivity*]. Voir indicateurs de positions relatives.

◆ **BLOC, PARTITION EN BLOCS** [*Bloc model*]. On dit que la matrice d'incidence d'une relation est découpée en blocs lorsqu'on a choisi un certain ordre sur les lignes et les colonnes de façon à faire apparaître des propriétés intéressantes affectant des sous-ensembles. Par exemple des blocs particulièrement denses et des blocs particulièrement vides. Voir équivalence de position (White, Boorman, Breiger, 1976 ; Boorman, White, 1976 ; Arabie, Boorman, Levitt, 1978).

◆ **CERCLE** [*Social circle*]. Les individus qui font partie d'un même cercle sont capables de se reconnaître par le fait que fonctionnent entre eux des règles, des normes, des symboles. (Degenne, 1986)

◆ **CHAÎNE** [*Chain*]. C'est une suite de sommets d'un graphe (de deux sommets au moins) telle que deux sommets consécutifs soient toujours adjacents. (Voir graphe).

◆ **CHEMIN** [*Path*]. Dans un graphe un chemin est une suite d'arcs $e_1, e_2, ...e_k$ tels que le sommet initial de chacun se confond (sauf pour le premier) avec le sommet terminal de l'arc qui le précède. C'est donc une suite d'arcs qui sont tous parcourus dans le sens de leur orientation.

◆ CLIQUE [*Clique*]. Ensemble d'individus tels que pour une relation donnée, tous les liens possibles entre eux existent réellement. Une clique se représente par un sous graphe complet du graphe de la relation.

◆ CONNEXITÉ [*Connectivity*]. Terme du langage des graphes. La connexité exprime l'idée que tout individu est relié directement ou indirectement à tous les autres. On distingue plusieurs formes de connexité.

- La **connexité forte** : Etant donnés deux sommets i et j, il existe un chemin de i vers j et un chemin de j vers i.

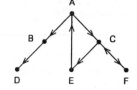

- La **connexité semi-forte** : étant donné deux sommets i et j, il existe au moins un chemin de i vers j ou de j vers i.

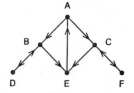

- La **connexité quasi forte** : Un graphe est quasi fortement connexe inférieurement si, étant donné deux sommets i et j, il existe un sommet k (qui peut se confondre avec i ou j) tel qu'il existe un chemin de k vers i et un chemin de k vers j. On définit de même la connexité quasi forte supérieurement.

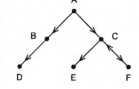

- La **connexité simple** néglige l'orientation des arcs. Un graphe est connexe si entre tout couple de sommets il existe au moins une chaine.

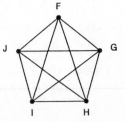

◆ **CONTACT.** Relation ponctuelle dans le temps. En 1982-83, l'INSEE a réalisé l'enquête "Contacts entre les personnes" qui avait pour but d'étudier les occasions de contact des individus enquêtés avec leur entourage (Héran, 1987).

◆ **CONTRIBUTION** [*Proportion of network*]. Voir indicateurs de positions relatives.

◆ **DENSITÉ** [*Density*]. Voir indicateurs de positions relatives.

◆ **DISSOCIATION.** Voir indicateurs de positions relatives.

◆ **EQUIVALENCE DE POSITION** [*Structural equivalence*]. Il y a lieu de distinguer deux concepts : l'équivalence stricte et l'équivalence régulière.

ÉQUIVALENCE STRICTE. Il s'agit de réunir des individus qui entretiennent les mêmes relations avec les mêmes individus. Cette notion s'oppose à celle de groupe de cohésion qui réunit des individus qui ont une forte densité de relations entre eux (cliques dans le cas extrême). Les deux graphiques ci-dessous illustrent ces deux concepts radicalement différents :

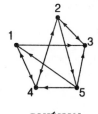

COHÉSION ÉQUILAVENCE STRICTE

Pour rechercher les équivalences de position, Burt (1982) utilise la distance euclidienne telle qu'elle se trouve définie à l'article Indices de positions relatives. Celle-ci est d'autant plus faible que les individus ont les mêmes liens avec les mêmes individus. Il suffit d'appliquer à ces distances un algorithme de classification automatique. C'est ce que fait le programme STRUCTURE.

Un autre algorithme s'inspire du même principe. Il est appelé CONCOR parce qu'il est fondé sur une procédure de convergence des corrélations.

Etant donné la matrice initiale des liens x_{ij} ou la matrice z_{ij} si l'on préfère, on lui accole sa transposée de manière à tenir compte simultanément des choix émis et des choix reçus. On obtient donc ainsi un tableau à N lignes et 2N colonnes.

On calcule pour tout couple de lignes la corrélation linéaire. D'où une matrice symétrique de corrélations r_{ij}. La corrélation est d'autant plus forte entre deux individus i et j qu'ils ont les mêmes liens avec les mêmes individus.

Le principe de l'algorithme est d'itérer ce calcul de corrélation c'est-à-dire d'utiliser la matrice de corrélation ainsi obtenue pour calculer une nouvelle matrice des corrélations entre les lignes de la première. Cette seconde matrice de corrélation sera elle-même le point de départ du calcul d'une troisième et ainsi de suite. Sauf cas particulier d'équilibre très improbable, cet algorithme converge vers une matrice où les corrélations valent 1 ou -1. Il est alors possible de réorganiser les lignes et les colonnes de cette matrice de manière à ce que les 1 soient rassemblés en deux blocs sur la diagonale principale et les -1 sur la seconde diagonale :

$$\begin{array}{c|c} 1 & -1 \\ \hline -1 & 1 \end{array}$$

Ceci crée donc deux classes d'individus. On applique la même procédure à chacune d'entre elles, ce qui produit quatre classes sur lesquels l'algorithme peut agir de nouveau et ainsi de suite. Le critère d'arrêt est soit le nombre de classes soit la taille minimum d'une classe.

Cette segmentation produit également un ordre sur les individus (avec des ex-aequo qui sont les individus qui appartiennent à une même classe à l'issue du traitement). Il est possible de réorganiser les lignes et les colonnes du tableau initial en fonction de cet ordre de manière à permettre une lecture directe du résultat du calcul.

Ces deux procédures s'appuient sur une même conception de l'équivalence : la conception stricte qui pose que deux individus sont équivalents s'ils ont les mêmes relations avec les mêmes individus. Même si les algorithmes donnent en fait une solution approchée, c'est cette conception qui est sous-jacente.

EQUIVALENCE RÉGULIÈRE. Dans cette définition, on pose que deux individus sont équivalents s'ils ont le même type de relation avec des individus eux mêmes équivalents. On produit ainsi des classes corrélatives qui se définissent les unes par rapport aux autres. Le graphique ci-dessous illustre cette définition :

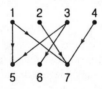

Sur l'ensemble des problèmes posés par la définition de l'équivalence de position, voir Doreian (1988).

◆ ETENDUE [*Range*]. Voir indicateurs de positions relatives.

◆ EXTRAVERSION. Voir indicateurs de positions relatives.

◆ GÉNÉRATEUR DE NOMS [*Name Generator*]. C'est une procédure d'enquête qui a pour but de faire désigner à l'enquêté des personnes avec lesquelles il entretient un certain type de relation. En général, pour des raisons de confidentialité, on ne retient pas le nom de la personne, il suffit que l'enquêté prenne un repère, le prénom par exemple pour qu'il puisse y être fait référence dans la suite de l'enquête.

Fischer (1982) par exemple demandait dans son enquête : Quand vous avez un problème personnel, par exemple quelque chose qui concerne un de vos proches, une question qui vous tracasse, est-ce que vous vous confiez à quelqu'un - souvent, parfois ou presque jamais ? Si vous parlez effectivement à quelqu'un de vos problèmes personnels, avec qui le faites-vous ?

D'autres thèmes étaient abordés : De qui prend-on avis pour une décision importante, à qui emprunte-t-on de l'argent en cas de besoin. Mais la question "avec qui parlez vous de choses importantes pour vous" a été reprise dans le module réseaux du *General Social Survey* réalisé en 1985 et 1988, par le National Opinion Research Center de Chicago.

Le nombre de noms cités dépend étroitement de la consigne choisie pour le générateur de noms. L'évocation des discussions autour des problèmes personnels fait apparaître en moyenne trois noms. L'évocation des contacts courants (se voir, sortir ensemble,etc.) autour d'une quinzaine en moyenne.

◆ GRAPHE [*Graph*]. Objet mathématique représentant une relation. Un graphe G est composé de deux ensembles G=(X,E). X est appelé l'ensemble des sommets, E l'ensemble des arcs.

Deux sommets sont adjacents s'ils sont reliés par un arc.

Dans nos problèmes, les sommets représentent les individus de la population étudiée, les arcs les liens entre les individus, constitutifs de la relation étudiée.

Un graphe est dit **valué** si à chaque arc est affecté un nombre.

Un graphe est **complet** si tous les arcs possibles existent.

Etant donné un graphe G, G'=(X',E') est un sous graphe de G si X' est une partie de X et E' l'ensemble des arcs de E existant entre les sommets de X'.

◆ HÉTÉROPHILIE. Voir indicateurs de positions relatives.

◆ INTRAVERSION. Voir indicateurs de positions relatives.

◆ INDICATEURS DE POSITIONS RELATIVES

Les indices que nous présentons sont ceux définis par Burt (1982) et mis en oeuvre dans son programme STRUCTURE (Burt, 1986).

Lorsque la matrice contient des valeurs z_{ij}, autres que des 0 et des 1, elles sont conservées pour le calcul des différents indices, mais lorsqu'il s'agit de données de type sociométrique, c'est à dire lorsque la matrice de la relation est composée de 1 et de 0, Burt transforme systématiquement les données. Cette transformation fait intervenir la transitivité des relations, c'est-à-dire que s'il existe une relation de i vers j et une relation de j vers k, on prend en considération une relation de l'individu i vers l'individu k. Cette idée paraît naturelle lorsqu'il s'agit de communication (si i est en contact avec j et j avec k, i peut contacter k par l'intermédiaire de j). Pourquoi en généraliser l'utilisation lorsque les relations relayées n'ont pas d'interprétation évidente ? La raison est simple : s'il existe une relation de i vers j, il est intéressant pour étudier le statut de l'individu j, de tenir compte des relations des autre individus vers i.

Ce principe étant admis, l'information sur laquelle on travaille est y_{ij}, la longueur du chemin qui relie i à j (s'il existe). Si $y_{ij} = 1$, c'est qu'il existe un lien direct ; si $y_{ij} = 2$, il faut passer par un intermédiaire, si $y_{ij} = 3$, il faut deux intermédiaires, etc.

Soit n_i le nombre d'individus qui sont reliés à i, directement ou indirectement par un chemin de longueur quelconque. Soit f_{ij}, le nombre d'individus qui sont reliés à i par un chemin de longueur inférieure ou égale à y_{ij}. C'est donc le nombre d'individus qui sont au moins aussi proche de i que l'est j. On pose alors :

$$z_{ij} = \begin{cases} 1 \text{ si } i = j \\ 1 - f_{ij} / n_i \\ 0 \text{ s'il n'existe aucun chemin de } i \text{ vers } j \end{cases}$$

Cette transformation donne de l'importance aux liens exceptionnels, même s'ils nécessitent de nombreux intermédiaires et lamine les liens, même directs, s'ils sont nombreux.

Les indices sont presque tous calculés à partir de z_{ij}. Ce sont des valeurs que l'on calcule pour chaque individu i.

L'ÉTENDUE (du réseau de i). [*Range*]. On la note ici e_i. C'est le nombre d'individus que i peut joindre directement, lui compris.

LA DENSITÉ (du réseau de i). [*Density*]. Notons-la α_i. Considérons tous les individus j qui sont reliés à i. C'est ce qu'on appellera ici le réseau de i. Entre ces individus existent un certain nombre de liens. La valeur maximum possible pour ce nombre de liens est $e_i (e_i - 1)$.

La densité α_i est définie comme la somme des valeurs z_{kl}, pour tous les couples k, l d'individus du réseau de i, pondérée par ce maximum.

$$\alpha_i = \Sigma_{kl} z_{kl} / [e_i (e_i - 1)] \quad k \neq l$$

LE DEGRÉ "D'HÉTÉROPHILIE" [*Range 1* chez Burt]. Ce néologisme veut désigner la propension d'un individu à émettre des liens vers des individus différents de lui. Pour définir cet indice, nous devons disposer d'une mesure de distance entre les individus. On la calcule de façon très classique, comme une distance euclidienne entre les lignes et les colonnes du tableau (z_{ij}).

$$d_{ij} = d_{ji} = \left\{ \Sigma_k [(z_{ik} - z_{jk})^2 + (z_{ki} - z_{kj})^2] \right\}^{1/2}$$

Le degré d'hétérophilie est une moyenne pondérée des distances entre l'individu i et les autres individus auxquels il est relié.

$$h_i = \Sigma_j z_{ij} d_{ij} / (\Sigma_j d_{ij})$$

LE DEGRÉ DE "DISSOCIATION" [*Range 2* chez Burt]. Pour chaque individu i, il évalue dans quelle mesure i a des liens indépendants les uns des autres. Pour le définir on utilise une statistique qui mesure la part qu'un individu k tient dans le réseau de i, soit a_{ik} :

$$a_{ik} = (z_{ik} + z_{ki}) / \Sigma_j (z_{ij} + z_{ji}) \text{ pour } i \neq j$$

On pose alors $\delta_i = \Sigma_j (1 - \Sigma_k a_{ik} z_{jk})$ avec $i \neq j \neq k$ et $i \neq k$.

Deux indices permettent d'évaluer dans quelle mesure un individu est attiré par les autres :

LE SCORE D'ATTRACTIVITÉ [*Choice status*] : si la relation exprime des choix, c'est simplement le nombre de choix reçus par l'individu i. Plus généralement, c'est dans le graphe d'une relation, le nombre d'arcs dont l'extrêmité est l'individu i c'est-à-dire le nombre de valeurs non nulles de z_{ji} quand j parcourt l'ensemble des individus différents de i.

LA FORCE DE L'ATTRACTIVITÉ b_i [*Mean relation received*] :

$$b_i = (\Sigma_j z_{ij}) / (N - 1) \quad \text{pour} \quad i \neq j$$

Les indices suivants permettent d'apprécier le statut de l'individu i par rapport à l'ensemble du réseau :

LA CONTRIBUTION DE i AUX ÉCHANGES [*Proportion of network*] : Sa définition est très simple, c'est la part des liens où l'individu i intervient, dans l'ensemble de tous les liens.

$$c_i = \Sigma_j (z_{ij} + z_{ji}) / (\Sigma_{ij} z_{ij}) \quad \text{avec} \quad i \neq j$$

LA PRÉÉMINENCE [*Aggregate prominence*]. Le nom de cet indice est inspiré par la sociométrie. Dans ce contexte où une relation représente des choix, c'est l'indice qui exprime directement l'idée que le statut d'un individu est d'autant plus fort qu'il est choisi par des individus bénéficiant eux-mêmes d'un statut élevé :

$$p_i = \tfrac{1}{g} \Sigma_j z_{ji} p_j$$

ou, en notation matricielle $P = \tfrac{1}{g} ZP$ où g est un facteur constant.
Les valeurs de p_i, solutions de cette équation sont par définition les coordonnées du vecteur propre associé à la première valeur propre de la matrice Z.

A partir de cet indice, on définit la PRÉÉMINENCE RÉCIPROQUE [*Reflected prominence*] qui évalue dans quelle mesure l'individu a des liens de réciprocité avec d'autres individus prééminents :

$$r_i = p_i / g^2 (\Sigma_j z_{ji} z_{ij})$$

Enfin Burt propose deux indices que nous appellerons INTRAVERSION [*Primary form*] et EXTRAVERSION [*Secondary form*]. Le premier mesure la fermeture du réseau de l'individu i. Le second mesure au contraire le degré d'ouverture aux autres. Dans ce but, on pose :

$$\text{prom}_i = \Sigma_j \, z_{ji} \, / \, N$$

et

$$\text{self}_i = \Sigma_j \, (1 - z_{ij}) \, d_{ji} \, / \, (\Sigma_j \, d_{ji})$$

qui croît lorsqu'on a des relations avec des gens peu différents de soi.
Prom et self varient entre 0 et 1. Les deux indices annoncés s'en déduisent directement par :

INTRAVERSION.

$$\mu_i = \text{prom}_i \, . \, \text{self}_i$$

EXTRAVERSION.

$$\sigma_i = (1 - \text{prom}_i)(1 - \text{self}_i)$$

Ils varient également entre 0 et 1.
Cette batterie d'indicateurs permet donc d'étudier les positions relatives des individus dans le réseau, de différents points de vue.

◆ LIEN [*tie, link*]. Le fait qu'on soit amené à traduire par le même terme de lien les deux mots anglais *tie* et *link* crée une difficulté dans le vocabulaire. Nous choisirons d'utiliser lien pour dire qu'une relation existe entre deux personnes. Dans le langage des graphes, c'est un **arc**.
On distingue habituellement les **liens forts** et les **liens faibles** (Granovetter, 1973, 1978).

Les LIENS FORTS sont définis par un haut niveau sur quatre dimensions :
- la fréquence des contacts
- l'intensité émotionnelle
- l'importance des services rendus
- le degré d'intimité dans les échanges

Les LIENS FAIBLES s'opposent aux liens forts.
L'opérationalisation de ce concept varie toutefois suivant les auteurs.
Les liens forts ont tendance à être transitifs et donc à créer des isolats dans lesquels l'apparition des informations extérieures n'est pas favorisée. Ce sont les liens faibles qui jettent des ponts entre ces milieux clos.

◆ MATRICE D'UNE RELATION [*Matrix of a relation*]. Etant donnée une population finie, composée de N membres bien identifiés, on représente une relation de la manière suivante : A chaque individu de la population, on affecte une ligne et la colonne de même rang dans un tableau carré de N lignes et N colonnes. L'élément situé au croisement de la ligne i et de la colonne j est noté x_{ij}. Il vaut 1 si la relation existe entre l'individu i et l'individu j et 0 sinon. Il peut également prendre une valeur numérique différente s'il mesure une caractéristique de la relation (intensité, fréquence etc). Une relation n'est pas en général symétrique c'est à dire que x_{ij} n'est pas en général égal à x_{ji}. Dans le langage des graphes, si $x_{ij} = 1$, on dit qu'il existe un **arc** de i vers j. La matrice est appelée matrice d'incidence du graphe.

◆ POLYVALENCE [*Multiplexity*]. Le degré de polyvalence apprécie dans quelle mesure les mêmes personnes sont requises pour des activités différentes. Lorsqu'on demande par exemple à qui on s'adresse pour garder la maison en cas d'absence, donner un coup de main dans le jardin, prêter de l'argent, sortir le soir, etc, on constate que certaines personnes ont des relations "spécialisées", elles ne s'adressent pas aux mêmes partenaires pour des activités différentes, alors que d'autres personnes s'adressent toujours aux mêmes. Dans ce dernier cas, on a des relations polyvalentes. Une hypothèse consiste à dire que plus on a des relations polyvalentes, moins on a un réseau efficace en cas de besoin (pour trouver de l'aide ou du travail).

◆ PRÉÉMINENCE [*Prominence*]. Voir indicateurs de positions relatives.

◆ RÉGULIÈRE (ÉQUIVALENCE) [*Regular equivalence*]. Voir équivalence de position.

◆ RELATION [*Relation*]. On appelle relation chaque forme d'échange particulière identifiée entre les individus d'une population. On parle ainsi de relation d'amitié, relation d'entraide, relation de confidence etc. Un réseau est un ensemble de relations.

◆ RÉSEAU SOCIAL [*Social network*]. L'expression n'a pas de définition universellement admise. Elle sert à exprimer que l'on se préoccupe de relations entre les personnes et à se démarquer des autres usages du mot réseau qui réfèrent surtout à des objets physiques (réseau routier, réseau téléphonique, réseaux informatiques, réseaux neuronaux etc).
Le seul langage précis est celui des graphes (voir graphe) qui est utilisé dans les études formelles.
Parfois **réseau social** s'oppose à réseau **individuel** [*ego network*]. Dans ce cas, le réseau social est, sur une population bien définie, l'ensemble des liens entre les individus de cette population. Le réseau individuel est l'ensemble des liens d'un individu donné avec d'autres personnes. Dans ce cas la population de référence peut être indéfinie.
Dans l'acception de Vincent Lemieux (1982), réseau désigne un système de relations dans lequel chaque individu peut contacter, directement ou indirectement tous les autres (voir graphe fortement connexe). Il s'oppose alors à **appareil**.

◆ SOUTIEN RELATIONNEL [*Social support*]. Branche de recherche qui étudie dans quelle mesure les relations d'une personne lui permettent de surmonter certaines difficultés (chômage, événements graves, alcoolisme etc).

A. D.

RÉFÉRENCES BIBLIOGRAPHIQUES

ARABIE, P., BOORMAN, S.A. and LEVITT, P.R. Constructing blockmodels : How and why. *Journal of Mathematical psychology*, 1978, vol. 17, p. 21-63.

BOORMAN, A. and WHITE, H. Social structure from multiple networks : II Role structure. *American Journal of Sociology*, 1976, vol. 81, n° 6, p. 1384-1446.

BURT, R.S. *Toward a structural theory of action.* New York, Academic Press, 1982, 381 p.

BURT, R.S. Structure - version 3.0 - Technical report. New York, Columbia University, 1986.

DEGENNE, A. et FLAMENT, Cl. La notion de régularité dans l'analyse des réseaux sociaux. *Bulletin de méthodologie sociologique*, 1984, vol. 2, p. 3-16

DEGENNE, A. Un langage pour l'étude des réseaux sociaux. In PROGRAMME OBSERVATION DU CHANGEMENT SOCIAL. *L'esprit des lieux.* Paris, Editions du CNRS, 1986, p. 291-312.

DOREIAN, P. Equivalence in a social network. *Journal of Mathematical Sociology*, 1988, vol. 13, p. 243-282.

FISCHER, C.S. *To dwell among friends : Personal networks in town and city.* Chicago, University of Chicago Press, 1982, 451 p.

FLAMENT, Cl. *Théorie des graphes et structure sociale.* Paris, Mouton- Gauthier-Villars, 1964.

GRANOVETTER, M.S. The strength of weak ties. *American Journal of Sociology*, 1973, vol. 78, p. 1360-1380.

GRANOVETTER, M.S. The strength of weak ties : A network theory revisited. In MARSDEN, P.V. and LIN, N. *Social structure and network analysis.* Beverly Hills, Sage, 1982. 319 p.

HARARY, F., NORMAN, R.Z. and CARTWRIGHT, D. *Structural models : An introduction to the theory of directed graphs.* New York, Wiley, 1965. 415 p.

HÉRAN, F. Comment les français voisinent. *Economie et statistique*, 1987, vol. 195, p. 43-60.

KNOKE, D. and KUKLINSKI, J.H. *Network Analysis.* Beverly Hill, Sage, 1982. 96 p.

LEMIEUX, V. *Réseaux et appareils : Logique des systèmes et langage des graphes.* Paris, Maloine, 1982. 125 p.

WHITE, H.C., BOORMAN, S.A. and BREIGER, R.L. Social structure from multiple networks : I Blockmodels of roles and positions. *American Journal of Sociology*, vol. 81, 1976, p. 730-780.

PRODUIRE LA *DOMUS* :
UNE AFFAIRE DE FAMILLE
NIVEAUX ET FORMES D'INVESTISSEMENT
DES FAMILLES DANS L'ESPACE DOMESTIQUE.

RÉSUMÉ : *La notion de "logement", dans ses définitions économiques et administratives, s'avère mal adaptée à représenter la réalité vécue quotidiennement par les familles, inscrite dans la durée : chaque habitation est le fruit d'une production permanente et réitérée. Ces faits, bien mis en évidence par des méthodes qualitatives, pourraient être intégrés aux enquêtes quantitatives. Cet article propose d'étayer cette position par les résultats d'une enquête de l'INSEE en cours d'analyse, sur la "production domestique". L'introduction propose la construction d'un cadre interprétatif permettant de dépasser une simple sociométrie, articulé autour d'une réactualisation du concept de la Domus. L'examen des tous premiers résultats de l'enquête permet ensuite de tester cette position et quelques-unes des hypothèses qui en sont tirées.*

On sait de longue date la valeur affective et identitaire dont est chargée la maison, la "demeure" aurait dit Bachelard, sans qu'on en ait toujours pris la mesure pratique et théorique. Les définitions assez restrictives de "logement" ou de "domicile" ne sont guère aptes à en rendre compte. Autant ces notions s'inscrivent dans l'instantané de la statistique, selon des modalités simplifiées et dichotomisables (propriété/accession/ location ; individuel/collectif ; rural/urbain ; commune de résidence...), autant l'habitation vécue quotidiennement par les familles, rêvée, aménagée, transformée, s'inscrit dans la complexité et dans la durée, au gré des étapes de la vie. Autant le logement et son droit de jouissance ou de propriété s'acquièrent au moment d'un acte juridique unique, autant l'habitation est au contraire le fruit d'une production continue et toujours recommencée. Cette activité, loin de se réduire à une consommation de la valeur du logement, lui confère au contraire une valeur supplémentaire, et prend alors place dans le champ de la "production domestique". Elle est orientée par des représentations extrêmement intriquées de la famille, des rôles distribués en son sein [1], de leur devenir, de l'image à donner pour soi-même et pour les autres.

L'espace domestique se présente ainsi comme le lieu où un ménage se mobilise pour la réalisation de ses objectifs primordiaux, s'organisant selon des solidarités complexes entre âges, sexes, parentèle, réseau de sociabilité, qui ne vont pas sans dissymétries, conflits, ni différentiations. S'y réalisent une grande variété de pratiques,

---

1.   Cf. par exemple, Kellerhals *et al.* (1981), Segalen (1981-1988), Rocher (1968), Flandrin (1976).

qui convergent vers un but collectif : produire et maintenir cette identité entre famille et maison que les sciences de la société, particulièrement l'histoire et l'anthropologie [2], ont décrite comme "la *Domus* " (la "Maison", dans une acception large) [3], qui leur donne son sens.

En effet, certaines de ces pratiques de production domestique apparaissent incohérentes pour qui privilégie l'intérêt immédiat d'un individu schématique, isolé et autonomisé dans un champ économique généralisé, pour qui veut ignorer les processus de solidarité internes au groupe familial et leur inscription dans la durée. Ces pratiques sembleraient proprement aberrantes, sauf à considérer que les individus s'offriraient volontairement en esclavage à leur parentèle, ou qu'ils agiraient en totale inconscience et systématiquement à l'encontre de leurs intérêts, ce qui est auto-contradictoire avec les prémisses-même de cette approche.

Il m'apparaît alors nécessaire de réactualiser le concept de *Domus*, comme cadre conceptuel permettant d'intégrer et de penser l'ensemble des dimensions du problème : sujet collectif, personne morale marquée d'un patronyme, prise dans ses relations de parentèle et de voisinage ; c'est la trilogie qui inclut le bâtiment, le groupe domestique, et ses diverses formes de capitaux [4]. Le groupe domestique, dans ses composantes de rôles différents, en a la charge, le contrôle au moins partiel, et la disposition. Selon cette conception, les pratiques de chacun au sein de la communauté domestique comportent une composante orientée vers la pérennité et la reproduction de la maison. C'est alors l'existence et la structure interne de la *Domus* qui permet de comprendre les pratiques des rôles individuels [5].

"Fragile et friable en dépit de sa pérennité conceptuelle", marquée "beaucoup plus par les investissements affectifs qu'elle provoque que par sa valeur réelle sur le marché" [6], la *Domus* s'instrumentalise et s'identifie dans l'habitation proprement dite, but et moyen de sa propre perdurance. Celle-ci peut être cernée à trois niveaux :
- celui du capital localisé qu'elle représente, possédé ou non par l'occupant,
- celui de l'espace habitable, fonctionnalisé, comme instrument nécessaire aux pratiques domestiques quotidiennes, ou exceptionnelles,
- celui de l'expression symbolique et identitaire dont elle est le support (identités plutôt collectives dans certains de ses espaces, plutôt individuelle dans les chambres et les espaces attribués personnellement).

A ces niveaux d'analyse et de représentation de l'habitation, répondent les notions d'activités et de marchés de la production de l'habitation : gros-oeuvre, second-oeuvre,

2. Cf. en particulier, Le Roy Ladurie (1973 ;1975), Lévi-Strauss (1987), Thébert (1975).
3. Pour l'une de ses formes anciennes, E. Le Roy Ladurie (*op. cit.* 1975 p. 169) définissait ainsi "l'importance de la *domus*, concept unificateur de la vie sociale, familiale et culturelle..." ; "cette cellule de base n'est autre, bien sûr, que la famille paysanne, incarnée dans la pérennité d'une maison". Ce concept a été temporairement oublié durant la période où la sphère domestique était assimilée à celle de la consommation. L'unité de la *Domus* ne paraissait plus correspondre à une unité productive que dans de trop rares cas de ménages d'artisans ou de paysans. Mais avec la révision de ce découpage trop simpliste, la réactualisation de ce concept serait à entreprendre.
4. Dans sa forme ancienne, le capital de la *domus* (hors capital social et culturel) était localisé (ses terres), ce qui n'est plus obligatoirement le cas. Ne faut-il pas de même réexaminer le principe de l'unilocalité de résidence du groupe familial, et accepter son éclatement sur un territoire. La surévaluation de l'autonomie de la famille nucléaire a masqué un temps la persistance de réseaux et de fortes solidarités intergénérationnelles et de fratries, comme tendent à le montrer plusieurs recherches actuelles.
5. On aurait tort de croire que le "souci du rang" ne concerne que la haute société parce qu'il n'adoprte pas les mêmes formes dans les classes populaires : cf. par exemple, Althabe *et al. Urbanisation et enjeux quotidiens.* Paris, Anthropos, 1985.
6. E. Le Roy Ladurie (*op. cit.* 1975, p. 191 et 192).

services ; ainsi que les temporalités sur lesquelles s'amortissent ces activités productrices : long, moyen, et court termes [7]. C'est en confrontation avec ces marchés, et selon ces temporalités que s'inscrivent les pratiques de production domestique qui concernent l'habitation. A chacun des niveaux énoncés ci-dessus prend place une forme d'investissement [8] spécifique et plus ou moins durable, depuis le capital investi par achat ou incorporé par autoconstruction, à longue temporalité d'amortissement, en passant par les lourds mais rares chantiers des gros bricolages, des transformations et agrandissements, par les travaux de second-oeuvre qui permettront de maintenir à niveau le confort et la fonctionnalité, jusqu'aux travaux d'apparence, de finitions et même au ménage quotidien, dont l'obsolescence se comptera parfois en minutes, pour un travail maintes fois répété.

Au-delà de l'usure-même des objets matériels, qui justifierait à elle seule le renouvellement périodique de ces activités, il faut souligner qu'il demeure toujours un décalage entre l'habitation réellement disponible et les modèles attendus ou idéaux (sans même parler des besoins). Les dernières enquêtes en la matière [9] indiquent bien l'inadéquation généralisée des logements : la moitié des ménages manquent de place, les chambres sont suroccupées, les meubles s'entassent...etc. L'habitation ressentie comme "nécessaire" est rarement atteinte, jamais acquise ni constituée de manière définitive ; les ménages doivent en permanence développer leur activité et dépenser leur énergie pour s'en approcher... ou ne pas trop s'en éloigner.

Un tel cadre conceptuel génère de multiples questions et hypothèses qu'il faudra tester. Pour l'heure, disposant des seuls tous premiers résultats, je proposerai d'en examiner principalement deux : non seulement les différentes formes de groupes domestiques adopteront sans doute des attitudes et des pratiques différentes face à leur habitation (comme cherchant à constituer des *Domus* plus ou moins "fortes") ; mais il est probable que l'appartenance de ces foyers (ou "ménages" de l'INSEE) à des catégories sociales et culturelles différentes, se répercute dans leurs niveaux et formes de mobilisation pour obtenir et maintenir l'habitation nécessaire à leurs yeux, pour satisfaire à la norme que véhicule leur entourage.

7. Au-delà du problème foncier, le gros-oeuvre, qui représente une part notable de la valeur vénale d'une maison, a couramment une durée de vie (et donc d'amortissement de la valeur incorporée) sans réfections considérables qui se compte en décennies, voire en siècles. Les fonctionnalités offertes par le second-oeuvre (distribution, plomberie-sanitaires, électricité...) nécessitent des réfections tous les dix ou vingt ans, voire plus fréquemment. Enfin des services tels que ceux qui mettent en oeuvre des techniques d'apparence et de surface (jardinage-désherbage, décoration, ménage...) ont des durées de vie plus courtes, de quelques années maximum à la semaine, voire moins (nettoyage, rangement...), et une valeur unitaire proportionnée. Tous convergent néanmoins sur un même objectif : la disposition et la présentation d'une habitation correspondant aux modèles adoptés par le foyer. Ils se différencient des consommations de fonctionnement, qui n'augmentent ni ne maintiennent aucunement la valeur de l'habitation.

8. Le terme d'investissement utilisé ici n'a pas seulement une valeur de métaphore, au sens où la psychologie désigne la dépense d'énergie personnelle concentrée sur un objet ou un domaine qui tient à coeur, dans l'attente de bénéfices affectifs ou symboliques. Toutes les observations qualitatives ont largement montré que l'énergie dépensée dans la production de l'apparence, la présentation de soi, du groupe et de la maison, l'étaient explicitement dans le but de constituer un capital social collectif susceptible de rendre un jour des intérêts qui ne seront pas purement symboliques. C'est d'ailleurs une technique d'ascension sociale éprouvée.

9. Cf. *Premiers résultats*, n° 162 et 166 de l'enquête "biens-durables ameublement", de 1988, de l'INSEE.

1. LE CADRE DE L'ENQUÊTE

L'enquête "modes de vie" constitue une première : elle porte de manière approfondie sur les activités domestiques productives des foyers, pour en comprendre le comportement. Elle a été menée sur le terrain par l'INSEE, en collaboration avec le CNRS au sein d'un programme centré sur la "production domestique", en 1988-89, sur un échantillon de 10.000 foyers [10]. Un ensemble de questionnaires détaillés est complété par des cahiers spécifiques (journée de la maîtresse de maison, parc d'appareils ménagers, contenu du congélateur), le tout flanqué de deux enquêtes complémentaires, sur de plus petits échantillons, focalisées sur les aides et relations familiales d'une part, sur la préparation des repas, les soins apportés à l'animal domestique, et le bricolage d'autre part. La production domestique y est entendue comme l'ensemble de ce que les ménages produisent par eux-mêmes dans le cours de leur vie quotidienne, nécessaire au bon fonctionnement du foyer et pour lequel des substituts marchands - biens et services - existent [11]. Le poids de cet objet est considérable [12] : la quantité d'heures consacrées à la production domestique s'avère supérieure à celle concentrée dans la sphère professionnelle.

L'enquête principale présente donc cette particularité d'aborder le logement moins en termes de consommation, moins en tant qu'équipement ou bien propre du foyer, pour en décrire la vétusté ou le confort, mais plus en tant que cause et support d'un travail d'entretien, d'investissement, et cadre d'autres activités productives.

Par là, découleront quelques motifs d'intérêt :
- d'abord la suggestion que la valeur du capital initial immobilisé dans le logement ne constituerait rapidement plus qu'une fraction de la valeur totale, face au travail réalisé et incorporé pour maintenir l'habitation en état d'usage, investissement incessant et méconnu ;
- ensuite la possibilité de saisir cette même habitation dans sa dynamique, c'est à dire non comme un objet fermé, mais comme une oeuvre en perpétuelle mise à jour ;
- enfin celle de mesurer simultanément des indicateurs de pratiques qui sont habituellement dissociés, fragmentés en champs distincts.

Parmi la quarantaine d'activités de production domestique mesurées par l'enquête, j'ai choisi de retenir 16 tâches très variées dans leur contenu :
- qui soient susceptibles de correspondre aux différents niveaux d'investissement relatifs à la maison et aux différentes temporalités d'amortissement évoquées ci-dessus,
- qui aient trait à l'habitation dans sa constitution, son aménagement et sa maintenance pratique et symbolique (sont aussi bien concernés ses abords, son apparence intérieure et extérieure), et donc qui ne relèvent pas d'un simple fonctionnement du groupe domestique [13],

---

10. Toutes les données chiffrées qui suivent sont issues de cette enquête, mais leur traitement et leur interprétation n'engagent que l'auteur de cet article.

11. Cf. l'*INSEE-première* qui présente l'enquête ; les termes génériques employés pour désigner les activités englobent dans un certain nombre de cas un champ plus vaste que le seul mot ou expression utilisé suggère.

12. Cf. Les emplois du temps des français. INSEE, *Economie et Statistique*, n° 223, juillet-août 1989.

13. J'inclus dans cette définition les soins apportés à l'apparence de l'automobile, dont il a été montré qu'elle constitue un prolongement pratique et symbolique très fortement lié à la maison (rappelons qu'elle y est juridiquement assimilée). Les réparations la concernant sont d'ailleurs déjà amalgamées à celles des appareils ménagers par l'enquête même. Cf. les études sur la publicité pavillonnaire, autant que sur le bricolage (Brenac et Piona, 1985 ; Jarreau, 1985).

- qui ne soient pas attachés à la personne, mais au groupe constitué par le ménage.

Par ordre croissant de la proportion des ménages qui les réalisent, il s'agit des pratiques ainsi dénommées : "faire de la maçonnerie, de la plomberie, de la menuiserie, nettoyer l'extérieur de la voiture, arroser, désherber, faire de la peinture, s'occuper du chauffage, effectuer des réparations sur des appareils ménagers ou sur la voiture, nettoyer les abords de la maison, nettoyer l'intérieur de la voiture, réaliser des travaux de petit bricolage, s'occuper des plantes d'appartement, nettoyer les vitres, faire les lits, nettoyer les sols". L'enquête a enregistré en particulier pour chacune de ces tâches, avec les caractéristiques sociales générales du ménage : d'une part si elle avait été exécutée au moins une fois depuis que le foyer existe, d'autre part si elle l'a été dans l'année écoulée, et par qui (chacun des adultes, un enfant, voire une personne extérieure rémunérée ou non).

2. QUI INVESTIT LE PLUS ? LES FAMILLES.

La première hypothèse formulée peut se traduire par cette question : si la *Domus* qui se construit a pour objectif une pérennité qui dépasse celle des individus, et celle du chef de famille en particulier, assurant à ses membres les plus fragiles, au premier rang desquels se trouvent les enfants, un mode de vie "décent"(constant) et indépendant, les familles (les "couples avec enfant(s)" selon la nomenclature de l'INSEE) doivent apparaître comme réalisant un ensemble d'investissements plus important que les autres catégories de foyers, et pour cela avoir pratiqué dans l'année écoulée les tâches susdites en plus grande proportion. On est donc conduit en premier lieu à mettre en relation les formes de foyers avec leur implication dans ces activités.

Le bien-fondé de l'hypothèse est fortement corroboré par les valeurs que prennent les indicateurs choisis. Soulignons qu'elle est également corroborée par les autres indicateurs d'activités domestiques qui touchent de moins près l'investissement dans la maison mais plutôt son fonctionnement, et qu'elle est radicalement démontrée lorsqu'on utilise une méthode de type "toutes choses égales par ailleurs"[14].

Le premier fait remarquable est donc une augmentation systématique de la proportion de ménages réalisant ces tâches lorsque la taille du foyer passe d'une à deux personne, puis trois ou plus, les familles arrivant partout en tête du palmarès. Cependant la plus grande élévation du taux d'exécution de ces tâches d'investissement par les familles ne paraît pas pouvoir se réduire à un simple effet linéaire lié au nombre de personnes du ménage. Même si ces tâches ont été expressément choisies comme n'étant pas liées à la personne physique, on pourrait imaginer que des effets cachés soient néanmoins produits par la taille de la famille : les ampoules électriques et la robinetterie seraient plus souvent sollicitées et nécessiteraient de plus fréquents bricolages. Au stade actuel des résultats, on ne peut encore répondre précisément à l'objection. Malgré cela, on remarquera précisément sur cet exemple du petit bricolage, que l'augmentation du taux de ménages concernés s'élève peu des simples couples aux familles (de 72% à 85%), alors qu'on passe de deux à trois personnes présentes au minimum[15].

De plus, les pratiques qui sont attachées à l'existence-même du ménage et de son habitation, quelles que soient leurs tailles, telles que "s'occuper du chauffage" ou "de

---

14. Cf. *INSEE Première*. Pour le modèle d'analyse "toutes choses égales par ailleurs" dit aussi modèle "Logit", cf. D. Verger (1983).

15. Il faudrait sinon imaginer un modèle logarithmique de l'accroissement de l'activité du foyer, à partir d'une valeur incompressible. Pourquoi pas?

la voiture", augmentent considérablement lorsqu'on passe des personnes seules aux familles, alors que l'objet des soins demeure la plupart du temps unique. Même si ce fait est probablement corrélatif de ce que les familles habiteront plus souvent en maisons munies de chauffages individuels, et possèderont plus fréquemment une voiture pour se déplacer que les personnes seules, il apparaîtra difficilement comme l'effet direct du nombre de personnes, mais bien plutôt comme une disposition ou l'expression du choix d'un mode de vie différent [16].

TABLEAU 1 - PROPORTION DES MÉNAGES, SELON LE TYPE DE FOYER, AYANT RÉALISÉ LA TÂCHE DANS L'ANNÉE ÉCOULÉE

	P S	Couple	C+Enft	Autre	Total
Maçonnerie	8,79	22,07	**35,65**	16,33	22,81
Plomberie	14,14	22,50	**31,54**	20,24	23,31
Menuiserie	11,62	24,82	**37,80**	20,19	25,50
Peinture	25,97	45,73	**63,56**	43,82	46,77
S'occuper du chauffage	36,81	52,80	**56,12**	45,95	48,91
Desherber	30,54	61,15	**66,78**	46,58	53,26
Réparations	33,20	54,30	**69,48**	50,46	53,78
Arroser	31,69	62,07	**66,95**	47,51	53,97
Nettoyer les abords	43,45	70,09	**75,06**	57,64	63,28
Nettoyer voiture ext.	38,40	75,62	**89,78**	64,69	69,55
Nettoyer voiture int.	38,41	76,34	**90,78**	64,77	70,10
Petit bricolage	54,14	72,15	**85,55**	68,02	71,76
Plantes d'appart.	62,04	85,12	**89,06**	79,89	79,77
Nettoyer vitres	94,39	98,71	**99,70**	97,72	97,80
Faire les lits	98,56	99,39	**99,72**	99,08	99,25
Nettoyer sols	98,40	99,51	**99,98**	99,72	99,41
Nombre de foyers (en millions)	5,61	5,11	**7,73**	2,59	21,06

Source INSEE : Enquête "Modes de vie", 1988-1989
- P S : Personnes seules — Couple : Couples sans enfants
- C+Enft : Couples avec enfant(s), — Autre : Autres ménages
  (n ≥ 1 au moment de l'enquête) — Total : Totalité des ménages.

On remarquera surtout que moins l'ensemble des ménages a pratiqué l'activité, plus les familles semblent se différencier du lot. Si l'on veut bien examiner la colonne des valeurs "Couples avec enfants", on y distinguera assez nettement quatre niveaux : trois tâches que plus de 99% déclarent réaliser (lits, vitres, sols : des tâches quotidiennes ou très fréquentes) ; quatre autres situées entre 85 et 90% (voiture int. et ext., bricolage et plantes) ; puis six qui offrent des valeurs de 56 à 75% ; enfin trois autres qui ne concernent qu'un tiers des familles chaque année (31 à 37% : maçonnerie, plomberie,

16. En effet, la méthode Logit indique, pour les plus lourdes tâches, un effet spécifique peu accentué de la composition du foyer. On sait effectivement que les familles on tendance à suivre un cycle de résidence caractéristique de leur composition et de l'âge des enfants.

menuiserie). D'un niveau à l'autre, nous passons du fréquent à l'épisodique, puis à l'exceptionnel : on n'entreprend pas tous les jours un chantier de maçonnerie ou de plomberie. Or à chaque palier précisément, les familles se différencient un peu plus : peu sur le quotidien [17], mais plus dès que les tâches sont moins des obligations (pratiques ou normatives).

Enfin, l'enquête a par ailleurs montré que si un cinquième des foyers ne s'investissait guère que dans les activités d'entretien partagées par tous les ménages, un autre dixième manifeste au contraire une activité nettement plus variée que la moyenne. On les trouve parmi les jeunes foyers, habitant surtout en maison individuelle, et en proportion croissant avec la taille de la famille (aucun n'a plus de 70 ans, et ils sont exceptionnels chez les personnes seules). Par contre, les effets de la catégorie sociale sont presque inexistants. On peut alors voir se dessiner le portrait de ces jeunes couples qui, confiants en l'avenir, cherchent à produire à la fois une famille et la demeure où elle pourra se développer (on examinera plus en détail cette proposition par la suite : cf. *infra*). S'y opposeraient plusieurs types : les familles âgées et certains veufs, saisis après la dispersion des enfants, ainsi que des couples et des personnes seules qui investiraient peu dans un projet "enfants+maison", ou qui investiraient leurs forces ailleurs (voire nulle part).

Si l'on veut bien considérer que cette variété des tâches accomplies constitue un indice supplémentaire de l'activité dépensée, on pourra admettre que la première hypothèse, concernant l'investissement plus prononcé des familles en constitution, a acquis une certaine solidité. Nous concentrerons donc maintenant notre attention sur les familles (les couples au moment où ils ont des enfants). Elles forment à elles seules un tiers du nombre total des foyers, et c'est l'essentiel de la population qui y vit. Puis nous examinerons une seconde hypothèse, à savoir si les formes et les niveaux d'investissement de ces familles les différencient selon leurs catégories sociales ou professionnelles. Pour plus de précision, nous rapporterons désormais les proportions à l'ensemble des seules familles pratiquant l'activité .

3. POIDS ET FORME DES "INVESTISSEMENTS"

Cependant, si l'on veut avancer dans cette voie, il demeure un ambiguïté considérable, qui est celle-ci : la réalisation, dans l'année écoulée, de telle ou telle tâche ne présume en rien de sa répétition au cours de cette même année de mesure, ni de sa répétition les autres années, tout au long du cycle de vie du ménage. Certes la relation entre la proportion de foyers ayant réalisé la tâche dans l'année écoulée et le nombre de fois que ceux-ci l'ont réalisée (ou l'énergie dépensée) est probablement linéaire. N'était l'intuition ou l'expérience que nous en avons, ce qui n'est guère satisfaisant, il

17. L'INSEE parle d'activités "incontournées", "activités domestiques du quotidien", réalisées par tous sans distinction de revenu, de milieu social, ou de type d'habitat (ce qui n'est pas le cas pour les tâches plus rares, où les ressources, catégories sociales, professionnelles et de résidence différencient les ménages). On peut toutefois se poser la question de savoir si l'enquête n'a pas plutôt enregistré là l'effet d'une norme généralisée que la réalité d'une pratique : les enquêtes sur le terrain montrent beaucoup plus souvent des lits défaits que les gens ne sont prêts à le déclarer.

n'apparaîtrait aucune différence entre tâche exceptionnelle (mais lourde) et tâche ordinaire, quotidienne même, mais légère [18], qui toutes deux seraient réalisées au moins une fois par an (changer une ampoule, donner un coup de balai sont équivalents à un chantier de maçonnerie pour agrandir la maison). Mais ne sont-elles réalisées qu'exceptionnellement, qu'une seule fois par an, ou bien à un rythme journalier, hebdomadaire, mensuel, saisonnier? Autrement dit, des tâches moyennement investissantes en apparence, en ce qu'elles nécessiteraient peu de capital financier, culturel et temporel pour chaque exécution, n'en absorbent-elles pas de grandes quantités en définitive si elles sont multipliées, plus qu'une tâche lourde mais qui n'apparaîtrait qu'en unique exemplaire dans le cursus du ménage ? Les résultats détaillés de l'enquête permettront par la suite la mesure du temps et des matières premières consacrés à chaque tâche, selon des rythmes quotidiens, hebdomadaires et annuels. Mais au stade actuel, seule la réalisation effective et l'exécutant principal sont connus. On n'aurait donc qu'une idée très imparfaite de l'énergie investie par les familles dans la constitution de leur *Domus*, et de la répartition qu'elles en feraient entre le long terme, le durable, ou l'apparence plus labile.

Il subsiste un moyen de contourner cette difficulté et de différencier ces tâches sur un axe poids-fréquence : en construisant la différence relative (K) entre la proportion de réalisation "dans l'année écoulée" et celle "depuis la formation du ménage". La différence retient la proportion de ceux qui, ayant exécuté au moins un jour cette tâche (R2), ne l'ont pourtant pas fait cette année (R1) : soit qu'ils n'aient pas eu à le faire (parce qu'elle se réaliserait plutôt en début de parcours d'une famille, ou bien qu'importante, elle ne se réalise pas souvent), soit qu'ils l'aient sous-traitée (ce qui est rare, et concerne plomberie et réparations surtout). Rapporté à R2 (la réalisation "un jour" qui peut être lue comme la rareté d'exécution), K est d'autant plus grand que la tâche est effectivement exécutée par les familles dans leur cursus, mais plus rarement. Réciproquement, K est d'autant plus faible que la tâche est presque autant réalisée dans l'année (chaque année?) que depuis les débuts du foyer, et donc souvent répétée. On en trouvera l'indication dans le tableau suivant, où les tâches sont alors ordonnées par rang décroissant de K, confirmant en grande partie leur ordre de pratique par l'ensemble des ménages (je conserverai leur numéro d'ordre ci-dessous par la suite).

On remarquera que ces activités, ainsi ordonnées par paliers des plus "lourdes" mais exceptionnellement réalisées (correspondant aux investissements à long et moyen termes, au gros et second oeuvre), jusqu'aux tâches plus quotidiennes mais plus "légères" (court terme, services), sont non seulement réalisées par le ménage lui-même (l'appel à personne extérieure est faible : plomberie, réparations [19], et un peu menuiserie et maçonnerie), mais surtout par les deux adultes principalement. On voit ensuite que les extrêmes de cette série apparaissent comme fortement "attribuées" à l'un des deux conjoints spécifiquement : à la "personne de référence" en ce qui concerne les tâches

---

18. Une activité est ici considérée comme autant plus lourde que le temps qui est consacré pour chaque exécution par l'ensemble des membres du ménage est plus important. Si l'on croisait ce critère avec la fréquence d'exécution (que nous n'avons pas ici), on obtiendrait vraisemblablement la notion de "lourdeur" exactement symétrique employée par H. Rousse et C. Roy dans Activités ménagères et cycle de vie, INSEE, *Economie et Statistique*, n° 131, mars 1981.

19. C'est-à-dire dans des domaines qui mobilisent des connaissances et un outillage plus spécialisé ; on est donc orienté vers l'idée que la *Domus* se constitue en firme fonctionnant avec un maximum d'autonomie, et ne faisant appel à la sous-traitance extérieure que lorsqu'elle ne dispose pas des compétence nécessaires (ou ne peut les mobiliser au sein de son réseau de sociabilité).

(1 à 6) les plus "lourdes", rares, ou durables, et au "Conjoint" en ce qui concerne les investissements à forte obsolescence (13 à 16), tandis que la partie centrale (activités 7 à 12) est un peu plus partagée (cf. figure 1).

TABLEAU 2 -" POIDS-RARETÉ" DES TÂCHES RÉALISÉES PAR LES FAMILLES ET EXÉCUTANT PRINCIPAL DE LA TÂCHE (% sur les seules familles pratiquant l'activité).

Activités	R1	R2	Δ	K	PR	Conjt	Enft	Autre	ExtNR	ExtR
1 Maçonnerie	42	19	23	0,55	89,18	00,96	0,85	0,37	1,96	06,66
2 Plomberie	29	14	15	0,52	70,51	00,84	1,25	0,84	4,91	21,65
3 Menuiserie	43	21	22	0,51	86,49	01,51	0,94	0,99	2,20	07,86
4 Peinture	74	41	33	0,45	79,42	13,64	1,87	0,88	1,68	02,51
5 Réparations	56	34	22	0,39	73,51	01,87	1,90	0,98	2,31	19,42
6 Petit bricolage	83	62	21	0,25	89,88	05,21	1,53	0,70	1,53	01,36
7 Désherber	64	50	14	0,22	70,48	24,81	1,52	0,78	2,00	00,41
8 Arroser	65	52	13	0,20	69,74	26,34	1,65	0,64	1,33	00,29
9 S'occuper du chauffage	56	46	10	0,18	72,85	23,58	1,41	0,39	0,35	01,42
10 Nettoyer voiture ext.	72	63	9	0,13	72,45	15,25	4,56	1,63	0,32	05,79
11 Nettoyer voiture int.	75	66	9	0,12	66,18	23,51	5,27	2,18	0,13	02,73
12 Nettoyer les abords	65	58	7	0,11	66,16	28,99	0,96	0,47	0,89	02,53
13 Plantes d'appart.	84	79	5	0,06	15,01	83,43	0,98	0,35	0,16	00,06
14 Nettoyer les vitres	96	94	2	0,02	12,69	85,02	1,41	0,35	0,52	00,00
15 Nettoyer les sols	99	97	2	0,02	10,30	88,05	0,93	0,34	0,38	00,00
16 Faire les lits	99	97	2	0,02	06,70	91,25	1,00	0,35	0,10	00,60

Source INSEE : Enquête "Modes de vie", 1988-1989
- R1 : proportion de la totalité des familles ayant pratiqué l'activité depuis leur formation,
- R2 : proportion de la totalité des familles dont un membre a réalisé l'activité dans l'année passée
- K = Δ / R1 = (R1-R2) / R1   Autre : autre personne appartenant au ménage
- PR : personne de référence   ExtNR : exécutant extérieur au ménage, non rémunéré
- Conjt : conjoint ;   ExtR : exécutant extérieur au ménage, rémunéré
- Enft : enfant ;

La différence relative d'exécution spécifique par un conjoint, comparée au taux de réalisation, fait mieux apparaître la spécialisation des rôles aux deux extrêmes. On retrouve là une division sexuelle du travail domestique assez traditionnelle, tout en entrevoyant la possibilité de la décrire plus exactement et plus finement, peut-être selon les types de foyers et les catégories sociales. On peut cependant souligner, pour notre propos, la manière dont il apparaît que la *Domus* s'organise pour se constituer : il serait demandé à la "personne de référence" (l'homme en général, dont on sait que la durée de vie est plus courte...) de se projeter dans l'avenir et de prendre en charge les investissements à long terme, lourds ou techniques, et au "conjoint" (la femme) de faire siens les plus labiles, dans une attention quotidienne et une vigilance permanente. D'une certaine manière, on aurait pu dire que la structure du groupe domestique instaure une sorte de troc entre eux, mais avec des biens de nature et de durée de vie très différentes, et plus complémentaires que substituables : l'un travaille pour tout de suite, l'autre pour plus tard. En fait lesdits produits ne sont pas vraiment échangés, mais plutôt partagés, y compris avec des acteurs qui produisent peu (les enfants par exemple). De plus, ils ne sont pas consommés ni consommables instantanément, mais plutôt incorporés aux investissements. Tant et si bien qu'il serait préférable de parler d'une forme de solidarité conçue fondamentalement sur la durée, interne au groupe domestique.

On en trouvera une autre illustration avec l'analyse du rapport entre la contribution additionnée des deux membres du couple par rapport à celle de leurs enfants, qui contribuerait à mettre en évidence la réalisation d'une solidarité à long terme. Il faut toutefois prendre garde dans l'interprétation que la proportion de réalisation par les enfants, uniquement ceux qui sont encore présents dans le ménage, s'élève quand la pratique est moins exécutée dans l'absolu (ce qui est le cas, l'âge des parents venant, pour certaines tâches). Ils peuvent ainsi ne guère dépenser plus d'énergie, tout en contribuant relativement plus. Cette observation ne prendrait sans doute tout son relief que resituée dans l'ensemble des aides et relations que la famille-ménage échange avec sa parentèle.

Avant de s'acquitter de cette solidarité à long terme, les enfants jeunes n'apparaissent pas, au moins à ce degré de précision, comme une force considérable de l'entreprise-maison (hormis un léger apport aux soins d'apparence de la voiture), mais bien plutôt, dans un premier temps, comme la première fraction bénéficiaire de l'existence de la *Domus* : ils en sont l'avenir.

4. INVESTIR : UNE AFFAIRE DE JEUNES

Nous avons déjà vu se dessiner le portrait des plus gros investisseurs (c. *supra*). Une bonne manière d'accréditer nos propositions serait d'examiner maintenant plus en détail si ces "investissements" sont réalisés par des foyers préférentiellement au moment où ils composent leur Maison-famille : entre 30 et 59 ans, si l'on en croit la répartition des formes de foyers selon leur tranche d'âge (cf. Tableau 3).

TABLEAU 3 - EFFECTIFS ABSOLUS DES FORMES DE FOYERS EN FRANCE SELON L'ÂGE (en milliers)

	PS	Couple	C+Enft	Autre	Total
< 30 ans	**900**	692	760	282	2 634
30-39	595	296	**2 905**	492	4 288
40-49	478	349	**2 338**	612	3 777
50-59	760	**978**	**1 158**	502	3 398
60-69	**1 155**	**1 475**	450	367	3 447
70-79	**1 059**	**1 042**	91	215	2 407
80 et >	669	280	36	123	1 108
Totaux	5 616	5 112	7 738	2 593	21 059

Source INSEE : Enquête "Modes de vie", 1988-1989

L'exemple de la réalisation des quelques tâches choisies pour examiner cette question, des trois plus lourdes à l'une des plus obsolescentes, en passant par l'intermédiaire du bricolage (1-maçonnerie, 2-plomberie, 3-menuiserie, 6-petit bricolage, 15-nettoyage des sols), en fonction de l'âge du chef de ménage, semble corroborer pour partie cette thèse : l'activité maximum se situe entre 30 et 50 ans, elle baisse avec l'âge (cf. figure 2). L'étude "toutes choses égales par ailleurs" confirme cette tendance à la baisse, l'âge venant et quand les enfants partent, des plus gros investissements, que l'on ne retrouve pas dans les tâches légères : on n'aurait plus à investir sur le long terme (du moins celui envisagé par les responsables du foyer), l'habitation ayant atteint une forme satisfaisante, mais on continuerait de manière égale à en assurer l'apparence et la disponibilité.

Dans le cas de la maçonnerie, l'activité des familles est maximale pour la tranche des 30-39 ans, devançant et surpassant les autres formes de foyers du même âge de manière extrêmement nette (cf. figure 3). Noter que les couples sans enfant de 40-49 ans, relativement peu nombreux dans la population, ne sont pas essentiellement des familles que les enfants auraient déjà quittées, phénomène qui ne débute que dans la décennie suivante et ne prend toute son ampleur que dans la tranche 60-69 ans ; (cf. Tableau 3). Le fait que ceux-ci rejoignent à peu près dix ans plus tard le mouvement d'ensemble des familles laisserait entendre qu'un épisode spécifique les en sépare pendant les deux premières décades. S'agit-il d'un retard à la naissance des enfants, comme certains démographes en ont décelé la tendance?

5. LES MOYENS DE L'INVESTISSEMENT

L'examen des formes et des différences de l'investissement nous invite à poser la question des moyens nécessaires à le réaliser, financiers, culturels ou autres. Les grandes caractéristiques sociales (variables "de fond" enregistrées par l'enquête de l'INSEE) permettent d'en donner une indication. Ainsi en est-il des catégories socio-professionnelles et du statut professionnel, des diplômes détenus, de la taille de la commune et du niveau de ressources disponibles.

L'investissement à long terme est-il caractéristique des fractions les plus aisées de la société, au sens où la constitution d'une *Domus* forte constituerait le moyen d'assurer la pérennité d'une position dominante? Les cadres et les ménages aux ressources les plus élevées investissent-ils plus, en raison de moyens financiers plus importants, et dans ce cas font-ils plus souvent appel à un personnel extérieur rémunéré, que les ouvriers, employés et agriculteurs ? Inversement, ces derniers réaliseraient-ils eux-même les tâches plus fréquemment, pour compenser par un apport-travail des revenus plus faibles, comme la tradition et l'intuition commune incitent à le penser ?

Au moins pour ce qui est des trois ou quatre tâches d'investissement que les analyses précédentes nous ont montrées comme les plus lourdes (cf. figure 4) la réponse semble assez nette : ce ne sont pas les cadres qui s'investissent le plus, mais les professions intermédiaires et les employés ; les ouvriers ne dépassant guère les cadres. Un hypothétique surcroît des cadres ne serait pas plus confirmé par d'autres tâches, surtout pas les plus légères, liées à l'apparence, à la mise en scène : les tâches 14-15-16 (vitres, sols, lits) sont systématiquement réalisées à 100% ou presque, quelle que soit la catégorie socio-professionnelle. En dehors d'une tendance à la baisse chez les retraités et les inactifs, qui a tout lieu de se corréler avec celle due à l'âge, on ne peut considérer la *Domus* comme l'affaire d'une caste particulière.

Resterait la question d'une facilité que les cadres auraient à faire réaliser la tâche par une personne extérieure rémunérée. On ne peut guère dire qu'elle apparaisse considérable, si ce n'est une propension aux réparations et au lavage de la voiture, du fait sans doute qu'ils en possèdent plus souvent ou davantage. Mais pour ce qui est des tâches les plus fréquemment déléguées (figure 5), les cadres viennent, sans doute pour des raisons qui diffèrent, après les agriculteurs, les artisans et les retraités.

La question des différenciations sociales des formes de l'investissement dans la *Domus* passe par celle des ressources disponibles et mises en oeuvre. Si investir c'est d'abord répondre à une sollicitation, une attente, voire une pression ou une norme du milieu social d'appartenance, c'est aussi mobiliser des ressources, ce qui pose la question de leur disponibilité, voire d'une compensation d'un manque de nature financière par l'investissement d'un temps important.

La tendance générale est nette : l'activité du foyer croît avec les ressources, quoique les professions se soient peu différenciées, comme nous venons de le voir. Il faut alors penser que les mêmes familles qui mobilisent leurs énergies pour réunir des ressources importantes savent aussi les réunir pour bâtir leur univers. On remarquera par ailleurs que cette élévation progressive du taux d'activité avec le revenu, jusqu'à un maximum de 200 Kf/an semble-t-il, n'est pas due une fois de plus à la possibilité qu'offriraient ces ressources financières pour s'offrir le concours de services coûteux disponibles sur le marché (figure 6) : ce phénomène n'apparaît qu'au-delà du seuil indiqué, quand l'activité sous toutes ses formes décroît précisément. On a bien affaire à un investissement "personnel".

Par ailleurs, les faibles revenus paraissent avoir un recours égal, mais il s'agit néanmoins d'une réalisation effective souvent moitié moindre.

L'image que l'on peut alors construire est bien celle d'une incitation du milieu auquel appartient le ménage, d'autant plus forte que le niveau culturel et économique est élevé, mais aussi d'autant plus facile à satisfaire que les moyens sont en même temps réunis.

Un paramètre nous permet encore de le vérifier : le diplôme le plus élevé obtenu par la personne de référence s'avère influencer légèrement le taux de pratique, lequel baissera effectivement avec le niveau du diplôme ; on constate surtout une légère influence des diplômes techniques (CAP et Bac technique) par rapport à des formations voisines, ressources non négligeables en matière de réalisations techniques, qui accroissent un peu la pratique de certaines tâches, surtout par rapport aux diplômes inférieurs. Cependant, les diplômes élevés ne dépareillent pas (sauf pour la maçonnerie) : à ce titre, il semblerait que les diplômes soient plutôt l'indice d'une capacité à concevoir et à approvisionner, à mettre en oeuvre ou à organiser le chantier que peut représenter certaines tâches, plutôt que les témoins des connaissances techniquement indispensables. L'étude de l'influence des diplômes "toutes choses égales par ailleurs" met l'accent sur une plus faible activité des non-diplômés. Malgré tout, l'amplitude des variations y apparaît peu marquée (par rapport à celle qui sépare les familles des personnes seules par exemple), et l'absence de parchemin estampillé ne semble pas déterminer outre mesure l'engagement dans un projet de famille et d'habitation.

Enfin, si l'investissement dans la maison n'apparaît pas comme la pratique spécifique de catégories aisées (ou d'une autre), ni d'un milieu social particulier, on peut imaginer qu'il varie amplement selon le milieu géographique. Subit-il l'influence de la concentration urbaine, ou réciproquement des libres espaces ruraux et périurbains ?

A la lecture des premiers résultats, on aurait tendance à penser que plus la contrainte d'espace et de densité s'élève, et moins les foyers sont à même d'intervenir profondément sur la maison : plus la commune est grande et plus la tâche est "lourde", moins elle serait fréquemment réalisée. Il faudra cependant attendre de pouvoir croiser cette variable de résidence avec celles qui lui sont d'habitude reliées (PCS, âge, revenus...) pour se prononcer. Il est certes plus difficile de maçonner pour créer une pièce supplémentaire en plein Paris, et pourtant le bricolage, la menuiserie et la plomberie y vont bon train selon les premières mesures.

CONCLUSION

Si les questions plus détaillées que l'on vient d'examiner font apparaître des nuances dans les formes de mobilisation et d'investissement des familles autour de leur *Domus*, il n'en reste pas moins qu'elles semblent comme en second plan par rapport aux fortes oppositions qu'entraînent l'âge, et surtout la forme du foyer (mis à part l'effet des ressources, et la permanence de ce qui semble apparaître comme un complexe "inactivité-sans diplôme-faibles ressources"). Ces faits, qui paraissent bien établis maintenant, justifient le cadre d'interprétation proposé au début, et invitent à poursuivre l'analyse dans cette direction.

Il y aurait lieu particulièrement de développer une meilleure connaissance de l'énergie qui y est réellement dépensée, et des ressources de tous ordres qui sont mobilisées pour les réaliser. En effet, on n'a pu ici comparer véritablement les niveaux d'investissement proposés, leur fréquence réelle d'exécution, leur "poids" énergétique. On a seulement pu mettre en évidence cette mobilisation générale et quasi-permanente des familles sur leur objectif.

Il demeure cependant étonnant que les paramètres disponibles permettent si mal de mesurer les profondes différences qui s'identifient dans les catégories sociales. On peut penser que ceci est dû probablement au fait que ces différences sont d'un autre ordre, plus difficilement quantifiable dans une enquête, tenant plus à des arrangements, à des dispositions spatiales, à leurs représentations ou à leurs modèles, à des manières de faire, de disposer et d'user individuellement et collectivement des espaces de la *Domus*, que d'autres méthodes cerneront mieux.

PHILIPPE BONNIN
LASMAS, IRESCO, CNRS
59 rue Pouchet - 75849 PARIS CEDEX 17

RÉFÉRENCES BIBLIOGRAPHIQUES

BRENAC, E. et PIONA, J. *Territoires, lien social et parcours individuels : les pratiques du bricolage.* Grenoble, CEPS-CSTB, 1985.

EENSCHOOTEN, M. Le logement de 1978 à 1984: toujours plus grand et toujours mieux. INSEE, *Economie et statistique*, n° 206, 1988, p. 33-43.

EENSCHOOTEN, M. et LEROY, G. *Les conditions de logement des ménages en 1984.* Collections de l'INSEE, série M, n° 133, 1988, 40 p.

FLANDRIN. *Famille, parenté, maison, sexualité dans l'ancienne société.* Paris, Hachette, 1976.

GRIMLER, G. et ROY, C. Les activités domestiques des ménages : faire, acheter, faire-faire ou ne pas faire. *INSEE Première*, 1990, n° 109, 4 p.

INSEE. *Le logement aujourd' hui et demain.* Paris, 1989, 245 p.

INSEE. Les emplois du temps des français. INSEE, *Economie et Statistique*, n° 223, juillet-août 1989.

JARREAU, P. *Du bricolage : archéologie de la maison*. Paris, CCI-Alors, 1985.

KELLERHALS *et al.* Ambiguïtés normatives de l'échange conjugal : le problème de la norme d'équité. *Revue suisse de sociologie*, 1984, VII, P. 311-327.

KELLERHALS *et al. Microsociologie de la famille*. Paris, PUF, 1981.

LE ROY LADURIE, E. La *Domus* à Montaillou. In *Ethnologie française*, III, 1-2, 1973, p. 43-62. Ainsi que sensiblement le même texte in *Communautés du sud*, Paris, UGE, 1975, p. 167-22.

LÉVI-STRAUSS, C. La notion de maison. *Terrain*, 1987, n° 9 p. 34-39.

MORMICHE, P. et BONNAUD, C. *L'habitat en France en 1988*. Paris, INSEE, 1990. 74 p.

ROCHER, G. *Introduction à la sociologie générale*. Paris, Points, 1968.

ROUSSE, H. et ROY, C. Activités ménagères et cycle de vie. INSEE, *Economie et Statistique*, n° 131, mars 1981.

SEGALEN, M. *Sociologie de la famille*. Paris, Armand Colin, 1981 et 1988.

THÉBERT, Y. Espaces privés et publics : les composantes de la *domus*. In *Histoire de la vie privée*, sous la dir. de P. Ariès et G. Duby. Paris, Le Seuil, 1975.

VERGER, D. L'achat d'un logement ne va pas sans achat d'équipements. INSEE, *Economie et statistique*, n° 161, 1983, p. 23-32.

VERGER, D. Equipement du foyer ou équipement dans le foyer ? INSEE, *Economie et statistique*, n° 168, 1984, p. 77-92.

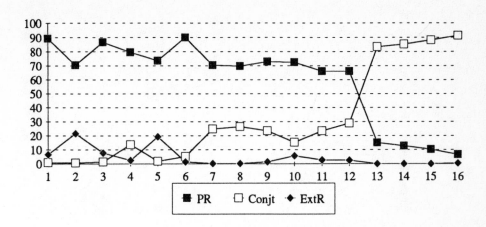

FIGURE 1 - RÉPARTITION GÉNÉRALE DES TÂCHES D'INVESTISSEMENT ENTRE LA PERSONNE DE RÉFÉRENCE,
LE CONJOINT ET UNE PERSONNE EXTÉRIEURE RÉMUNÉRÉE

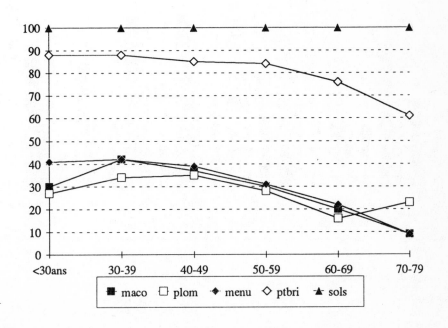

FIGURE 2 - TAUX DE RÉALISATION SELON L'ÂGE DU MÉNAGE

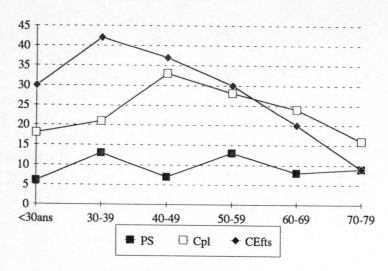

FIGURE 3 - TAUX DE RÉALISATION DE MAÇONNERIE SELON L'ÂGE ET LA FORME DU FOYER

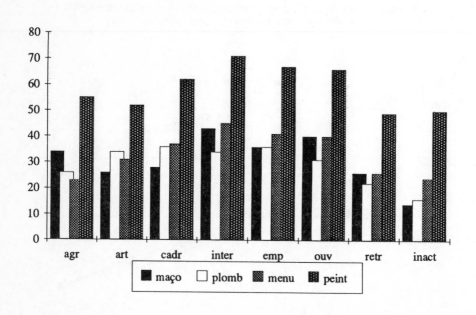

1 : agriculteurs-expoitants
2 : artisans, commerçants, chefs d'entreprises
3 : cadres et professions intellectuelles supérieures
4 : professions intermédiaires

5 : employés
6 : ouvriers
7 : retraités
8 : autres inactifs

FIGURE 4 - TAUX DE RÉALISATION DES TÂCHES 1,2,3 ET 4 SELON LES CATÉGORIES SOCIO-PROFESSIONNELLES

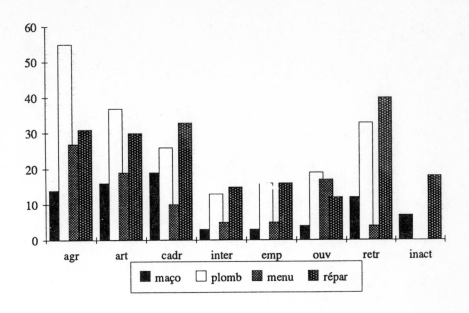

FIGURE 5 - APPEL À UNE PERSONNE EXTÉRIEURE RÉMUNÉRÉE SELON LA CSP

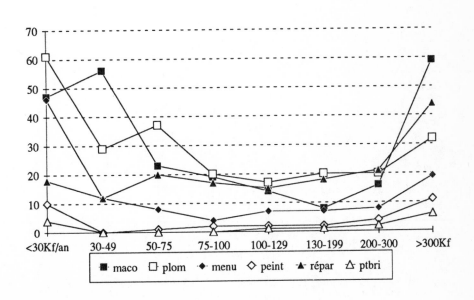

FIGURE 6 - TAUX DE RECOURS À UNE PERSONNE EXTÉRIEURE (RÉMUNÉRÉE, UNIQUEMENT),
POUR LES TÂCHES 1 À 6, SELON LES RESSOURCES DU MÉNAGE

LE MARATHON : UNE PRATIQUE DE CLASSE ?

Etudier la répartition socio-professionnelle des pratiquants dans les différentes activités physiques et sportives constitue l'un des thèmes de recherche privilégié par des chercheurs en sociologie du sport. Nombre d'entre eux n'hésitent pas, en prenant appui sur les concepts empruntés à la sociologie générale comme ceux d'habitus et de distinction, à établir d'étroites correspondances entre classes sociales et pratiques ludosportives.

S'il semble opportun d'habiller cette récente branche de la sociologie de tels schémas explicatifs, revendiquer une démarche spécifique apparaît tout aussi légitime et nécessaire. L'étude de la distribution socio-professionnelle des marathoniens et la mise en évidence d'un "effet d'agglomération" (à interpréter dans les deux sens du terme) tenteront d'illustrer ce propos à partir d'une enquête réalisée en 1989. En prenant comme base de données de nombreux résultats d'épreuve, il nous a été possible d'élaborer un échantillon de 700 pratiquants en fonction du sexe, de l'âge, de la région habitée, du niveau de performance, de l'éventuelle affiliation à un club ainsi que de la taille et de la situation géographique du marathon effectué. De l'ensemble des questionnaires retournés, 522 furent exploitables.

Lorsque l'on examine la distribution sociale des marathoniens et la structure de la population active masculine (95 % des pratiquants sont des hommes), il est aisé de souligner une importante représentation des cadres et professions intellectuelles supérieures (23,3 % des marathoniens alors qu'ils ne sont que 12,4 % dans la population active), des professions intermédiaires (28,5 % contre 20,2 %) et des employés (27,5 % contre 11,5 %). A l'inverse, les agriculteurs (0,6 % contre 7 %), les artisans, commerçants (3,2 % contre 8,9 %) et les ouvriers (17 % contre 40 %) sont peu représentés.

Nier le poids des facteurs socio-économiques dans la pratique du marathon serait imprudent tant les disparités sociales sont flagrantes, mais lui attribuer un rôle exclusif le serait tout autant. C'est en puisant dans la logique interne de l'épreuve des éléments pertinents [1], qu'il sera possible d'enrichir l'interprétation et de limiter la valeur et la portée explicative de ces facteurs.

---

1. Parlebas, P. *Eléments de sociologie du sport. Paris,* PUF, 1986, p. 117.

Comme le suggère Serge Diélens "la pratique du jogging - (et *a fortiori* celle du marathon) - est inversement proportionnelle à l'effort physique exige pendant le travail et directement proportionnelle au niveau de sédentarité de la profession envisagée" [2]. Bien que nous n'ayons pu en confirmer la validité de manière totalement satisfaisante dans notre enquête, ce postulat se trouve corroboré par les proportions indiquées ci-dessus et on peut évoquer à ce sujet les résultats d'une enquête du Ministère du travail [3] sur la fréquence des divers types d'efforts physiques au travail : 27 % des salariés ont déclaré porter ou déplacer des charges lourdes, 12,1 % subir des secousses ou des vibrations, 14,8 % effectuer d'autres efforts physiques importants. Ces pourcentages, parmi les ouvriers, s'élèvent pour chacune des propositions à 41,2 %, 19,1 % et 22,4 %, soit un accroissement de plus de 50 % par rapport à la moyenne des salariés.

C'est, en effet, par la nature de l'effort exigé, à savoir une importante dépense énergétique et l'absence d'incertitudes informationnelles associées tant à l'environnement qu'au comportement d'autrui, que le marathon et l'entraînement qu'il nécessite, constituent une activité compensatoire, plus particulièrement appréciée des strates sociales surreprésentées.

Un autre élément, inscrit dans la logique interne du marathon, nous invite à discuter les propos de Pierre Bourdieu lorsqu'il applique le concept d'habitus au domaine du sport : "Tous les traits qu'aperçoit et apprécie le goût dominant se trouvent réunis par des sports comme le golf, tennis, (...), l'escrime : pratiqués en des lieux réservés et séparés, à des moments de son choix, seul ou avec des partenaires choisis (...), au prix d'une dépense corporelle relativement réduite et en tout cas librement déterminée mais d'un investissement important (...) ils ne donnent lieu qu'à des compétitions hautement ritualisées (...) l'échange sportif y revêt l'allure d'un échange social hautement policé, excluant toute violence physique ou verbale, tout usage anomique du corps (cris, gestes désordonnés, etc.)..." [4].

Comment pourrait-on classer aux cotés de ces pratiques le marathon ? Il est tout le contraire !

En effet, de par son organisation, le marathon instaure un réseau de communication impensable en d'autres circonstances : c'est une des rares réunions sportives à laquelle tous ceux qui le désirent ont la possibilité de participer, tous âges, sexes, classes sociales et niveau de performance confondus. On y trouve une intense solidarité face à la distance à parcourir (42 km) - une identification collective à l'anti-héros, pour reprendre une expression de Paul Yonnet [5] - une appropriation d'un espace habituellement interdit, la rue, dans lequel le marathonien peut s'exprimer en toute quiétude, protégé qu'il est par ceux qui d'ordinaire lui en réglementent l'usage.

"Epreuve de masse", "course populaire", des expressions fréquemment associés au marathon, traduisent à merveille un autre trait de l'épreuve : la convivialité.

Cette caractéristique met quelque peu en porte à faux la définition du processus de distinction sociale que Pierre Bourdieu a donné dans un entretien à la revue E.P.S. : "la diffusion des pratiques sociales, dont les activités sportives font partie, obéit pratiquement à la même loi : en se divulguant, une pratique devient *vulgaire* et, par

2. Diélens, S. *De quelques aspects sociologiques de la pratique du jogging en Belgique*. Bruxelles, Editions de l'ADEPS, 1982, p. 35.
3. Enquête sur les conditions de travail, Ministère du travail, 1984. INSEE, Paris.
4. Bourdieu, P. *La distinction*. Paris, Editions de Minuit, 1979, p. 239.
5. Yonnet, P. *Jeux, modes et masses*. Paris Gallimard, 1985, p. 97.

conséquent, ceux qui sont situés en haut de la hiérarchie sociale, les gens *sélects* si vous voulez, vont chercher à recréer la rareté, sur le plan de l'espace ou, à défaut, sur le plan du temps" [6].

L'épreuve du marathon ne répond pas à cette définition. Le *sélect* et le *vulgaire* s'y côtoient et la sociabilité imposée y fait céder les barrières sociales.

De plus, en prenant en considération les dépenses effectuées par les coureurs, aucune donnée chiffrée ne nous permet de supposer que la fraction des marathoniens appartenant aux CSP les plus favorisées sont à la recherche d'éléments de distinction et de rareté. En effet, le budget consacré, d'une part, aux déplacements (possible participation à des marathons étrangers) et d'autre part, à l'équipement (phénomène de mode accompagnant le jogging) aurait pu constitué un indicateur discriminant. En fait, il n'en est rien puisque si 23,8 % des cadres et professions intellectuelles supérieures annoncent des dépenses annuelles de déplacement supérieures à mille francs, c'est également le cas pour 26,6 % des employés et 25 % des ouvriers. De même, si 28,4 % des cadres et professions intellectuelles supérieures consacrent un budget supérieur à mille francs à leur équipement, ils sont respectivement 24,6 % et 37,5 % parmi les employés et les ouvriers.

Il semble donc qu'en adhérant d'emblée à certaines particularités de la logique interne du marathon, "les gens *sélects*" délaissent leurs habitus de classe et de distinction, et participent pêle-mêle à une grande communion du corps. N'est-ce pas, en effet, cette convivialité évoquée précédemment et spécifique aux épreuves de masse qui est alors recherchée ?

Comment s'étonner, dès lors, que le marathon soit une pratique éminemment communautaire et urbaine, lorsqu'il recrée une sociabilité évaporée dans les tracas de la quotidienneté urbaine ? Et comment être surpris, par ailleurs, que ce soit une épreuve appréciée des CSP surreprésentées dans le monde urbain ? C'est ainsi que 63 % des marathoniens interrogés résident dans une ville de plus de 20 000 habitants (32,5 % dans l'agglomération parisienne, alors que ce n'est le cas que pour 17,58 % de la population active masculine [7]. De plus, la dispersion socio-professionnelle des marathoniens selon la taille de l'agglomération imite celle de la population active masculine [8] : 61,3 % des marathoniens appartenant à la catégorie des cadres et professions intellectuelles supérieures, 53 % à celle des professions intermédiaires, 45,4% à celle des employés et 28,4 % à celle des ouvriers résident dans une ville de plus de 100 000 habitants ou dans l'agglomération parisienne. Ces proportions s'établissent respectivement, pour l'ensemble de la population active, à 54,7 %, 40,7 %, 42,6 % et 29,4 %.

Utiliser comme principal paramètre, non plus les catégories socio-professionnelles mais la taille de l'agglomération peut s'avérer alors judicieux. Ainsi, il ne serait plus question d'habitus de classe, mais d'effet d'agglomération.

ROMAIN DENZLER
Abrégé d'un mémoire de DEA soutenu à l'UFR de Sciences Sociales
de l'Université de Paris V en octobre 1989 sous la direction de Pierre Parlebas.
20 rue de Tocqueville - 75017 PARIS

6.   Bourdieu, P. E.P.S. interroge un sociologue. *E.P.S.*, n° 177, 1986, p. 72.
7.   Enquête sur l'emploi, série D. Paris, INSEE, Mars 1988.
8.   Enquête sur l'emploi 1986. Paris, INSEE, 1986.

SOCIAL NETWORKS

◆ ◆ ◆ ◆ ◆

ALEXIS FERRAND

Who may be discussing partners on our emotional and sexual life ? In what sort of relations are such confidences allowed to occur ? What kind of personal network do these relations form ? We suggest that confidence rests upon a specific relational order and results of a methodological pre-test are used to outline it.

CLAIRE BIDART

Consideration of the subjective dimension of interpersonal relationships, of the ways individuals perceive and discribe them, must be integrated into research endeavours about those relationships implemented by the social sciences and network studies specifically. Concerning friendship, the author distinguishes here three levels of discourse collected from interviews : the level of the general definitions of friendships ; the level of the representations of individuals' active relationships ; and the level of the account of election, at the moment of friendship founding. The author compares for different social categories, the organization of these levels. One may establish that emergency situations, generally apart from ordinary social settings, are often at the foundation of friendship relations.

MICHEL FORSÉ

Surveys of sociability reveal that an individual A may say that he knows B. Whereas B will not necessarly quote A. The Micmac software takes advantage of this dissymetry. Thanks to the algorithm, that we shall first describe, it is possible, for direct or indirect links between individuals, to identify four fundamental forms of connections : simple relay, filter, amplification, multiple relay. Applying this method to a sociability network in a village of France, shows that distinct social profiles square with everyone of these types of connections. In this sense, networking elementary forms are not deprived of a social meaning.

JEAN-PIERRE DARRÉ

What does the relationships system analysis within groups of farmers, led in terms of network analysis, bring to the knowledge of technical change, or of production and marketing change, in agriculture ? Our observations involve the observation of the material change process. But we mostly seek to connect morphologic types of dialogue networks on the one hand and ways to know and evaluate reality, on the other, in short, the ways the thinking activity is collectively produced.

CATHERINE FLAMENT

Voluntary associations in South-East France are studied within the research tradition using graph-theory : the concept of network is used in its most formal understanding. This kind of formalization allows to develop a typology of different associations from which the image of a "network organisation" emerge. This new image tends to renew the basic question of social networks which is about the status of interpersonal relationships.

ALAIN DEGENNE, IRÈNE FOURNIER, CATHERINE MARRY, LISE MOUNIER

Three recent surveys allow us to analyze the role played by social networks in the job search process. French surveys use a theoretical framework based on a series of assumptions developped by American social scientists who connect the shape of the relevant social networks, the type of jobs they give access to, and the actor's social status. This approach also involves a definition of networks as a set of "social circles", norm producers which have an impact on actors' strategies. The sample is made of two socially contrasted sub-groups : a group of young unskilled workers (French Census Bureau, INSEE, 1986) on the one hand and a group of engineering graduates belonging to four different age groups on the other (FASFID, 1987 and IFRESI/LASMAS survey, 1990). The results of these surveys support these assumptions and encourage us to pursue a study of the labor market which encompasses both actors' and firms' strategies.

SÉBASTIEN REICHMANN

Based on data collected during the two waves of a socio-epidemiological study concerning the impact of unemployment on health, an attempt was made to assess the validity of infering a sociological signification from a statistical one, by using comparisons of results of the same correlational analyses undertaken in the index and control samples. In spite of the absence of a "standard" sociability model, inspired by network studies in the general population, underlining (1) the differences between the two samples, with regard to gender specificity on the interaction patterns between Ego and its network's members, as well as (2) the differences between subgroup of the indexsample, according to the employment status at the second wave, allows the identification of several potential risk or prospective factors for mental health.

MONIQUE VERVAEKE

Do residents move from one district to another within the same greater city area ? Residential mobility within a greater city area alters the physical distribution of populations. Within one greater city area, certain districts have residential parks that are more appealing than others. These districts attract residents from neighboring districts. The analysis of the entire residential network permits the identification of the most appealing districts within a local housing market. This article applies network analysis to the families unsuccessfully requesting public housing. As of July 1989, the public rental unit of Dunkerque maintained 1512 long standing requests for family housing. Districts that have received long standing requests are identified in relation to those districts from which households wish to move. This analysis of a network of 18 districts reveals the stratified and segmented nature of the public rentals sector of this particular greater city area.

PHILIPPE BONNIN

The notion of "housing" in its economic and administrative definitions seems to be poorly adapted in representing the reality as it is lived daily by the families, and in the long-term : each dwelling is the fruit of a constant and reiterate production. These facts brought to the fore by qualitative methods, could be integrated to the quantitative inquiries. The article proposes to prop up this position by the results of an INSEE inquiry, being presently analysed, on "domestic production". The introduction proposes the construction of an interpretative frame which allows to exceed a simple sociometry, jointed to a reactualization of the *Domus* concept. The examination of the initial results of the inquiry will permit the testing of this position and some of the derived hypothesis.

ROMAIN DENZLER

Concepts like "habitus" and "reproduction" cannot be sufficient to explain the socio-professional imbalances within a sportman population. An inquiry, conducted to the marathonmen, has permited to underline the significance of the "agglomeration effect".

Une connaissance sans cesse améliorée des sociétés contemporaines est nécessaire à tous, des citoyens aux acteurs institutionnels. Cela implique un effort croissant des recherches en sciences sociales, qui, pour faire face à la complexité et au changement, se diversifient dans leurs approches et leurs objets. La pluralité, des disciplines mobilisées, sociologie, anthropologie, démographie, économie, ethnologie, géographie, histoire, psychologie sociale, mais aussi des démarches théoriques, des méthodes, des champs d'étude, demande à son tour une intensification des échanges entre les chercheurs pour éviter les pièges de la fragmentation ou de l'enfermement dans la spécialité.

D'où l'intérêt d'une publication plus particulièrement orientée vers la communication entre les chercheurs et la diffusion rapide de résultats de recherche.

Sociétés Contemporaines se veut un outil professionnel rigoureux, proche de la recherche et au service de la recherche. Les chercheurs sont assurés d'y trouver un accueil favorable pour toute présentation, dans une forme publiable, de travaux d'envergure ou de résultats ponctuels, la seule condition étant qu'ils apportent leur note dans le concert des recherches qui se mènent aujourd'hui sur nos sociétés.

La revue publie, dans chaque numéro, un dossier regroupant un ensemble de contributions sur un même thème, et des articles hors dossier permettant de couvrir des domaines variés et dont la diffusion rapide est recherchée. Elle n'hésite pas à accueillir, voire à animer des débats. Les thèmes ou les débats peuvent se prolonger sur plusieurs numéros.

Les textes publiés [1] sont de nature très diverse : synthèse des résultats d'une recherche, propositions théoriques, présentation d'une problématique ou d'un projet, note méthodologique ou technique, information sur une recherche en cours, revue de question. Les recherches dont il est traité peuvent être aussi bien les programmes centraux d'équipes du CNRS ou universitaires que des mémoires de DEA ou des thèses, des travaux individuels ou menés dans d'autres contextes.

Par son titre, *Sociétés Contemporaines* affirme sa vocation internationale et interculturelle. Par la composition de son comité de rédaction, sa vocation pluridisciplinaire. La revue est attentive non seulement à l'état mais également aux évolutions du travail de recherche.

L'initiative de la création de cette revue est partie des sociologues mais le dénominateur commun, c'est le regard porté sur les sociétés contemporaines.

Les articles publiés dans *Sociétés Contemporaines* sont enregistrés ou indexés dans les bases suivantes :
- *Francis*,
- *International Current Awareness Services (ICAS)* et *International Bibliography of the Social Sciences*,
- *Sociological Abstracts (SA)* et *Social Planning/Policy & Development Abstracts (SOPODA)*.

1. Voir les sommaires des quatre premiers numéros p. 173-174.

Vous désirez publier rapidement vos résultats de recherche. C'est également le pari que nous avons fait. Aussi nous vous demandons, dans toute la mesure du possible, de nous aider à tenir ce pari. Vous pouvez y contribuer de diverses manières :

1. En nous fournissant vos articles sur papier en six exemplaires afin qu'ils soient transmis aux différents lecteurs dès leur arrivée au secrétariat de la revue.

2. En joignant à cet envoi vos textes sur disquette (format MS-DOS ou Macintosh) et en indiquant le traitement de texte utilisé.

3. En veillant à ce que votre article ne dépasse pas les 60.000 signes (soit 30 pages double interligne environ).

4. En respectant les quelques consignes suivantes : conserver des marges constantes et laisser un double interligne ; expliciter les sigles et, d'une manière générale, donner les citations en français dans le corps de l'article avec renvoi du texte en langue d'origine en note de bas de page si nécessaire.

5. Faire figurer en tête de votre article : le nom de (ou des) auteur(s) et éventuellement le nom de (ou des) l'institution(s) de référence ; le titre de l'article suivi d'un résumé en français et en anglais d'une dizaine de lignes chacun (soit environ 650 signes).

6. Les notes : faire de très courtes notes en bas de pages ; les notes méthodologiques seront publiées en annexe ou feront l'objet d'un encadré.

7. Les références bibliographiques : faire apparaître dans le texte entre parenthèses le nom de l'auteur écrit en minuscule et l'année de publication (ex. : Durkheim, 1897) ; les références bibliographiques complètes seront regroupées en fin d'article par ordre alphabétique en respectant les normes internationales. Exemples :

DURKHEIM, E. *Les formes élémentaires de la vie religieuse*. 4ème éd. Paris, PUF, 1960. 647 p. 1ère éd. 1912.
NAVILLE, P. Vers l'automatisme social. *Revue Française de Sociologie*, 1960, vol. 1, n° 3, p. 275-285.
PARK, R. Community organization and juvenile delinquency. In PARK, R., BURGESS, E. and MCKENZIE, R. *The City*. With an introduction by M. JANOWITZ. Chicago, London, University of Chicago Press, 1967, p. 99-122.

8. Ne pas omettre de nous donner vos coordonnées : adresse, numéros de téléphone et de télécopie.

9. Adresser vos articles au secrétariat de la revue *Sociétés Contemporaines*, CNRS, IRESCO, 59-61 rue Pouchet, 75849 PARIS CEDEX 17 (téléphone 33 1 40 25 10 11, télécopie 33 1 42 28 95 44).

10. Les manuscrits ne sont pas renvoyés aux auteurs. Tout refus sera argumenté et accompagné des rapports fournis par les lecteurs sollicités.

NUMÉRO 3 - SEPTEMBRE 1990

GESTIONS DU SOCIAL

JEAN LUCIANI
LOGIQUES DU PLACEMENT OUVRIER AU XIX° SIÈCLE ET CONSTRUCTION DU MARCHÉ DU TRAVAIL.
MARTINE MULLER
LA NAISSANCE DE L'AGENCE NATIONALE POUR L'EMPLOI. INSTITUTION ET MISSION DE SERVICE PUBLIC.
CATHERINE ROLLET
LE FINANCEMENT DE LA PROTECTION MATERNELLE ET INFANTILE AVANT 1940.
ANNIE THEBAUD-MONY
INÉGALITÉS SOCIALES ET TUBERCULOSE EN SEINE SAINT-DENIS DANS LES ANNÉES 1980. UNE RECHERCHE PLURIDISCIPLINAIRE EN SANTÉ PUBLIQUE.
JEAN-MARC WELLER
SOCIOLOGIE D'UNE TRANSACTION : UNE CAISSE DE RETRAITE ET SES USAGERS.

◆ ◆ ◆

MAURICE GUETTA, CYRILLE MEGDICHE
FAMILLE, URBANISATION ET CRISE DU LOGEMENT EN ALGÉRIE.
CLAUDE FOSSÉ-POLIAK
ASCENSION SOCIALE, PROMOTION CULTURELLE ET MILITANTISME. UNE ÉTUDE DE CAS.
JEAN-LUC DUCHAMP
L'ABANDON DE L'UNIFORME, ESSAI D'INTERPRETATION. LE RETOUR À LA VIE CIVILE DES CADRES MILITAIRES TITULAIRES D'UNE PENSION DE RETRAITE.

NUMÉRO 4 - DÉCEMBRE 1990

RELATIONS INTERETHNIQUES

JOCELYNE STREIFF-FENART
LA NOMINATION DE L'ENFANT DANS LES FAMILLES FRANCO-MAGHRÉBINES.
ANNE RAULIN
CONSOMMATION ET ADAPTATION URBAINE. DES MINORITÉS EN RÉGION PARISIENNE.
JEAN-CLAUDE TOUBON, KHELIFA MESSAMAH
COEXISTENCE ET CONFRONTATION DANS UN QUARTIER PLURI-ETHNIQUE : LE CAS DE LA GOUTTE D'OR.
MARTINE HOVANESSIAN
L'ÉVOLUTION DU STATUT DE LA MIGRATION ARMÉNIENNE EN FRANCE.

◆ ◆ ◆

DENIS DUCLOS
L'UTILISATION SOCIALE DU RISQUE TECHNOLOGIQUE
JACQUES MERCHIERS, PATRICK PHARO
COMPÉTENCE ET CONNAISSANCE EXPERTES.
PROPRIÉTÉS PUBLIQUES ET COGNITIVES-PRATIQUES.
JEAN-MICHEL BERTHELOT
LES EFFETS PERVERS DE L'EXPANSION DES ENSEIGNEMENTS SUPÉRIEURS.
LE CAS DE LA FRANCE.
SABINE ERBÈS-SEGUIN, CLAUDE GILAIN, ANNICK KIEFFER
LES INTERVENTIONS DE L'ÉTAT EN MATIÈRE D'EMPLOI. L'EXEMPLE DE LA FORMATION PROFESSIONNELLE EN FRANCE ET EN RÉPUBLIQUE FÉDÉRALE D'ALLEMAGNE.
FRANCIS BAILLEAU, GEORGES GARIOUD
L'INSÉCURITÉ, UNE COMMUNE ET L'ÉTAT.

BULLETIN D'ABONNEMENT à *SOCIETES CONTEMPORAINES*

A compléter et à retourner accompagné de votre titre de paiement à
L'Harmattan - 16, rue des Ecoles - 75005 PARIS

Nom .... Prénom ....

Adresse ....

....

Code postal .... Ville .... Pays ....

Abonnement 1991 (4 numéros) : France 280 F, Etranger : 320 F
(Règlement par chèque bancaire ou postal libellé à l'ordre de L'Harmattan)

Date   Signature

ACHEVÉ D'IMPRIMER
2e TRIMESTRE 1991
SUR LES PRESSES DE
L'IMPRIMERIE SZIKRA
90200 GIROMAGNY

CONCEPTION
MISE EN PAGE
STUDIO
FRANCOIS MUTTERER
46 33 48 01

◆